DÉJÀ PARUS

Robert Daley
Trafic d'influence, 1994
En plein cœur, 1995
La Fuite en avant, 1997

Daniel Easterman
Le Septième Sanctuaire, 1993
Le Nom de la bête, 1994
Le Testament de Judas, 1995
La Nuit de l'Apocalypse, 1996
Le Jugement final, 1998
(Collection Nuits Noires)

Allan Folsom
L'Empire du mal, 1994

Dick Francis
L'Amour du mal, 1998

Michael Grant
Ascenseur pour un tueur, 1996

James Grippando
Le Pardon, 1995
L'Informateur, 1997

William Harrington
Qui a tué Regina ?, 1996

Colin Harrison
Corruptions, 1995
Manhattan nocturne, 1997

A. J. Holt
Meurtres en réseau, 1997

John Lescroart
Justice sauvage, 1996
Faute de preuves, 1998
(Collection Nuits Noires)

Matthew Lynn
L'Ombre d'un soupçon, 1998
(Collection Nuits Noires)

Judy Mercer
Amnesia, 1995

Junius Podrug
Un hiver meurtrier, 1997

Doug Richardson
Le Candidat de l'ombre, 1998
(Collection Nuits Noires)

John Sandford
Le Jeu du chien-loup, 1993
Une proie en hiver, 1994
La Proie de l'ombre, 1995
La Proie de la nuit, 1996
La Proie de l'esprit, 1998
(Collection Nuits Noires)

Elise Title
Romeo, 1997

Tom Topor
Le Codicille, 1996

Marilyn Wallace
Un ange disparaît, 1996

Michael Weaver
Obsession mortelle, 1994
La Part du mensonge, 1995

Don Winslow
Mort et vie de Bobby Z, 1998
(Collection Nuits Noires)

UNE AFFAIRE D'ENLÈVEMENT

DU MÊME AUTEUR
AUX ÉDITIONS BELFOND

Le Pardon, 1995
L'Informateur, 1997

JAMES GRIPPANDO

UNE AFFAIRE D'ENLÈVEMENT

Traduit de l'américain
par Philippe Rouard

belfond
12, avenue d'Italie
75013 Paris

Titre original :
THE ABDUCTION
publié par HarperCollins Publishers, Inc.,
New York.

Si vous souhaitez recevoir notre catalogue
et être tenu au courant de nos publications,
envoyez vos nom et adresse, en citant ce livre,
aux Éditions Belfond,
12, avenue d'Italie, 75013 Paris.
Et, pour le Canada, à
Édipresse Inc., 945, avenue Beaumont,
Montréal, Québec, H3N 1W3.

ISBN 2.7144.3602.1

À Tiffany

REMERCIEMENTS

Merci...
À Tiffany. Je ne le dirai jamais assez, mais je n'y serais pas arrivé sans toi.
À Carolyn Marino, Robin Stamm, et aux suspects ordinaires, avec leur talent extraordinaire... Artie Pine, Richard Pine et Joan Sanger.
Merci à Carlos Sires, Eleanor Raynor, Judy Russell, Nancy Lehner, Eric Helmers, Jim Hall, Terri Gavulic, Gayle DeJulio, Jennifer Stearns, et Jerry Houlihan.
La troisième fois est un enchantement, même si nous savons tous que c'est en fait la quatrième.

Prologue : mars 1992

À onze heures du soir, les cris cessèrent enfin.

Cela avait commencé par un gémissement, faible mais soutenu. Puis, à chaque respiration haletante, la plainte s'était élevée, de plus en plus aiguë, pour culminer dans un déferlement de braillements qui violaient les limites du langage et frôlaient l'animalité.

Cette nuit, comme chaque nuit, Allison Leahy n'avait eu d'autre choix que d'endurer les pleurs de sa petite fille de quatre mois. Que le pédiatre lui eût affirmé que cela n'avait rien d'anormal n'en faisait pas pour autant une douce musique. Persuadée que *quelque chose* devait perturber son bébé, Allison n'en avait pas moins le sentiment déprimant qu'elle ne le découvrirait pas avant qu'Alice eût atteint la puberté.

Elle avait bien quelques idées... des craintes, plus exactement, surgissant avec la brutalité d'un flash. Alice était une enfant adoptée, et ses cris étaient peut-être la manifestation de son rejet de la mère adoptive. Ce pouvait être quelque redoutable syndrome hérité d'une jeune mère dont la diététique prénatale avait consisté en vodka et cigarettes. À moins que le problème ne se prénommât Allison ? Il était possible que ses amis eussent raison : c'était de la folie que d'adopter un enfant quand on avait trente-neuf ans, une telle ambition, et pas de père à l'horizon.

Heureusement, sa paranoïa s'évanouissait toujours à la vue du petit visage – le nez retroussé et la perfection de la bouche miniature faisaient dire aux gens qu'Alice ressemblait à sa mère. Pas sa mère biologique, mais la nourricière. Et Allison chérissait ladite ressemblance, fût-elle un pur hasard.

« Tu dors, mon beau bébé ? » chuchota-t-elle d'un ton plein d'espoir.

Alice était avachie dans son siège de bébé, mentons multiples sur sa poitrine. Son silence clamait que oui.

Allison arrêta le séchoir à linge. Elle ne se rappelait plus où elle avait recueilli cet utile tuyau, mais un séchoir à linge vibrant et dégageant une douce chaleur avait un grand pouvoir d'endormissement. Elle prit l'enfant dans ses bras et traversa la cuisine, s'arrêtant un instant devant le petit téléviseur installé sur le comptoir. Anthony Hopkins remerciait l'Académie pour son oscar du meilleur acteur. Alice ouvrit soudain ses yeux endormis, comme si elle était ravie par la magie de Hollywood.

Allison poursuivit sa marche dans le couloir en souriant. « Un jour, ce sera toi, ma chérie. Et peut-être qu'à ce moment-là tous ces vieux imbéciles se diront que, puisqu'il n'y a qu'un seul et même oscar pour les réalisateurs des deux sexes, il en sera désormais de même pour les acteurs. Il n'y aura plus de nominations séparées pour les hommes et les femmes. Tu seras Alice Leahy, oscar du "meilleur interprète". Oui, ma petite, c'est ce que tu seras : *Le Meilleur* ! »

Elle posa sa nominée de sept kilos sur les draps roses du berceau, heureuse que son incapacité chronique à garder ses opinions pour soi n'eût pas en la circonstance réduit à néant l'heure et demie passée en compagnie du bébé et du séchoir à linge. Alice dormait. Peut-être s'habituait-elle à cette mère qui n'avait pas peur de dire ce qu'elle pensait ? *Tant mieux pour elle*, songea Allison.

Allison avait grandi pendant l'ère Eisenhower dans une petite ville au nord de Chicago ; à l'âge de neuf ans, elle avait été renvoyée de son école catholique pour avoir giflé une vieille religieuse qui lui avait dit que, pour avoir divorcé, sa mère irait en enfer. Elle poursuivit sa scolarité dans des établissements laïques et obtint sa licence de droit en 1976 à la faculté de droit de l'Illinois. Deux ans plus tard, elle se distinguait comme avocate à la Fondation pour la défense des consommateurs. Onze bébés, dont on avait trop hâtivement attribué le décès à la mort subite du nourrisson, avaient en fait été victimes d'ours en peluche bourrés de vieux chiffons encore imprégnés d'un produit nettoyant inodore mais hautement toxique. Allison constitua un dossier accablant et permit au ministère public de condamner lourdement les responsables qui avaient approuvé le dangereux expédient destiné à réduire le coût de fabrication.

Sa ténacité attira l'attention de l'attorney général[1] des États-Unis, qui s'empressa de la recruter. En six ans, elle n'avait pas perdu une seule affaire. Après quatre années passées à Washington comme la plus jeune présidente jamais nommée à la tête d'un département de justice, elle regagna Chicago et entra dans le monde de la politique. À l'âge de trente-six ans, elle remporta la course âprement disputée au poste d'attorney du Cook County State, avec soixante pour cent des suffrages. L'électorat féminin avait clairement répondu au message d'Allison : les femmes étaient trop souvent les victimes de crimes de sang. Ses propres sondeurs d'opinion ne savaient pas si les électeurs masculins avaient voté pour elle au regard des idées qu'elle défendait ou à cause de ce que son adversaire sexiste avait appelé le « syndrome de la princesse Grace ». Les responsabilités de ses quatre années à Washington n'avaient en rien altéré son allure, en dépit d'une coupe plus sévère de ses cheveux blonds et de la lueur sceptique éclairant plus souvent ses grands yeux noisette. Sa beauté éclatante, lui avait fait remarquer sa mère, se transformait en une élégante confiance en soi.

« Bonne nuit, ma chérie. » Allison déposa un baiser sur le front d'Alice, puis plaça l'interphone électronique du bébé sur la commode à côté du berceau. Le petit récepteur sans fil se logeait aisément dans la poche de son peignoir. C'était une manière de placer son bébé sur écoute, un gadget qui permettait aux parents anxieux de vaquer à leurs occupations domestiques ou de dormir dans leur propre chambre sans manquer un seul gazouillis ni le moindre hoquet. Allison régla le volume de son récepteur, alluma la veilleuse à l'effigie de Cendrillon et sortit sans bruit de la pièce.

Elle avait à peine franchi la porte que le téléphone sonnait. Elle décrocha le téléphone sans fil et courut dans la chambre d'amis à l'autre bout de la maison, le plus loin possible de l'ange endormi qui, réveillé, redeviendrait démon.

« Allô ?

— Salut, c'est Mitch. »

Elle soupira. Mitch O'Brien, son ex-fiancé. Leur liaison avait duré trois années, au terme desquelles Allison avait dû se rendre à l'évidence : son incapacité à fixer une date pour le mariage n'était pas due à une indécision chronique. Huit mois étaient passés depuis leur rupture, mais depuis qu'il l'avait appelée trois mois plus tôt pour la féliciter de l'adoption d'Alice, il avait pris l'habitude de lui téléphoner tous les lundis soir. Allison n'y voyait pas d'inconvénient, même si, le jour

1. Ministre de la Justice. *(N.d.T.)*

où elle avait cru bon de lui exprimer son espoir qu'ils resteraient amis, elle n'avait certes pas voulu dire amis *intimes*.

« Alors, comment se porte la petite Miss Amérique ? demanda-t-il.

— Ça, c'était la semaine dernière. Aujourd'hui, elle a obtenu l'oscar du meilleur acteur.

— La meilleure actrice, tu veux dire.

— C'est à voir », dit-elle alors qu'un joyeux gargouillement crépitait dans la poche de son peignoir, comme si Alice approuvait les propos de sa mère.

Allison sourit. « À la vérité, elle est tellement bavarde que je pense la former pour qu'elle remplace Oprah[1] en l'an 2010. »

Mitch rit, puis changea de sujet et s'en alla quêter du côté de la vie sentimentale d'Allison. Oui, elle avait quelqu'un, cependant cette liaison avec un homme qui vivait à New York n'en demeurait pas moins bien peu de chose, comparée au petit être endormi à l'autre bout de la maison. Mitch parlait, mais Allison ne l'écoutait pas ; en vérité, elle l'entendait à peine tant elle était à l'écoute des gazouillis d'Alice.

« Le Ravisseur » recevait des parasites. Cela faisait plus d'une heure et demie qu'il était garé au bout de Royal Oak Court, où le signal radio avait été clair et puissant. Un récital de gargouillements et de soupirs suivis de ronflements intermittents... la version poupon d'un sommeil de plomb. À présent, la communication était brouillée par un flot de crachotements, entrecoupés de bribes de conversation entre Allison Leahy et Mitch O'Brien.

Elle téléphone depuis un sans-fil. La combinaison des fréquences radio interférait avec le signal qu'il avait reçu de l'interphone du bébé.

Il éteignit le scanner électronique du tableau de bord, le silence se fit dans le fourgon. Il entrouvrit la fenêtre pour aérer la cabine puant le tabac et écrasa sa cigarette dans le cendrier débordant de mégots. Le clignotement du voyant orange sur la console indiquait que l'enregistrement se poursuivait. Il pressa le bouton d'arrêt et éjecta la minuscule cassette. Il avait là tous les borborygmes infantiles dont il avait besoin – une bande de quatre-vingt-dix minutes, en comptant ce qu'il avait déjà recueilli lors de sa précédente surveillance, sept jours plus tôt.

Grâce à son ingéniosité, le réverbère au coin de la rue n'éclairait plus les abords de la maison d'Allison Leahy. Il ôta sa chemise de sport et la remplaça par un maillot noir à capuche qui le moulait aussi

1. Oprah Winfrey, célèbre animatrice de talk-shows. *(N.d.T.)*

bien qu'une combinaison de plongée, un complément adéquat à son jean et à ses tennis anthracite. Il orienta le rétroviseur pour se maquiller le visage de cirage puis, son camouflage complété, s'essuya les mains et enfila une paire de gants de caoutchouc. Il n'utilisait jamais de cuir, car la peau des animaux laissait des traces aussi distinctives que les empreintes digitales. Enfin, il descendit de voiture et referma sans bruit la portière.

La construction de style ranch se dressait au fond d'un terrain de deux mille mètres carrés arborés, qu'entourait une dense haie de conifères. Sous les branches torturées de grands chênes, une allée incurvée s'étendait depuis la rue jusqu'au perron. Il choisit le chêne le plus haut et le plus proche de la bâtisse, se força un chemin à travers la haie et grimpa dans l'arbre. Il ne lui fallut pas longtemps pour se hisser le long d'une branche dominant le toit en tuiles de cèdre et prendre pied sur celui-ci.

En trois enjambées silencieuses il atteignit la cheminée, à la base de laquelle il savait qu'il trouverait le boîtier de l'alarme. Celui-ci, gros comme une boîte à biscuits, était verrouillé, mais il présentait une face ajourée de fentes permettant la diffusion du son. L'homme sortit de sa poche kangourou une bombe de mousse de polyuréthanne et vissa sur l'embout une longue paille en plastique, qui pénétra aisément entre les fentes du boîtier. Pressant fortement sur l'embout, il libéra un flot de mousse qui emplit complètement la boîte et ne mit guère plus de trente secondes à durcir. L'alarme était réduite au silence sans qu'il ait eu à couper un seul fil.

Il rangea l'atomiseur dans sa poche et redescendit du toit comme il y était monté. L'instant d'après, il s'accroupit sous une fenêtre derrière la maison. La pièce était plongée dans la pénombre, mais les rideaux imprimés de petits ours dansant la ronde lui disaient que c'était bien la chambre en question. Il se redressa pour examiner la fenêtre de plus près. Pas de barreaux de sécurité ni de verrous compliqués. Rien qu'une fermeture standard et le fil connecté à l'alarme neutralisée. Il était possible que le système de sécurité soit également relié à un poste de police, auquel cas il aurait cinq à dix minutes devant lui.

Il grimaça un sourire. Décidément, ce n'était pas très difficile de pénétrer chez les particuliers.

Il était près de minuit quand Allison raccrocha le téléphone. Mitch répugnait à dire bonne nuit, mais elle était fatiguée et dut presque faire preuve de rudesse. Pour la troisième semaine consécutive, leur conversation s'était achevée sur une note bizarre. Cette fois, il voulait savoir si cette maternité célibataire n'avait pas pour elle de répercussion politique. C'était là un sujet qui touchait à son éligibilité, et un journal avait déjà remis en cause un système permettant à une certaine Allison Leahy, attorney de son état, d'être candidate à l'adoption d'un enfant avant d'être mariée, et d'obtenir cette adoption après la rupture de ses fiançailles. Mais Allison voulait un bébé et, pour en avoir un, ne s'estimait pas obligée d'épouser un homme qu'elle n'aimait pas. Elle était convaincue, à tort ou à raison, que l'adoption par une femme célibataire ne soulèverait pas la même condamnation morale qu'une grossesse hors des liens du mariage.

Allison éteignit la chambre d'amis et traversa le couloir d'un pas fatigué. Dans sa poche, le récepteur continuait de lui transmettre la douce musique de nuit d'Alice. Il n'y avait pas lieu de s'inquiéter de ces bruits-là. C'était le silence qui faisait accourir les mères inquiètes auprès de leur premier bébé.

Elle sourit à l'approche de la nursery. Elle passa la tête par la porte entrebâillée, et retint son souffle. La petite était sur le ventre. Jamais Allison ne la laissait ainsi. Les spécialistes recommandaient qu'on place les nourrissons sur le côté ou sur le dos. Elle se hâta vers le berceau et se pencha, les mains tendues.

Son cri déchira la pénombre.

À la place d'Alice se trouvait une poupée. Dans un réflexe de négation de la réalité, Allison écarta le mannequin de chiffon, et, comme elle arrachait la couverture sous laquelle se trouvait peut-être son enfant, quelque chose tomba à terre. Elle fit de la lumière. C'était un magnétophone miniaturisé, dont la bande émettait les bruits d'Alice.

Avec un hurlement, Allison se précipita à la fenêtre. Le verrou était ouvert. La vitre avait été perforée d'un trou juste assez large pour permettre le passage d'une fine tige d'acier, avec laquelle la poignée du verrou avait été relevée.

Allison regarda au-dehors, et le verre lui renvoya l'expression horrifiée de son visage.

« Alice ! »

Elle se précipita hors de la pièce, s'empara au passage du sans-fil et courut à travers la maison en appelant sa fille. Elle était hors d'haleine quand elle s'arrêta enfin dans la cuisine et composa le 911.

« On a enlevé mon enfant ! cria-t-elle au standardiste.

— Calmez-vous, madame.

— Me calmer ? On a arraché ma fille de quatre mois de son berceau ! Envoyez tout de suite une voiture au 901 Royal Oak Court !

— Ils sont encore là ?

— Non... je ne sais pas. Je ne vois personne. Ils ont pris mon bébé !

— Je vous envoie du monde immédiatement. Ne sortez pas de chez vous. Nous serons là dans un instant. »

Ils doivent avoir une voiture ! Allison courut à l'entrée, déverrouilla la porte et sortit sous le porche.

« Alice ! »

Elle s'aventura parmi les buissons bordant l'allée, accrochant son peignoir aux massifs de roses, et se hasarda jusque dans la rue. Elle haletait, le ventre cisaillé par la douleur. Elle regarda de droite et de gauche, mais la rue était silencieuse et déserte.

« Vous êtes encore là, madame ? » demandait la voix du standardiste dans le téléphone qu'elle serrait dans sa main.

Incapable de répondre, Allison tomba à genoux, les épaules secouées par de violents sanglots. Un crépitement de parasites lui parvint de la poche dans laquelle elle avait glissé le récepteur en quittant Alice moins d'une heure plus tôt. Elle le sortit d'une main tremblante et comprit d'où cela provenait. Le magnétophone continuait d'émettre les petits bruits du sommeil d'Alice.

PREMIÈRE PARTIE

Octobre 2000

1

Allison sentait son cœur cogner dans sa poitrine. Ses poumons la brûlaient, et elle commençait à haleter. Le cadran du tapis de jogging indiquait qu'elle avait parcouru plus de trois kilomètres. Elle ralentit l'allure et s'efforça de retrouver son souffle. La sueur plaquait sur son corps svelte de quarante-huit ans son pantalon de survêtement en nylon et son grand T-shirt... son préféré, blanc et barré d'un slogan en grandes lettres rouges et bleues :

LEAHY PRÉSIDENT – UN NOUVEAU MILLÉNAIRE

Allison était à quinze jours de la journée historique où les électeurs décideraient de porter pour la première fois une femme à la présidence du pays. La course à la Maison-Blanche était grande ouverte, car l'actuel président, le démocrate Charlie Sires, parvenait au terme de son second et dernier mandat de quatre ans. Allison était l'attorney général de ce second mandat, depuis que Sires avait renouvelé radicalement son équipe lors de sa réélection en 1996.

Huit mois plus tôt, Allison ne se voyait guère en prétendante sérieuse à la présidence. Mais, quand les républicains nommèrent Lincoln Howe, le Noir bien-aimé de la nation, les sondages révélèrent que le seul démocrate capable de le battre était une charismatique femme blanche.

Ironiquement, ses trente minutes de marche sur le tapis de jogging avaient rapproché Allison de cinquante kilomètres du meeting prévu dans l'après-midi à Philadelphie. Elle achevait la dernière étape d'une tournée en autocar de deux jours en Pennsylvanie, un État en perpétuel balancement qui ne comptait pas moins de vingt-quatre collèges électoraux. Le car avait parcouru plus de seize mille kilomètres durant les six derniers mois. Maintenant que se présentait l'ultime ligne droite, sa campagne montrait tous les signes d'une machine politique bien huilée, bien que le moins ordonné des individus n'eût vu là qu'un effroyable désordre. Une douzaine d'hommes et de femmes s'affairaient aux ordinateurs et aux télécopieurs. Une montagne de cartons bourrés d'archives bloquait l'accès aux toilettes, décourageant quiconque d'user des commodités du bord. Des milliers de badges, de tracts et d'autocollants jonchaient l'arrière du véhicule. Quatre téléviseurs couleurs étaient suspendus au toit, trois d'entre eux diffusant tous les bulletins d'informations qui passaient sur les principaux réseaux, le quatrième étant exclusivement réservé à CNN, qui couvrait de manière continue la campagne.

« Assez de flagellation pour la journée », décréta Allison en descendant du tapis de jogging.

La marche avait été son principal exercice physique depuis le début des primaires démocrates en janvier dans le New Hampshire. Quelle que fût la ville, Allison en arpentait l'artère principale, et de nombreux passants se joignaient à elle. Cela donnait de belles photos de campagne, et après que le parti eut fait d'elle sa candidate à la présidence, en août, les foules grossirent au point qu'Allison eut bientôt besoin d'une autorisation pour défiler. Dans la dernière semaine, son emploi du temps et les pluies froides des Appalaches l'avaient contrainte à fouler le seul tapis de jogging, tout en écoutant les comptes rendus de son directeur de campagne, David Wilcox.

« Quoi d'autre, David ? » demanda-t-elle en étirant les muscles de ses jambes.

Grand, maigre, âgé de cinquante et un ans, Wilcox avait fait son droit à Princeton. Il s'était distingué comme jeune conseiller à la Maison-Blanche sous le président Carter, mais son échec à se faire nommer au Congrès en 1982 l'avait dissuadé de poser de nouveau sa candidature. Au collège, on voyait en lui un futur présentateur de jeux télévisés, et il avait finalement trouvé son créneau comme stratège politique. Depuis dix-sept ans, ses réussites comptaient neuf sénateurs, sept représentants du Congrès, cinq gouverneurs, et il avait mené de main de maître la victoire d'Allison sur un vice-président en exercice aux primaires du parti démocrate. Au cours des dernières semaines, toutefois, il s'était alarmé du nombre croissant de conseillers extérieurs, et avait décidé de chaperonner Allison tout au long de cette tournée en car.

Pour l'instant il relisait ses notes, aussi insensible à l'accoutrement sportif d'Allison qu'au paysage défilant de chaque côté du véhicule.

« Cette histoire de drogue montre de nouveau son sale museau, répondit-il à la question d'Allison d'une voix grave et posée qui seyait mieux à un dîner officiel à la Maison-Blanche qu'à la frénésie d'une campagne électorale. Il semblerait que notre honorable opposition soit au bord du désespoir. Alors, elle essaie de racler quelque chose de votre traitement pour dépression en 1992.

— C'était il y a huit ans. Politiquement parlant, c'est de l'histoire ancienne.

— Ils prétendent que vous preniez du Prozac.

— Je vous l'ai déjà dit, j'étais en psychothérapie.

— Est-ce avec moi que vous chicanez ?

— On venait de kidnapper ma petite fille de quatre mois. Dans son berceau. Chez moi. Oui, j'étais déprimée. Je suivais une thérapie de groupe. Nous étions huit... huit parents qui avaient perdu des enfants. Non, je n'ai pas pris de Prozac. Mais si vous posez la question aux patients de mon groupe, ils vous diront tous que j'en aurais pourtant eu rudement besoin. Aussi, ne vous attendez pas à ce que je m'excuse pour avoir sollicité une aide en des temps difficiles. Et ne me regardez pas comme si je venais de vous apprendre ça. J'ai tout déballé devant vous le premier jour où je vous ai engagé. »

Il grimaça. « J'aimerais seulement que nous éclairions un peu mieux les circonstances de cette dépression. »

Allison lui jeta un regard noir. « Je ne me servirai jamais de l'enlèvement d'Alice dans cette campagne, si c'est à cela que vous pensez.

— Allison, vous ne pouvez pas simplement dire que vous étiez déprimée, point final. Il faut présenter la chose sous un aspect positif.

— Alors, que pensez-vous de ça ? dit-elle, sarcastique. La dépression est une bonne chose. Elle stimule les idées. Toutes les inventions, tous les accomplissements sont le fruit de la dépression, non de l'euphorie. Personne n'a jamais dit : “La vie est belle, inventons le feu.” C'est parce que les premiers hommes se les gelaient au fond de leurs cavernes qu'ils ont appris à se chauffer. Vous voulez que les choses bougent à Washington ? Recrutez des déprimés chroniques ! »

Si David Wilcox était choqué, il n'en laissa rien paraître. « Je vous en prie, ne répétez pas cela en public... j'aurais trop de mal à m'en remettre.

— Parfait, dit-elle avec un sourire en coin. Nous avons besoin d'idées nouvelles, ici. »

Wilcox n'avait pas l'air amusé, mais Allison savait qu'il n'insisterait pas sur le sujet de l'enlèvement. Durant cette campagne, elle avait rejeté toute référence au rapt de son bébé et ramené le débat sur un territoire moins intime. « Quoi d'autre ? demanda-t-elle.

— Je déteste revenir là-dessus, mais Mme Howe a beaucoup œuvré pour son général de mari, dernièrement. Nos sondages indiquent qu'elle a percé quelques brèches. De nombreux électeurs, hommes et femmes, démocrates et républicains, gardent la nostalgie d'une Première dame à la Maison-Blanche. Nous ne pourrons contrer cette tendance tant que nous n'aurons pas défini le rôle d'un Premier... monsieur. L'élection a lieu dans quinze jours, et quarante pour cent de l'électorat n'a pas encore pu se faire une opinion de Peter Tunello.

— Désolée, mais le P-DG d'une multinationale ne peut pas quitter une assemblée d'actionnaires pour participer à un déjeuner annuel d'anciens combattants.

— Je pense qu'il accepterait, si vous le lui demandiez.

— Comment savez-vous que je ne l'ai pas fait ?

— Votre comportement m'incite à en douter. Et cela a commencé juste après la convention, quand le camp de Howe a fait courir la sale rumeur que vous aviez épousé Peter dans la seule intention de faire financer vos ambitions politiques. Depuis, vous avez mené la croisade toute seule, serrant plus de mains et récoltant plus de fonds que quiconque dans l'histoire. Comprenez-moi bien. L'argent est une excellente chose, mais plus vous agissez en solo plus les gens doutent de la force du duo que vous êtes censée former avec votre mari.

— Deux présidences pour le prix d'une, hein ? Une pour madame, une pour monsieur. Non, David, mon mariage ne regarde que moi.

— Peut-être, mais il ne serait pas mal que les Américains puissent vous voir tous les deux de temps à autre, surtout à l'approche du jour J. Juste quelques échantillons stratégiques de votre affection sous les feux de la rampe, comme savaient si bien le faire Nancy et Ron Reagan. »

« Flash d'infos ! » cria l'un des assistants. Il posa son téléphone portable à côté de lui et pivota sur sa chaise pour faire face à Allison. « Howe s'apprête à faire une déclaration dans le New Jersey. Voyez sur CNN. »

Allison se rapprocha du téléviseur diffusant la chaîne de Ted Turner. Wilcox augmenta le volume. Le général Howe approchait de la fin d'un bref discours adressé devant la convention nationale de l'American Legion[1], à Atlantic City.

À l'écran, un bel afro-américain dressait sa haute taille derrière un pupitre, face à une foule enthousiaste. Le drapeau américain pendouillait contre un mur de parpaings peint en jaune, tandis qu'une banderole

1. Association d'anciens combattants des Forces armées américaines, fondée en 1919. *(N.d.T.)*

bleu et blanc suspendue au plafond proclamait le slogan de la campagne : « Lincoln Howe – Lincoln, président ! »

La salle était pleine, et les partisans les plus fervents occupaient les allées, afin de donner du meeting le spectacle d'un formidable succès.

Le général ne manquait pas d'allure, même vêtu d'un complet et coiffé d'une casquette d'ancien combattant. Le règlement militaire interdisait le port de l'uniforme à un retraité, mais le grand poster en toile de fond rappelait à ses électeurs ses quarante années de bons et loyaux services. C'était un portrait destiné aux livres d'histoire : le général triomphant, en bottes et battle-dress, la poitrine placardée de médailles, dont celle de l'Honneur, passant ses troupes en revue. Sur ses épaules brillaient les quatre étoiles d'argent de son rang. À droite, il y avait une autre photo de Howe en tenue de footballeur, avec le numéro 22, courant le ballon à la main. Meilleur joueur universitaire de l'année 1961, il avait abandonné une prometteuse carrière sportive pour servir son pays.

« Ce dont je me souviens le plus dans mon expérience du combat au Vietnam, dit-il d'une voix forte, c'est cet étrange sentiment de combattre un ennemi invisible. Nous marchions dans la jungle épaisse de la vallée de Shau, et soudain la mitraille éclatait, les hommes tombaient, et tout redevenait silencieux. Jamais on ne voyait l'ennemi.

« Cette campagne présidentielle m'a rappelé cette expérience. Durant ma tournée à travers le pays, j'ai essuyé le feu de plus d'une embuscade tendue par les conseillers trop bien payés de mon adversaire. Quand vient le moment de s'affronter face à face, Mme Leahy est introuvable. »

Un mélange de rires et d'applaudissements déferla à travers la salle.

Le général Howe jeta un regard empreint de gravité en direction des caméras, et sa voix se fit plus forte. « Le peuple américain mérite mieux que ça. Aussi, aujourd'hui, je lance un défi à mon adversaire. Sortez de votre cachette dans la jungle de Washington, madame Leahy. Venez débattre avec moi des problèmes, de tous les problèmes ! »

La foule applaudit, mais le général poursuivit. « Je ne parle pas de ces prétendus débats à fleuret moucheté que nous avons tenus précédemment en présence d'un modérateur, qui aurait préféré entendre la crécelle d'un crotale plutôt que la moindre question embarrassante. Oublions aussi ces confrontations dans les hôtels de ville, où le bon ton l'emporte également sur la franchise. Entourons-nous plutôt de quatre experts indépendants. Chacun de nous en choisira deux. Laissez-les poser les questions que le peuple américain se pose. Et laissez-nous y répondre ! »

Les acclamations montèrent. Des ballons furent lâchés des combles. Les partisans tapèrent dans leurs mains et scandèrent en brandissant bannières et pancartes aux couleurs blanches et bleues : « Lincoln, président ! Lincoln, président ! »

L'image du présentateur de CNN emplit de nouveau l'écran. « Et maintenant, pour CNN, en direct de Washington, l'avis de l'analyste politique Nick Beaugard. Nick, pourquoi ce défi à ce moment de la campagne ? »

La cinquantaine grisonnante, le correspondant de CNN apparut en buste devant une maquette de la Maison-Blanche. « À en croire l'état-major de campagne du général Howe, ils ont essayé de convaincre la très neutre Commission des débats présidentiels d'approuver une nouvelle confrontation, dans la mesure où il ne s'est pas dégagé un vainqueur probable à l'issue des rounds précédents. Mais la véritable motivation de l'équipe républicaine est à chercher dans la douloureuse réalité des récents mouvements dans les sondages d'opinion. Durant les deux mois qui ont suivi les conventions du mois d'août, Lincoln Howe et Allison Leahy ont été à égalité. Cela n'est pas surprenant, car tous deux sont des modérés et, hormis la question des dépenses militaires, ils partagent dans l'ensemble les mêmes positions. Les conservateurs dans le parti républicain ont récemment surnommé le général le "Centre Lincoln [1]", un qualificatif peu flatteur pour ce libéral natif de New York.

« Ces neuf derniers jours ont vu un net renversement de tendance. Les principaux sondages révèlent qu'un nombre croissant d'indécis penchent en faveur d'Allison Leahy. Les dernières estimations de CNN/*USA Today*/Gallup donnent un avantage de six points à l'attorney général. Aussi, un débat où tous les coups seraient permis est peut-être la dernière chance pour que Howe reprenne l'avantage. Sinon, il se pourrait bien que le peuple américain, qui aura à choisir entre une femme blanche et un homme noir le 7 novembre prochain, élise pour la première fois une femme à la présidence des États-Unis d'Amérique. »

Le présentateur de la chaîne plissa le front d'un air interrogateur. « Y a-t-il déjà eu une réponse de l'état-major de Leahy ?

— Pas encore. On dit que l'attorney général se satisferait de rester sur sa position de leader. Par ailleurs, certains dans le camp démocrate redouteraient ce genre de débats où tout peut arriver, et surtout le pire.

— Très bien. Merci, Nick. Les autres nouvelles du jour... »

Allison coupa le son sur sa télécommande. Son expression s'était

1. Allusion au Lincoln Center, immeuble commercial de Manhattan. *(N.d.T.)*

assombrie. « On me colle déjà l'étiquette de dégonflée. On ne peut pas tarder plus longtemps à répondre à ce défi.

— Pas de précipitation, intervint Wilcox. Il nous faut réfléchir, être sûr que ce soit la meilleure solution.

— C'est la seule. Il propose une formule de débat qui teste la capacité d'improvisation des candidats. Jusqu'ici, on n'a pas pu juger des capacités de rhétorique du général Howe, mais je doute qu'elles dépassent celles d'un ancien champion universitaire de foot.

— Prudence, Allison. Howe est un militaire. Il ne vous inviterait pas à ce type de confrontation s'il ne comptait vous tendre une embuscade. Avant d'accepter, il nous faut savoir exactement ce qu'il propose.

— Vous peaufinerez les détails plus tard, dit-elle avec un geste de la main. Prévoyez une conférence de presse avant le meeting à Philly [1]. Je veux être sûre que ma réponse arrivera à temps pour passer aux informations de dix-huit heures. » Ses lèvres esquissèrent un sourire confiant. « Oui, ça ne me déplairait pas d'avoir un bon vieux débat avec Lincoln Howe. J'accepte le défi. Où et quand il voudra ! »

---

1. Philadelphie. *(N.d.T.)*

2

À en juger par les badges accrochés aux revers des vestes (les pancartes et les coiffes étant interdites), les supporters des deux partis se partageaient équitablement les quatre mille sièges de velours rouge du Fox Theatre d'Atlanta.

Dès l'acceptation d'Allison Leahy d'affronter le général Howe, la Commission des débats présidentiels avait fixé le débat à Atlanta, un jeudi, douze jours avant l'élection. La jeune femme avait passé la nuit de mercredi et toute la journée de ce jeudi à revoir avec ses conseillers les thèmes abordés durant la campagne.

Elle se tenait debout derrière un pupitre d'acajou situé à la gauche de l'auditoire. Vêtue d'un tailleur bleu roi, elle avait les cheveux relevés en un chignon gracieusement torsadé qui parachevait cette silhouette discrètement féminine qui avait fait la une de milliers de magazines.

À droite de la scène et planté derrière un pupitre identique, Lincoln Howe, qui avait durant toute la campagne ressemblé en tenue civile à un soldat surpris sans uniforme, était ce soir en costume sombre, chemise bleu clair, cravate rouge et boutons de manchettes en or, une allure résolument présidentielle.

« Bonsoir, et bienvenue à ce dernier débat de l'élection présidentielle de l'an 2000, annonça le modérateur. Ce soir, la formule sera différente. Quatre journalistes, choisis à part égale par chaque candidat, auront toute liberté de poser les questions qu'ils voudront. »

Allison parcourut la salle du regard, pendant que le modérateur présentait le panel. Elle échangea un sourire furtif avec son mari, assis au deuxième rang. Peter Tunello, « self-made man et visionnaire millionnaire » d'après le magazine *Business Week*, avait été le premier à développer l'industrie du recyclage des plastiques – un secteur hautement rentable et politiquement correct pour l'époux d'une politicienne. Âgé de cinquante-six ans, les tempes argentées, il avait des yeux noirs qui avaient le don de charmer sa femme et d'intimider ses ennemis. Allison et lui se fréquentaient depuis quelques mois quand Alice avait été enlevée. Peter s'était montré à la hauteur de la tragédie. Il appartenait à cette espèce rare qui répond présent dans les périodes d'adversité.

Allison ne s'était jamais fiée aveuglément à ses intuitions, mais un je-ne-sais-quoi dans l'air lui disait soudain que cette soirée pourrait bien appartenir à l'un de ces moments difficiles.

« Puisque nous en sommes au troisième débat, poursuivait le modérateur, nous nous dispenserons de faire les présentations habituelles afin de passer sans tarder aux questions. »

Allison avala une gorgée d'eau. Elle était soulagée de ne pas avoir à entendre de nouveau la litanie des états de service du général. Un curriculum impressionnant. Médaille d'Honneur au Vietnam. Son triomphe à la tête du commando des Forces spéciales, qui avait libéré quatre-vingt-huit Américains otages de terroristes à Beyrouth. Sa réputation méritée d'intrépide faucon au Pentagone. Allison se demandait toutefois quand les stratèges du général se rendraient compte que tout ce machisme militaire finissait par refroidir ses plus chauds partisans, inquiets d'élire un président qui n'hésiterait pas à envoyer leurs enfants au casse-pipe.

Le modérateur se tourna vers les quatre journalistes choisis. « Monsieur Mahwani, nous commencerons par vous, si vous le voulez bien. »

Abdul Kahesh Mahwani, ancien président de l'Association des journalistes noirs et personnalité intransigeante, était un homme respecté. Il s'était fait un nom dans la presse écrite en couvrant les mouvements pour les droits civils dans les années soixante, puis s'était converti à l'islam et avait changé de nom. Son crâne rasé luisait sous les projecteurs de la scène. D'une main sèche et ridée que l'âge faisait légèrement trembler, il sortit de la pochette de sa veste un mouchoir et essuya son front perlé de sueur.

Mahwani avait été choisi par le général Howe et, des quatre, il était celui qu'Allison redoutait le plus.

« Votre question, monsieur Mahwani, je vous prie. »

Le vieil homme distingué rassembla ses fiches étalées sur la table devant lui et les mit sur le côté. Puis, ôtant ses lunettes, il les pointa vers les deux candidats. « Félicitations ! s'exclama-t-il d'une voix forte qui surprit tout le monde. Félicitations à vous deux, car voici enfin l'occasion d'une saine discussion sur d'importantes questions. »

Il se renversa en arrière sur sa chaise, comme s'il ne s'adressait plus aux candidats, mais à tous. Sa voix prit cette cadence rythmée propre aux prédicateurs du Sud. « Le 7 novembre prochain, toutefois, le peuple américain ne se décidera pas seulement en fonction des réponses apportées à ces questions. Il se choisira un chef. Quelqu'un pour le guider à l'aube de ce nouveau millénaire. Un homme ou une femme qu'il appellera son président.

« Jamais une campagne présidentielle ne nous aura autant privés de notre droit de regard sur les personnalités respectives des deux candidats. Pourtant, je suis sûr que les millions d'Américains qui nous regardent chez eux, ce soir, se posent certaines questions fondamentales. Comment un président peut-il diriger, sinon par la vertu de l'exemple ? Est-ce que cet homme, ou cette femme, est un citoyen modèle pour nos enfants ? »

Mahwani se pencha en avant en regardant chacun des candidats, d'abord Howe, puis Leahy, et sa voix prit un ton plus feutré. L'auditoire tendit l'oreille. « Ma question aux deux candidats est simple : avez-vous jamais rompu votre serment de fidélité conjugale ? »

Il tomba dans la salle un silence que le modérateur finit par rompre d'une voix hésitante : « Madame Leahy. Votre réponse, je vous prie. »

Allison réprima une grimace de dépit. Répondre la première présentait toujours des risques, et une question de cette nature soulevait des considérations personnelles dont elle se serait volontiers passée dans pareil débat. Elle prit le temps de réfléchir et de mesurer sa réponse. Elle rencontra de nouveau le regard de Peter, à quelques mètres d'elle. Il paraissait stoïque, mais elle le sentait présent à ses côtés. Finalement, elle répondit, s'adressant plus à l'auditoire qu'au journaliste.

« D'abord, permettez-moi de dire que, tout en respectant le droit de M. Mahwani de s'enquérir de ce que bon lui semble, cette question à caractère personnel est en totale dissonance avec le ton des débats que le général Howe et moi-même avons menés. Je suis fière que cette campagne présidentielle – à la différence de celles du passé – ait été conduite de manière informative et courtoise. Je suis fière que les deux candidats aient refusé de s'abaisser au dénigrement, aux insultes personnelles et aux attaques contre les membres des familles, autant de bassesses qui sont malheureusement devenues la règle dans la vie politique de ce pays.

« La question de M. Mahwani en soulève d'autres. Poursuivrons-nous cette volonté de s'en tenir aux questions de politique engageant notre avenir ou bien reviendrons-nous au temps où se présenter à une élection signifiait l'ouverture de la chasse aux secrets les plus intimes, aussi aberrants fussent-ils au regard des véritables enjeux de l'élection ?

« Comprenez ce que je dis. Il y a certainement des circonstances où des interrogations d'ordre intime sont justifiées. S'il s'avère qu'un candidat se soit rendu coupable d'une conduite immorale, le public est en droit d'attendre une réponse. Toutefois, je ne pense pas que tout prétendant à des responsabilités publiques doive autoriser les médias à venir voir ce qui se passe dans sa chambre. »

Elle marqua une pause, avant de reprendre d'une voix empreinte de conviction : « Aussi, afin de préserver la dignité du débat politique américain, je refuse par principe de répondre à cette question. »

Un tonnerre d'applaudissements éclata dans les rangées de gauche. Allison jeta de nouveau un regard en direction de son époux. Lui aussi approuvait vigoureusement. Elle en éprouva un vif soulagement.

« Du calme, je vous en prie », réclama le modérateur.

L'ovation s'éteignit lentement, tandis que Mahwani détournait la tête d'un air manifestement écœuré.

« Général Howe, dit le modérateur. Même question. Votre réponse, s'il vous plaît. »

Tous les yeux se tournèrent vers Lincoln Howe. Mahwani regarda le général avec une expression sévère, que démentit un sourire qui, aussi bref et discret fût-il, n'échappa point à Allison.

Howe agrippa à deux mains le pupitre et, redressant les épaules, il planta son regard dans la caméra située juste en face de lui.

« Mes chers compatriotes, dit-il d'un ton grave et solennel, voilà bientôt quarante ans, le Dr Martin Luther King se tenait sur les marches du Lincoln Memorial et proclamait devant le peuple qu'il rêvait du jour où les citoyens de ce pays ne seraient plus jugés d'après la couleur de leur peau mais à l'aune de leur caractère.

« Je partage ce rêve. Nous devrions tous être jugés à l'aune de notre caractère. Tous. Les hommes et les femmes. Les Blancs et les Noirs, et les gens de toutes les races. Et par-dessus tout, ceux qui parmi ceux-là attendent de leurs concitoyens un vote de confiance.

« Il apparaît que mon adversaire et moi n'obéissons pas aux mêmes valeurs. Alors que Mme Leahy fait de son refus de répondre une question de principe, je répondrai, moi, au nom de mes principes. »

Howe darda son regard sur la caméra. « Non, je n'ai jamais transgressé le vœu de fidélité conjugale. Et je ne garderai jamais le silence sur un fait qui, de mon point de vue, est l'épreuve de caractère la plus sacrée pour un homme. » Il marqua une pause puis, gratifiant Allison d'un regard réprobateur, ajouta : « Et pour une femme. »

La moitié droite de la salle se leva pour exploser dans une tempête d'acclamations et de vivats, tandis que le modérateur réclamait en vain le calme.

Le cœur d'Allison battait la chamade. Les lumières de la scène lui paraissaient soudain brûlantes. Elle avait les mains moites. Elle jeta un regard à David Wilcox, qui l'avait mise en garde dès le début contre une embuscade. Il restait d'ordinaire de marbre en public. Cette fois, l'expression de son visage disait son profond désarroi et sa colère.

Le reste de la soirée fut sans importance. Allison avait été descendue dès la première minute.

3

« Leahy fait appel au cinquième amendement[1] ! » proclamaient les gros titres du matin.

La nuit passée, Allison s'était retirée dans sa chambre à l'hôtel Ritz Carlton avec une sensation de nausée. Elle avait espéré que celle-ci aurait disparu à son réveil.

Cela n'avait fait qu'empirer.

Allison jeta l'*Atlanta Journal* sur le lit défait. Le *New York Times* et le *Washington Post* affichaient plus de sobriété. Il était à peine huit heures, elle en avait vu et entendu assez pour savoir que même les chaînes et les journaux les plus respectables soulevaient la même question : Cachait-elle quelque chose ? Si oui, les Américains se donneraient-ils un président qui avait trompé son mari ?

Comme elle s'abandonnait au jet chaud de la douche, elle se souvint des paroles de sa mère, huit ans plus tôt, juste après l'enlèvement d'Alice : « Rien n'arrive sans raison. » Ce matin, pas même ce credo n'avait de sens. Allison n'avait pu accepter la disparition de sa fille qu'en se convainquant qu'elle était destinée à faire autre chose de sa vie, quelque chose de si grand que cela transcendait la maternité. Dès lors, elle s'était immergée dans le travail bénévole, pour finalement prendre la direction de la fondation Benton et de l'Association pour les enfants d'Amérique, où elle s'était liée d'amitié avec la Première dame. La croisade avait continué durant son mandat d'attorney général

1. Amendement de la Constitution américaine protégeant les personnes de l'obligation de témoigner contre elles-mêmes. *(N.d.T.)*

et même après qu'elle eut annoncé sa candidature à la présidence. La perte d'Alice n'aurait en soi jamais de sens, mais Allison avait essayé de lui en donner un.

Ce scandale tournant autour du fantasme de l'adultère ne menaçait pas seulement ses espérances présidentielles, il ébranlait aussi cette paix intérieure qu'elle avait su élever sur les fondations branlantes de l'ambition.

« Je te l'avais dit », murmura-t-elle à son reflet dans la porte vitrée de la douche. C'était exactement ce que sa mère lui aurait dit si elle avait encore été vivante. Ne l'avait-elle pas prévenue ? Washington est inconstante, ma fille, surtout envers les femmes. Mais Allison avait été trop occupée à grimper pour s'inquiéter de tomber. « Elle est un modèle pour les femmes, un désir pour les hommes. » C'était ainsi que le magazine *George* avait défini le phénomène Leahy quatre ans plus tôt. « La classe de Jackie O., le charisme de JFK », avait proclamé le *Times*. Elle avait mené sa tâche d'attorney général avec tant d'enthousiasme qu'on avait fini par surnommer le ministère de la Justice le « ministère de l'Énergie ». Des avocats talentueux qui, d'ordinaire, n'auraient jamais pensé à quitter leurs cabinets lucratifs venaient frapper à sa porte, prêts à accepter un poste mal payé afin de travailler avec elle. Elle pouvait déclencher un phénomène de mode en arrivant en survêtement à son bureau un samedi matin ou faire d'un petit restaurant un lieu « chic » pour s'y être arrêtée, le temps d'un sandwich, en se rendant à son travail.

Et maintenant, c'était la glissade... à onze jours de l'élection. *Bon, d'accord, maman, tu avais raison. Maintenant, libère-moi de ces salopards.*

À huit heures et demie, Allison avait pris son petit déjeuner et bouclé ses valises, et elle était prête pour une journée de réunions dans Atlanta. Elle et David Wilcox partageaient la banquette arrière d'une limousine du Ritz Carlton. Le FBI assurait normalement la sécurité de l'attorney général. Au titre de candidate présidentielle, Allison bénéficiait aussi de la protection des services secrets. La vitre de plexiglas, qui les séparait des agents assis à l'avant, leur permettait toute latitude pour s'entretenir librement. Mais ils ne disaient rien, alors qu'ils descendaient Peachtree Street. L'intérieur du véhicule s'assombrissait au passage des nombreuses tours qui flanquaient l'artère. Finalement, Wilcox brisa le silence.

« J'ai besoin de savoir, Allison. »

Elle tourna la tête vers lui. « Besoin de savoir quoi ? »

Il haussa les sourcils d'un air étonné. « Pourquoi avez-vous esquivé la question ?

— Parce qu'elle ne méritait pas de réponse. »

Il gloussa, mais c'était de colère. « Pour qui vous prenez-vous ? Pour Meryl Streep dans *Sur la route de Madison* ? Ça marche peut-être au cinéma, mais l'aventure extraconjugale est un lourd handicap en politique.

— Ah oui ? dit-elle d'un ton de défi. Je dois dire que je trouve bien curieuse cette controverse. Quand on pense à tous les coureurs de jupons que ce pays a portés à la présidence ! Par contre, qu'il y ait la plus infime possibilité qu'une candidate ait été infidèle à son mari, et voilà que resurgit le bon vieux deux poids deux mesures. Le pays entier fait un bond en arrière. J'ai l'impression de retourner en 1952, quand le magazine *Look* demandait en couverture au sujet d'Adlai Stevenson : un homme divorcé peut-il être président ?

— Je vous rappelle que la réponse a été non. Et Adlai a perdu contre un héros de guerre national, général de l'armée américaine.

— Lincoln Howe n'est pas Dwight Eisenhower. »

Ils se turent de nouveau, jusqu'à ce que la voiture passe devant une tour cylindrique de soixante-dix étages qui ressemblait à un silo à fourrages.

« Il n'empêche, vous devriez répondre, dit Wilcox en regardant par la vitre.

— Non.

— Me cacheriez-vous quelque chose ? »

Allison eut un geste d'agacement. « La nuit dernière, devant cinquante millions de téléspectateurs, j'ai refusé de me soumettre à toute question regardant ma vie intime et la fidélité conjugale, et cela au nom de mes principes. Si je décidais d'y répondre maintenant, parce que j'ai pris connaissance des sondages d'opinion, ces principes auraient bonne mine, vous ne trouvez pas ? »

Le visage de Wilcox s'empourpra d'une subite colère. « Il n'y a pas que votre réputation qui soit en jeu, vous savez ! La mienne aussi prendra un sérieux coup si vous perdez les élections dans la dernière ligne droite. J'ai consacré un an de ma vie, dix-huit heures par jour, sept jours par semaine, à un seul but : vous faire élire. Ça me navrerait de voir tous ces efforts perdus à cause d'une coucherie avec un jeune militant un soir de campagne.

— Est-ce vraiment ce que vous pensez de moi ? demanda-t-elle, amère.

— Je ne sais que penser. Je mérite seulement de connaître la vérité.

— La seule personne qui le mérite est Peter. Et vous savez quoi ? Il ne lui est même pas venu à l'idée de me poser une question aussi stupide, en partant de l'hôtel ce matin. Mais puisque vous tenez tant à le savoir, je vais vous répondre : non, je n'ai jamais trompé mon mari. Maintenant, aimeriez-vous savoir quelles sont les positions que je préfère ? »

Le portable de Wilcox sonna. Il prit la communication, tandis qu'Allison se rejetait dans la banquette. Elle s'étonnait que sa moralité fût mise en question par son propre stratège. Elle pensa soudain que Peter aurait peut-être, lui aussi, apprécié qu'elle le rassurât. Après tout, s'il était parti de bonne heure ce matin, ce n'était peut-être pas seulement à cause d'une « montagne de travail ».

Allison reporta son attention sur Wilcox. Celui-ci éteignit son portable, et se massa un instant les tempes entre le pouce et l'index de sa longue main osseuse.

« Quoi de neuf ? demanda-t-elle.

— Les résultats du sondage Gallup de la nuit dernière viennent de sortir. Votre avance de six points est tombée à un et demi. Compte tenu de la marge d'erreur de toute statistique, vous voilà à égalité avec le général. Vous rendez-vous compte de ce que cela signifie ? interrogea-t-il en la regardant dans les yeux.

— Oui, dit-elle d'un ton incrédule. Nous voilà retournés en 1952. »

Dans la suite de son hôtel, quinze étages au-dessus d'Atlanta, Lincoln Howe souriait au souvenir de la réunion de la veille. Le Fox Theatre dressait ses dômes et ses minarets de style mauresque, superbe monument kitch marquant la fulgurante fascination qu'avait éprouvée l'Amérique pour l'Égypte, après la découverte en 1922 de la tombe de Toutankhamon. La marquise au-dessus de l'entrée principale annonçait encore « Débat présidentiel, ce soir à 21 h 00 ». Le regard du général s'éclaira ; il regrettait que ce ne fût pas ce soir, regrettait de ne pouvoir revivre ce moment.

« Ironique, n'est-ce pas ? » dit-il en se détournant de la fenêtre. Mais son directeur de campagne n'écoutait pas. Comme d'habitude, Buck LaBelle était au téléphone, en communication avec cinq correspondants à la fois.

Pendant longtemps, le général Howe avait connu LaBelle de réputation. Âgé de quarante-quatre ans, grand fumeur de cigares, diplômé de droit de l'université du Texas, où il avait servi un temps dans la législature, Buck avait fait de la stratégie électorale un art et aurait pu faire passer le funèbre épisode d'Alamo pour une grande victoire américaine. Howe l'avait lui-même recruté pour présider son comité de soutien au Texas lors des primaires républicaines, voyant en lui le mentor idéal pour un homme étranger au monde politicien et qui briguait pour la première fois de sa vie la charge de gouverner le pays.

Et le général ne s'était pas trompé : avant même la célébration du Memorial Day[1], LaBelle s'était imposé comme le directeur national de la campagne républicaine à l'élection présidentielle.

Howe regarda Buck avec une insistance qui convainquit celui-ci de raccrocher et de lui accorder toute son attention.

D'un bref mouvement de la tête, Howe indiqua la fenêtre. « Vous voyez cette échelle d'incendie sur le côté du théâtre ? Là-bas ? Dans Ponce de Leon Avenue ? »

LaBelle s'approcha et regarda dans la rue. « Oui, monsieur, je la vois.

— Quand j'étais gosse, ma tante nous emmenait au Fox, mon frère et moi, le samedi après-midi. Je ne comprenais pas pourquoi nous devions passer par cet escalier de secours, et je pensais que ma tante faisait ça pour ne pas payer. Mais j'ai vite appris que seuls les Blancs avaient droit à la grande entrée, celle qui ressemble au portique d'un temple. »

LaBelle pinça les lèvres, gêné pour sa propre race, mais retrouva vite son enthousiasme. « Je suis heureux que vous n'en ayez pas fait mention hier soir, monsieur.

— Pourquoi ? »

LaBelle grimaça, embarrassé de nouveau. « Le sentiment de culpabilité poussera les Blancs à faire beaucoup de choses. Nous vous sourirons, vous inviterons chez nous, nous vous laisserons même entrer par la grande porte du Fox. Mais tant que ce pays votera au scrutin secret, cette même culpabilité ne portera jamais un Noir à la présidence.

— Mais le caractère d'un homme, oui ?

— Et comment ! Les médias festoient, aujourd'hui. Attendez un peu que nos comités de soutien mettent le feu, et il n'y aura pas un seul pasteur, un seul prêtre, un seul rabbin dans ce pays qui ne choisira pas l'adultère comme sujet de son prêchi-prêcha. Les radios et les télés seront assaillies d'appels téléphoniques, et les gazettes submergées par le courrier de parents alarmés. Les professeurs feront des cours de moralité. Les suites du débat d'hier sont infinies.

— Il serait peut-être bon que je fasse une déclaration, n'est-ce pas ?

— Je la rédigerai moi-même. Je n'aime pas trop ce que nos rédacteurs ont écrit. Ils sont un peu timides, ce qui est compréhensible. Des tas de gens ont eu des aventures extraconjugales, ou bien ont pardonné

1. Jour férié aux États-Unis (le dernier lundi de mai dans la plupart des États), à la mémoire des soldats de toutes les guerres morts au combat. *(N.d.T.)*

à ceux ou celles qui ont fauté. Aussi craignent-ils de jouer les pères la pudeur, comme s'ils se fustigeaient eux-mêmes, et non Allison Leahy.

— Et votre avis personnel ?

— Je crois fermement, monsieur, qu'on ne doit jamais sous-estimer l'hypocrisie du peuple américain.

— Buck, vous êtes un génie politique.

— Laissez-moi faire, monsieur. D'ici au jour de l'élection, j'aurai fait de l'adultère le principal sujet de préoccupation des hommes et des femmes de ce pays. »

Le général se tourna vers la fenêtre et regarda de nouveau la marquise du Fox Theatre. « Oui, dit-il, de tous les hommes et toutes les femmes, à l'exception d'Allison Leahy. »

4

Vendredi, journée nulle. Allison avait tenté d'aborder certaines questions de fond, avait même hasardé sa proposition de « tolérance zéro » pour les adolescents conduisant en état d'ébriété – le relevé de la moindre trace d'alcool dans le sang d'un jeune détenteur de permis de conduire devait être sanctionné par la loi. Mais ce qu'on attendait d'elle, c'était qu'elle parlât de ses secrets d'alcôve.

Allison avait eu l'esprit ailleurs depuis son trajet matinal en voiture, quand le ton accusateur de son propre directeur de campagne lui avait fait supposer que son mari nourrissait peut-être des doutes lui aussi. Et le fait que Peter ne l'eût pas appelée à midi, comme il en avait l'habitude, n'avait pas vraiment soulagé ses craintes. Elle annula sa dernière réunion de la soirée, car elle désirait dormir dans son lit, avec Peter.

Il était presque vingt-trois heures quand le jet privé se posa à l'aéroport de Washington. Hormis le chauffeur et les deux gardes du corps assis à l'avant, Allison était seule dans la limousine qui la ramenait. Les fleurons du pouvoir et de l'histoire de Washington éclairaient le ciel nocturne le long de la voie express. L'impérial Jefferson Memorial, l'imposant Washington Memorial, le dôme du Capitole au loin. Ces vues lui rappelèrent la première fois qu'elle avait visité la capitale avec sa famille, voilà quarante ans, gardant surtout en mémoire le rude échange de coups avec son frère de dix ans, qui prétendait que seuls les hommes pouvaient devenir présidents. Vus à travers le pare-brise poussiéreux du break familial ou les vitres teintées de la limousine de l'attorney général, ces monuments de pierre semblaient parer de dignité la vie politique.

Quelle illusion !

Allison alluma le petit téléviseur encastré dans la cloison séparant l'habitacle arrière de la banquette avant. L'écran s'éclaira, la baignant d'une lueur vacillante. Il était vingt-trois heures trente. Cédant à une curiosité morbide, elle voulut voir ce que lui réservaient les talk-shows de la nuit. Jay Leno commençait tout juste son monologue de « Tonight Show ». En complet noir comme toujours, il arborait, face à une foule béate, son éternel sourire sarcastique.

« Pour rendre justice à l'attorney général Leahy, disait Leno, elle a dû faire face à des questions pas piquées des vers. Aujourd'hui même, un journaliste lui a demandé de but en blanc si elle disait des cochonneries à son mari en faisant l'amour. Mme Leahy a répondu avec candeur : "Seulement par téléphone." Voilà une dame qui encaisse drôlement bien le coup, mes amis. Ce n'est pas une coucherie qui la clouera au lit ! »

Leno sourit, la foule s'esclaffa, et l'orchestre entama une version du *Pretty Woman* de Roy Orbison, principal thème sonore du film où Julia Roberts joue le rôle d'une prostituée.

Allison éteignit le poste quand la voiture s'arrêta devant sa maison au 3321 Dent Place. Datant du XIXe, la bâtisse était sobre et classique, mais riche de nostalgie : le jeune sénateur Jack Kennedy et son épouse, Jackie, en avaient fait leur premier foyer à Washington, près de cinquante ans plus tôt. C'était le choix de Peter ; à tant faire que d'acheter un logement dans la capitale, mieux valait s'offrir un bout d'histoire de Camelot[1], avait-il pensé avec humour.

L'un des deux agents fédéraux lui ouvrit la portière. Allison ramassa son sac et sa mallette, et sortit de la voiture dans son pardessus bleu marine. L'homme poussa la grille et l'accompagna jusqu'à la porte. La lumière du porche jetait un halo jaunâtre dans le noir. Il faisait froid et elle frissonna légèrement, tandis qu'elle cherchait sa clé qui, naturellement, était au fond de son sac.

« Bonne nuit, Roberto », dit-elle avec un sourire poli.

Celui-ci répondit d'un bref salut de la tête et se détourna sans un mot. Allison le regarda redescendre la courte allée pavée de briques. Solide et dévoué, l'homme n'était guère loquace mais, ce soir, il semblait encore plus silencieux que d'habitude. Peut-être que lui aussi avait moins d'estime pour elle, maintenant.

---

1. Surnom donné à l'administration J. F. Kennedy, en référence à la ville d'Angleterre où le roi Arthur avait sa cour et sa Table ronde. *(N.d.T.)*

Ou peut-être que tu deviens parano ?

Elle entra dans le hall dallé de marbre et désactiva l'alarme.

« Peter ? » Le rez-de-chaussée était plongé dans l'obscurité. Allison posa sa mallette, accrocha son pardessus à la patère et, faisant de la lumière, prit l'escalier qui menait à l'étage. Ses talons claquaient sur les vieilles marches de chêne. En arrivant sur le palier, elle entendit le son du téléviseur dans la chambre à coucher. Elle ressentit une légère contraction au ventre et espéra que Peter n'était pas en train de regarder « Tonight Show ».

Allison poussa doucement la porte entrouverte. Sur la commode, la lampe Tiffany éclairait la pièce meublée d'antiquités françaises, dont la plupart provenaient du Louvre des Antiquaires, à Paris. Un lustre en cristal de Baccarat pendait au faux plafond en bois d'acajou. Le décor était davantage son choix que celui de Peter, un choix qui – elle était la première à le reconnaître – n'aurait jamais été réalisable avec son seul salaire de fonctionnaire. Au début de leur liaison, Peter semblait avoir tenté, en l'entourant de luxe et d'objets précieux, de remodeler l'environnement d'une vie désormais sans Alice.

Elle remarqua le rai de lumière filtrant de la porte entrebâillée du dressing, puis la grosse valise posée sur le lit à baldaquin. Elle prit la télécommande sur la table de nuit et éteignit le poste de télé.

« Peter ?

— Ici », répondit-il d'une voix étouffée.

Elle traversa la pièce, jetant un coup d'œil à la valise, à l'intérieur de laquelle chemises et sous-vêtements étaient soigneusement rangés. Son regard se voila d'inquiétude. « Que fais-tu ? »

Peter émergea du dressing avec trois costumes et une paire de mocassins dans les bras. Il haussa les épaules, comme s'il trouvait la question idiote. « Ma valise, pardi ! »

Allison eut soudain le sentiment d'avoir terriblement sous-estimé la réaction de Peter au débat télévisé. « Pourquoi ? » demanda-t-elle en s'efforçant de maîtriser un tremblement dans sa voix.

Peter posa les costumes sur le lit. « Il ne reste que onze jours avant l'élection. Alors, si je dois faire un bout de cette campagne avec toi, c'est le moment ou jamais. »

Elle vint vers lui, le regard brillant, et le serra contre elle avec soulagement. « Ah, Dieu merci ! Tu m'as fait tellement peur. J'ai pensé que tu me quittais. »

Il renversa le buste en arrière pour la regarder dans les yeux. « Tu avais peur que je te quitte avant l'élection ? »

La question eut sur elle l'effet d'un seau d'eau glacée. Allison ne pouvait toutefois en nier la pertinence. Mais cela ne signifiait pas qu'elle en aimât moins Peter. « Mes sentiments pour toi sont étrangers à la politique. »

Il sourit et, l'entraînant vers le lit, la fit asseoir à côté de lui. « J'ai beaucoup réfléchi ces dernières vingt-quatre heures, dit-il en lui prenant la main. Et j'ai l'impression que cette histoire d'adultère est en partie ma faute.

— Ta faute ?

— Oui. Le fait qu'on ne te voit jamais avec moi incline les gens à se poser des questions sur notre mariage. Vois comment la femme de Lincoln Howe a été présente pendant la campagne de son mari. Ce n'est pas parce que je fais une drôle de Première dame que je dois jouer les hommes invisibles.

— Mais ça n'a pas été le cas. C'est moi qui ne t'ai pas fait participer à l'aventure.

— Tu veux bien que je sois à tes côtés, n'est-ce pas ?

— Oui, bien sûr. Mais je n'ai fait que compliquer les choses. Tu sais dans quel état j'étais après la disparition d'Alice. En une nuit, la femme ambitieuse qui pensait pouvoir élever seule son enfant est devenue une... oh, à quoi bon revenir là-dessus ! C'est toi qui m'as aidée à survivre. Chaque matin, tu m'as tirée du lit, mise debout et forcée à marcher. J'avais besoin de toi, comme on a besoin d'oxygène. Mais personne ne peut vivre éternellement dans une pareille dépendance sans perdre le respect de soi-même.

— À t'entendre, on dirait que tu m'en veux presque.

— Pas du tout, mon chéri. J'ai encore besoin de toi, mais différemment. En agissant seule comme je l'ai fait depuis un an, j'ai voulu dire que je ne dépendais plus de personne, que j'avais retrouvé mon autonomie.

— Allons, Allison, tu veux présider les États-Unis, pas le club des fans d'Elvis. Personne ne trouvera à redire au fait que tu enrôles ton propre mari. »

Allison eut un mince sourire, puis redevint sérieuse. « Si tu entres dans le jeu, tu respecteras les règles ?

— Quelle question ! Comme si je ne les avais pas toujours respectées. Merde, la moitié du pays pense que je dois attendre mon tour pour coucher avec ma femme ! »

Allison baissa les yeux.

Peter lui caressa la joue. « Excuse-moi, mais je disais ça pour te montrer à quel point ces rumeurs sont ridicules, et certainement pas pour te faire de la peine. Je sais qu'en esquivant cette question, la nuit dernière, tu n'as fait que protéger notre vie privée. Il fallait du courage pour le faire. Et cela me touche énormément que tu prennes de tels risques politiques afin de défendre ce qui est important pour nous. Je n'ai jamais douté de toi, et ce n'est pas ce cirque médiatique qui y changera quoi que ce soit. »

Allison passa son bras autour de lui et le serra contre elle. Il avait raison. Elle essayait de préserver leur intimité. Mais cela n'apaisait pas complètement sa conscience. En vérité, il y avait des faits qu'il valait mieux dissimuler au public. Des faits que les médias dénatureraient. Des secrets qu'elle n'avait jamais confiés à personne, pas même à Peter.

« Peter, je... » Elle se tut, incapable de poursuivre.

« Quoi ? »

Elle posa son menton sur l'épaule de son mari, ce qui était une manière d'être contre lui sans le regarder dans les yeux. « Je t'aime », dit-elle, reportant à plus tard ce qu'elle voulait lui dire.

À minuit, Lincoln Howe contemplait avant de se coucher la ville de Houston depuis le vingtième étage de l'hôtel Hyatt. Deux jours plus tôt, le Texas était le territoire de Leahy. Ce n'était plus le cas.

Il ouvrit en grand les rideaux, pour avoir une vue panoramique. Une demi-lune montait dans le ciel nocturne. Une mer de lumières s'étendait jusqu'aux confins de la grande cité. Lincoln respira à fond, comme s'il avait le pouvoir de puiser l'air frais des lointaines plaines texanes.

« Viens au lit, Lincoln », grommela sa femme, qui avait sommeil.

Cela faisait quarante et un ans que Natalie Howe, la plus jeune et la plus jolie des quatre filles d'un prédicateur sudiste de l'Église baptiste, avait épousé le général. Femme au foyer accomplie, elle avait élevé seule leurs trois enfants, tandis que leur père servait son pays en Corée puis au Vietnam. À soixante-trois ans, elle gardait encore cette beauté qui avait attiré le jeune soldat qu'elle avait accepté de prendre pour époux dans sa ville natale de Birmingham, en Alabama. Elle avait hérité les grands yeux sombres en amande et la peau satinée de ses ancêtres éthiopiens. Elle portait le plus souvent ses épais cheveux couleur de jais en un chignon serré qui mettait en valeur la pureté de ses traits. Elle ne sortait jamais sans s'être maquillée et ne pesait pas un kilo de plus qu'au jour de son mariage.

Lincoln se frotta les mains. « Je suis trop excité pour dormir. » Il jeta un regard à sa femme par-dessus son épaule. Elle était allongée sur le dos sous les couvertures dans l'un des lits jumeaux. Il se détourna de la baie vitrée et alla s'asseoir à côté d'elle.

« C'est un tournant dans la campagne, Natalie. Leahy a enfin commis une faute fatale. C'est comme si nous avions repris Paris, et que nous nous dirigions maintenant vers Berlin.

— Il peut se passer beaucoup de choses en onze jours.

— Exact, approuva-t-il avec assurance, mais quelque chose me dit que ça ira plutôt en s'améliorant. »

Natalie se souleva sur un coude et regarda son époux d'un air réprobateur. « Pourquoi jubiles-tu ainsi ?

— J'ai toutes les raisons de jubiler.

— Ça m'ennuie de te voir comme ça. On dirait que sa défaite te réjouit plus que ta victoire.

— Il ne faut pas avoir pitié de son ennemi, Natalie. Qu'on se laisse aller une minute à la compassion, et on se prend une baïonnette dans le ventre.

— Peut-être. Mais, sincèrement, je ne trouve pas qu'elle ait aussi mal agi qu'on veut bien le faire croire. »

Lincoln grimaça, l'air incrédule. « Elle a fait preuve de lâcheté. S'il y a quelque chose que les Américains détestent, c'est bien un politicien qui refuse de répondre à une question. »

Les yeux de Natalie étincelèrent de colère. Elle s'était jusqu'ici abstenue de tout commentaire sur le débat d'Atlanta, mais le triomphalisme et la suffisance de son époux lui devenaient soudain insupportables. « Il y a pourtant quelque chose de pire que de ne pas répondre à une question concernant la fidélité conjugale.

— Et c'est quoi, ma chérie ? »

Elle se tourna vers le mur en répondant : « De répondre par un mensonge. »

Il se figea, ne sachant que dire. Il n'était plus sur la scène du Fox Theatre, où il pouvait fixer l'objectif de la caméra et nier farouchement. Ils étaient passés par là il y avait bien longtemps, avant les excuses et la demande de pardon.

Lincoln posa sa main sur l'épaule de sa femme, sans que son geste suscite de réponse. Il se releva et, se couchant sans un mot dans son propre lit, éteignit la lampe de chevet.

5

Allison réussit à dormir deux ou trois heures après avoir fait l'amour avec Peter, mais à trois heures du matin elle était parfaitement éveillée. À six heures, alors que la première lueur du jour filtrait à travers les draperies des fenêtres, Allison contemplait le plafond. À côté d'elle, Peter dormait profondément.

Les derniers sondages d'*ABC News* et du *Washington Post* la plaçaient derrière Lincoln Howe, mais ce n'était pas là sa préoccupation présente. Elle repensait à sa conversation avec Peter. Elle était heureuse qu'il soit désormais à ses côtés en cette fin de campagne qui s'annonçait difficile. Sa joie, cependant, était parasitée par son incapacité à lui confier ce qui avait véritablement motivé son refus de répondre à la question de l'adultère. Le fait que toute cette histoire eût commencé il y avait si longtemps expliquait peut-être sa difficulté à en parler, mais elle ne comprenait toujours pas pourquoi elle ne lui avait pas tout dit sur le moment. Pour la dixième fois de la nuit, elle se rappela cette soirée au mois d'août dernier, l'analysa, la disséqua, se demandant pour quelle raison il lui avait été si difficile de raconter à son mari qu'elle était tombée par hasard à Miami Beach sur Mitch O'Brien...

Les grandes feuilles pennées des palmiers de l'hôtel Fountainblue se balançaient sous la brise humide soufflant des eaux chaudes de l'Atlantique. Une promenade en planches, un moutonnement de dunes piquetées d'ajoncs et une large étendue de sable séparaient l'établissement de l'océan, dont on percevait au loin le ressac. Allison, assise en face de Mitch à une table ronde, près de la piscine, sirotait un Cointreau à la glace pilée.

Elle avait adressé deux heures plus tôt son discours-programme à la réunion annuelle de l'Association nationale des attorneys généraux, grand rassemblement de magistrats venus des cinquante États. C'était là une excellente occasion de parler de la criminalité, alors que sa campagne présidentielle abordait les grandes manœuvres de l'automne. Elle avait rencontré Mitch par hasard dans le hall de l'hôtel, alors qu'elle gagnait l'ascenseur. Après l'enlèvement d'Alice, elle avait complètement rompu avec lui, et cela faisait huit ans qu'ils ne s'étaient pas revus ni parlé. Il avait quitté Chicago pour Miami. À vrai dire, elle n'avait jamais éprouvé de ressentiment envers lui, et quand il lui proposa de boire un verre et de rattraper le temps perdu, elle accepta, soulagée d'esquiver un nouveau dîner à l'hôtel en compagnie de son assistante.

« Alors, comment ça se passe à l'Association nationale des aspirants gouverneurs ? » demanda Mitch.

Allison sourit. « C'est l'Association nationale des attorneys généraux. Et sincèrement, ça t'intéresse ?

— Non », répondit-il, l'œil rieur. Mitch avait un beau regard tendre et chaleureux, dont le talentueux avocat pénal qu'il était avait souvent usé pour convaincre bien des jurés féminins. Et c'étaient ces yeux dont se souvenait le plus Allison. Ça, et cet humour impertinent qui l'avait toujours fait rire aux éclats.

« J'ai l'impression qu'on n'a pas cessé de parler de moi de la journée, dit-elle. Que deviens-tu ?

— Je m'amuse. La Floride compte le plus grand nombre de timbrés au kilomètre carré, et je ne regrette pas d'avoir quitté la grise Chicago. On vient de me proposer une affaire criminelle à Key West, et il se pourrait que j'accepte.

— Sans blague ? Je croyais que tu avais cessé toute activité.

— J'ai dit qu'il *se pourrait* que j'accepte. Pour le *fun*, en tout cas. Un copain avec qui je fais de la voile s'est foutu dans le pétrin au concours annuel des sosies d'Ernest Hemingway.

— Hemingway vivait à Key West, n'est-ce pas ?

— Oui. Cette année, on a eu droit à l'habituel défilé de gros machos à la barbe grise boudinés dans des polos à col roulé, comme l'Ernest du timbre postal. Et puis voilà que le dernier concurrent arrive avec la panoplie de rigueur, mais avec un petit supplément : ce crétin suce le canon d'un fusil de chasse.

— C'est pour ça que vous, les gens de Miami, vous aimez tant Key West. À chaque fois qu'un crime tordu est commis ici, les gens disent

“Ça n’arrive qu’à Miami”. Alors, quand ça se passe un peu plus au sud, vous pouvez dire à votre tour “Ça n’arrive qu’à Key West”.

— Quoi qu’il en soit, les autres sosies n’ont pas apprécié l’humour. Ils lui ont arraché le fusil des mains, ont fourré le bonhomme dans le coffre d’une vieille décapotable et ont pris la route U.S. 1, direction nord. Ils roulaient à plus de cent quarante à l’heure quand ils se sont fait arrêter par la police de la route. Imagine la tête du flic quand il s’est approché d’une Cadillac rose bonbon remplie de sept barbus en polos noirs, dont un dans le coffre. On ne sait pas trop quelles étaient leurs intentions, mais le flic a déclaré avoir entendu le chauffeur beugler : “Mort dans l’après-midi [1] !” Et maintenant, cette même grande gueule veut que j’abandonne ma retraite anticipée pour le défendre. Le plus incroyable, c’est qu’il soit inculpé de kidnapping ! » Mitch éclata de rire, puis finit son eau pétillante.

Allison se contenta de sourire.

Mitch la regarda, alerté par son expression assombrie.

« Ça ne va pas ?

— Je ne sais pas. J’ai trouvé soudain bizarre qu’on soit là tous les deux à rire au sujet d’un enlèvement. »

Leurs regards se rencontrèrent. Un silence tomba sur leur table, en même temps que le bruit de la mer au loin semblait se faire plus présent. Allison détourna les yeux.

« Tu m’en veux à cause d’Alice, n’est-ce pas ? » demanda Mitch d’un ton grave.

Elle ouvrit la bouche mais ne dit rien pendant un moment. Elle trouvait la question inattendue et prévisible en même temps. « T’en vouloir ? dit-elle enfin. Non, ce n’est pas le mot juste, Mitch. Mais il est vrai que je t’ai associé à sa disparition. C’est probablement injuste de ma part, mais je n’ai jamais pu oublier que j’étais au téléphone avec toi quand c’est arrivé. »

Le regard de Mitch balaya un instant la piscine, déserte à cette heure, et revint à Allison.

« Crois-tu que nous aurions renoué, toi et moi ? Je veux dire, s’il ne s’était rien passé ?

— Non. »

Il se renversa dans sa chaise. « Eh bien, dis donc, tu n’as même pas eu à réfléchir pour répondre.

— Mitch, quelle importance cela peut-il avoir, maintenant ? Je suis mariée, et j’ai un merveilleux mari.

---

1. Roman de 1932, inspiré par la passion que Hemingway nourrissait pour la corrida. *(N.d.T.)*

— Oui, et au bout de sept ans, il travaille toujours à New York et te rend visite le week-end.

— Comment sais-tu cela ?

— Allison, tu es un personnage public. »

Elle pinça les lèvres. « Et que sais-tu encore ?

— Je sais qu'il a dépensé plus d'un million de dollars pour tenter de retrouver Alice. Tu sais, ça me peine beaucoup que tu n'aies pas pu la retrouver.

— Merci. »

Il se pencha en avant, prenant son verre vide entre ses mains. « Je suis aussi désolé que tu l'aies récompensé de sa générosité en acceptant de l'épouser. »

Allison le regarda dans les yeux. Subitement, elle avait la bouche sèche.

Mitch ne broncha pas. Son regard se fit même plus acéré.

Elle finit par détourner la tête et prit son sac à main. « Il est temps que je rentre. » Elle se leva, posa un billet de dix dollars sur la table.

« Tu ne me laisses même pas t'offrir un verre ? » dit Mitch, le front barré d'un pli douloureux.

Allison se raidit, affectant un air distant et formel. « Au revoir, Mitch. » Et, comme elle s'écartait de la table, l'agent du FBI chargé de l'escorter quitta sa station discrète près de la porte, prêt à la raccompagner jusqu'à sa chambre.

« Allison ! » appela Mitch.

Elle s'arrêta et se retourna avec réticence. Il la regardait avec des yeux où était revenue cette tendre chaleur qu'elle avait aimée en lui.

« Tu n'y es pour rien, dit-il d'une voix basse qu'elle seule pouvait entendre, mais il y a quelqu'un qui t'aime encore. »

Elle cligna les yeux, décontenancée, puis s'en fut d'un pas nerveux en direction de l'entrée de l'hôtel.

Le réveil sonna sur la table de nuit, arrachant Allison à ses souvenirs. Son cœur battait quand elle se pencha pour arrêter la sonnerie.

Peter, réveillé, se frotta les yeux, puis se tourna vers elle. Il avait l'expression réjouie d'un écolier à son premier jour de vacances. « Bonne journée, madame », dit-il avec un sourire.

Allison parvint à lui rendre son sourire et à lui répondre du même ton de voix joyeux : « Oui, ce sera une bonne journée. »

6

Le lundi matin, de bonne heure, David Wilcox accéda à la Maison-Blanche par le long tunnel qui reliait le sous-sol du bâtiment du Trésor au sous-sol de l'aile est. C'était une entrée annexe qu'utilisaient les visiteurs désireux que leur venue ne soit pas remarquée par la presse. Wilcox avait insisté pour passer par là, craignant que sa visite au président, si elle était divulguée, puisse être interprétée comme une manœuvre désespérée, dictée par la chute de Leahy dans l'opinion.

Deux agents des services secrets jouaient les guides. L'un flanquait Wilcox, l'autre Eric Helmers, le très populaire gouverneur de Géorgie qu'Allison avait choisi pour être son futur vice-président. Poids lourd de la politique, Helmers était un ancien du Vietnam, décoré de la valeur militaire. Il avait perdu la moitié de son pied gauche sur une mine antipersonnel et la ténacité avec laquelle il avait surmonté ce handicap ainsi que sa participation soigneusement médiatisée au marathon annuel de Boston lui avaient acquis la sympathie du public. Wilcox et les deux hommes des services secrets avaient du mal à soutenir l'allure imposée par le marathonien et tous trois étaient un rien essoufflés et en sueur en arrivant dans le sous-sol de la Maison-Blanche.

La rencontre était prévue à sept heures et demie dans le Bureau ovale. Comme d'habitude, le président Sires était en retard. Wilcox et Helmers patientèrent dans le hall du rez-de-chaussée de l'aile ouest, en sirotant le café maison sous une antique carte du Colorado, l'État natal du président. À huit heures et demie, un planton les conduisit au Bureau ovale, à la porte duquel les accueillit Barbara Killian, l'impassible secrétaire générale.

« Messieurs », dit-elle d'un ton lugubre.

Au centre de la vaste pièce, le président, vêtu d'une chemise de madras et d'un pantalon kaki, était penché en position de putt au-dessus d'une petite balle blanche. Une longue bande de gazon synthétique courait sur le grand tapis imprimé du sceau présidentiel. Une demi-douzaine de balles de golf entouraient la coupe en plastique située au bout du green.

Il frappa doucement, envoyant la balle droit dans la coupe. « Ouiiii !

— Joli coup, monsieur le Président », commenta la secrétaire générale.

Il eut un sourire espiègle. « On ne m'appelle pas le Veinard pour rien. » Il posa son putter et salua ses visiteurs, leur désignant les sièges faisant face à son bureau. Les présentations n'étaient pas nécessaires.

« Je vous remercie d'avoir pris le temps de nous recevoir, monsieur le Président », dit Wilcox.

Le président s'installa dans son fauteuil en cuir et grimaça un nouveau sourire. « Oh, nous les canards boiteux, nous avons tout le temps devant nous. »

Alors pourquoi diable vous nous avez fait lanterner pendant près d'une heure ? pensa Wilcox. « Hélas, monsieur, dit-il, c'est précisément le temps qui manque le plus à Allison Leahy, à huit jours de l'élection. Une élection qu'elle risque fort de perdre si elle ne sort pas la tête du sable et ne dénie pas publiquement avoir jamais trompé son mari. Je le lui ai dit, Eric le lui a dit, et les sondages le lui disent.

— Vous savez, David, il faut en prendre et en laisser avec les sondages. Si je croyais vraiment rassembler autant d'opinions favorables que lesdits sondages le prétendent, je songerais à me représenter. »

Wilcox ne put réprimer une grimace.

« Je plaisantais », dit le président.

La secrétaire générale jugea bon de glousser. Wilcox s'arracha un sourire et redevint sérieux. « Elle a besoin que quelqu'un lui parle, monsieur. Vous êtes encore son patron. Cela devrait venir de vous. »

Le président se renversa contre le dossier de son fauteuil, encadré par les drapeaux américains. « Allison est une femme de haute moralité. C'est pourquoi je l'ai nommée attorney général. Ce n'est pas à moi de lui conseiller ce qu'elle doit dire ou ne pas dire sur des questions mettant en cause son éthique personnelle.

— Monsieur, je ne vous solliciterais pas si nous n'étions pas dans une situation critique. »

Le président Sires croisa les mains sur son bureau. Il ne souriait plus. « Soyons francs. Tout le monde sait que je n'ai pas choisi Allison Leahy pour représenter le parti à la présidentielle. Et, à ce jour, je pense toujours qu'il n'y a pas de meilleur successeur à l'administration Sires que mon propre vice-président.

— Quoi ! auriez-vous envie qu'Allison perde ?

— Bien sûr que non. Sentiments personnels mis à part, je comprends qu'un grand nombre de sénateurs, de congressistes, de gouverneurs et bien d'autres responsables politiques pourraient être salement touchés par un candidat sans parrainage politique. Aussi, je soutiens Allison. Mais je n'interviendrai pas pour autant dans sa campagne.

— Il ne s'agit pas d'intervenir. Il s'agit de perdre ou de gagner l'élection. »

La secrétaire générale consulta sa montre et capta le regard du président. Il lui répondit d'un battement de paupières et se leva de son fauteuil. « Une chose encore, avant que nous nous séparions, messieurs. Bien que je n'aie pas soutenu la candidature d'Allison, je respecte sa position dans cette affaire. Je ne doute pas une seconde qu'elle pourrait sincèrement dénier avoir trompé son mari. Mais si elle répond à cette question, elle créera un précédent qui hantera toutes les femmes qui se présenteront par la suite à la présidence. Bien sûr, je ne veux pas dire par là qu'aucun mari infidèle n'a jamais été élu président des États-Unis. Mais le paysage politique étant ce qu'il est, je ne suis pas certain que les électeurs se montreraient aussi tolérants envers une femme adultère briguant cette fonction. Je ne dis pas non plus que c'est juste. C'est un fait, voilà tout. Et un fait dont Allison est parfaitement avertie. »

Il serra les mains, d'abord Wilcox, puis Helmers. Le geste déclencha comme par réflexe le sourire bonhomme. « Merci de votre visite, les gars. Et je compte sur vous pour venir pêcher à la mouche avec moi après le 20 janvier, vous entendez ?

— Merci, monsieur », répondirent les « gars » à l'unisson. Wilcox avait envie d'insister, mais le ton de copinerie et l'invitation creuse laissaient clairement entendre que l'entretien était terminé. La secrétaire générale les raccompagna à la porte. Wilcox la gratifia d'un sourire froidement poli, puis sortit du Bureau ovale en compagnie du gouverneur Helmers. Comme ils passaient devant le cabinet de travail présidentiel, Wilcox jeta un regard au bureau contigu, petit mais tant convoité. Pour quiconque travaillant à la Maison-Blanche, un placard sans fenêtre près du président était préférable à tout un étage dans le vieux bâtiment des services administratifs de la présidence, de l'autre côté de l'avenue. Oui, ce petit bureau, songeait Wilcox, serait peut-être un jour le sien.

« Alors, que fait-on maintenant ? » demanda Helmers. Son visage semblait exprimer la douleur d'un homme qui avait déjà renoncé à ses espoirs de vice-présidence.

« Plan B, répondit Wilcox.

— C'est quoi, le plan B ? »

Ils s'arrêtèrent au pied des marches menant dans le hall, où les attendait leur escorte. « Le général Howe est peut-être très fort à la guerre conventionnelle, dit Wilcox à voix basse. On va voir s'il est aussi bon à la guerre atomique. »

À neuf heures du matin, Buck LaBelle en était à sa sixième tasse de café. La serveuse lui apporta trois œufs au plat et cinq tranches de bacon, qu'il avala en trois minutes et demie. Il se passerait de son habituel gruau de maïs. Après tout, il était à Cincinnati.

LaBelle passa la plus grande partie du petit déjeuner à convaincre le président et le vice-président de la Confédération nationale de la police que la plus grande organisation policière de la nation, avec ses trois cent mille adhérents, avait manifestement choisi de soutenir le mauvais cheval, en l'occurrence une jument. À dix heures trente, la réunion s'acheva, et LaBelle regagna son hôtel, d'où il appela le général Howe.

« Ils maintiennent leur appui à Leahy, rapporta-t-il.

— Merde ! éructa Howe. C'est ce que nous ont répondu pendant tout le week-end les enseignants, les syndicats et la police. Ce ne sont pas ces escarmouches que vous menez contre Leahy qui me feront gagner la guerre. Surtout maintenant qu'elle a commencé de s'exhiber au bras de son mari bien-aimé.

— Soyez patient. Les nouveaux spots publicitaires vont sortir.

— La vérité, c'est que nous avons tiré tout le lait qu'on a pu de la vache adultère. Ça a fauché l'herbe sous le pied de Leahy et nous a fait gagner des points dans les sondages, mais ce n'est pas suffisant. Il nous faut à présent la frapper plus durement si on veut lui rafler une partie de son électorat. »

LaBelle soupira. « Si nous suivons la stratégie...

— Fini la stratégie, c'est un plan de bataille dont j'ai besoin ! Écoutez, j'ai une interview télévisée dans quatre-vingt-dix secondes, nous parlerons cet après-midi. Mais je vous le dis franchement, Buck : j'ai appris une chose après quarante ans d'armée, c'est qu'à chaque fois qu'on garde un mauvais élément on met la vie des autres en danger. Vous me comprenez ? »

LaBelle se hérissa. Jamais personne ne l'avait menacé de le virer.

« Si j'ai bien compris, vous envisagez une action drastique à l'encontre de Leahy ?

— Oui, drastique. Pas désespérée. Vous saisissez la différence ?

— Parfaitement, monsieur.

— Très bien. Nous en discuterons plus tard. »

LaBelle raccrocha. Il était perplexe. Il se demanda un instant si la sibylline distinction du général entre « drastique » et « désespéré » était une manière de tracer quelque frontière éthique entre son équipe et lui, mais chassa vite cette hypothèse. En fait, tout cela ressortissait plutôt à une conception machiavélique : quelle que fût l'action entreprise, celle-ci serait jugée après coup. Si ça marchait, on louerait la mesure « drastique » ; si ça échouait, on condamnerait un plan « désespéré ».

7

Dans sa chambre d'hôtel à Los Angeles, Allison suivait le journal télévisé du soir, tout en se préparant pour sa soirée. Elle démêlait ses cheveux mouillés quand un reportage sur ABC retint son attention. Une journaliste à la mise élégante désignait sur une grande carte en couleurs du pays huit des principaux États qui, après avoir été globalement en faveur d'Allison, étaient maintenant indécis.

« Il ne fait aucun doute, disait la femme, que la récente apparition de Mme Leahy aux côtés de son mari a notablement réduit les dégâts. Cependant, le bruit court que le moral est au plus bas parmi les partisans du leader démocrate. Nombreux sont ceux qui lui reprochent d'avoir esquivé la question de l'adultère, alors que d'autres sont furieux que l'élection puisse être déterminée par ce qu'ils considèrent comme un faux problème de moralité.

« Les démocrates se consolent toutefois de voir que même les partisans du général Howe commencent à se demander si le fameux débat d'Atlanta aura un effet durable. À moins de huit jours de l'élection, les analystes politiques semblent s'accorder sur un point : la première élection présidentielle du XXIe siècle pourrait bien être la plus serrée de l'histoire américaine. »

Allison éteignit le poste. Intéressant, pensa-t-elle. Sitôt qu'un politicien agit au nom d'un principe, il peut s'attendre à être soupçonné de cacher quelque chose. En vérité, les personnages politiques étaient certainement responsables de cette réaction spontanée du public.

Elle finit de démêler ses cheveux et s'examina dans la glace. Qui crois-tu tromper ? semblait lui demander son reflet.

Certes, son refus de répondre à Abdul Kahesh Mahwani reposait en partie sur une question de principe. Elle gardait en mémoire sa propre réaction à l'aveu d'adultère de feu le sénateur John Tower à la télévision en 1988, et combien ce spectacle avait été éprouvant pour tout le monde et comme il avait si peu contribué à élever le débat politique. Mais aucune décision, même fondée sur le principe, n'était prise sans qu'interviennent d'autres motifs, plus obscurs, qu'elle n'avait nullement envie de livrer à l'opinion publique.

Allison porta son regard vers le grand lit, sur lequel elle avait posé sa robe du soir, à côté de son sac à main. Elle l'avait déjà portée, deux mois plus tôt. Cela lui vaudrait sûrement de ne pas figurer une seconde fois dans le magazine *People*, comme la femme la plus élégante de l'année. Mais Peter aimait cette robe et l'avait lui-même sortie de la penderie. Ce choix n'était pas sans ironie. La dernière fois qu'elle l'avait portée, c'était une semaine après sa rencontre avec Mitch O'Brien à Miami Beach. Peter et elle étaient à une soirée à Washington, où Mitch avait fait une apparition inattendue.

Son regard s'attarda sur l'étoffe cousue de centaines de perles et de sequins minuscules, jusqu'à ce que sa vision se voile et que sa mémoire la ramène dans cette grande salle de bal du Capitol Hilton, où sa relation avec Mitch avait commencé de prendre un tour étrange...

« Excusez-moi », fit le sénateur de Caroline du Sud. Âgé de quatre-vingt-six ans, il venait de buter contre Allison, lui écrasant le pied et aspergeant sa robe de champagne.

Allison essuya la tache avec une serviette en papier. « Ce n'est rien, sénateur. Mais, d'ordinaire, je ne me baigne dans le champagne qu'après la fête », dit-elle avec un clin d'œil.

Le vieux bigot était son plus grand détracteur, bien que son soutien tonitruant à Lincoln Howe eût été mis en sourdine par un journaliste qui l'avait surpris à dire à son aide qu'il préférait voter pour une bande de « nègres » plutôt que de voir une femme à la Maison-Blanche.

Il s'excusa de nouveau nerveusement puis s'en fut sévir ailleurs.

Le gala annuel à Washington de la Fédération nationale des Italo-Américains était l'un de ces raouts mondains que tout poids lourd de la politique, de la finance ou du showbiz se faisait un devoir de ne pas manquer, qu'il fût ou non d'origine italienne. Depuis qu'Allison était devenue attorney général, c'était le seul événement annuel que Peter ne manquait pas. Cette année, comme d'habitude, Allison se retrouva mêlée aux cercles politiques, tandis que son mari s'en allait rejoindre son clan des Siciliens, réjoui de se frayer un chemin parmi les trois mille invités se bousculant autour des De Niro et autres Travolta.

« Peste ! » marmonna Allison, tandis que le champagne glacé imprégnait sa robe. Elle chercha du regard le plus proche accès aux lavabos, et se figea soudain.

Mitch, seul au bar, le verre à la main, la regardait. Il était plus beau que jamais dans son smoking noir, mais avait ce regard vitreux qu'elle connaissait trop bien. Elle ne répondit pas à son sourire, mais lui désigna d'un discret signe de tête la porte à double battant qui ouvrait sur un couloir isolé, près de l'entrée des cuisines. Mitch quitta le bar, tandis qu'Allison s'excusait auprès des personnes avec lesquelles elle s'entretenait. Un agent des services secrets se porta aussitôt à ses côtés.

« Ce n'est pas nécessaire, lui dit-elle poliment. J'ai mon bip d'alarme dans mon sac. Je vous appellerai en cas de besoin. »

Il acquiesça d'un signe de tête, et la laissa franchir seule les portes.

Cette partie annexe de la grande salle de bal avait été interdite au public pour des raisons de sécurité, et elle était pratiquement déserte. Mitch attendait dans un renfoncement du couloir, qu'éclairait faiblement une applique de verre.

« Que fais-tu ici ? » Le ton d'Allison était âpre, mais la voix basse.

Mitch se frappa le front avec une emphase comique. « Merde, j'ai oublié que mon nom ne se terminait pas par une voyelle. Il commence par un O. Mais no problema, zé peux parler italiano », ajouta-t-il en se remontant ostensiblement l'entrejambe.

« Tu es soûl.

— Non, irlandais, répliqua-t-il avec un haussement d'épaules.

— Tu es abominable. Comme toujours quand tu as bu. Combien de fois ai-je dû te le dire ? »

Le sourire de Mitch s'effaça. « À peu près autant de fois que j'ai dû te demander quand nous allions nous marier. Pourquoi ne pas avoir choisi une date, Allison ? N'importe laquelle. Pourquoi avoir dit à un homme que tu l'épouserais, sans jamais fixer une date ? »

Elle le regardait d'un air incrédule. « C'était il y a huit ans.

— Et la semaine dernière ?

— Quoi, la semaine dernière ?

— Ce que je t'ai dit ne signifiait donc rien pour toi ?

— Non mais, tu t'attendais à quoi ? À ce que je fonde sur place à l'idée que tu m'aimes encore ? Allons, Mitch, redescends sur terre. Et puis cesse de t'apitoyer sur toi-même.

— Va te faire foutre, Allison ! Tu crois que j'ai passé ces huit dernières années à noyer mon chagrin de t'avoir perdue ? Eh bien, j'ai une nouvelle pour toi. Toute femme mariée que titillerait l'envie de retrouver un vieil amant dans un hôtel de Miami Beach ne vaut pas qu'on s'abîme le foie. »

Elle le regarda avec colère. Il était inutile de lui faire remarquer qu'il n'était certainement pas par hasard à l'hôtel en question. Il savait très bien que l'attorney général était de passage à Miami Beach. C'était dans tous les journaux. Cependant, une chose la gênait, et elle n'était pas sûre que l'ivresse seule de Mitch en fût la cause : il semblait avoir l'intention perverse de donner à cette rencontre à l'hôtel Fountainblue une tout autre dimension.

« J'ignore ce que tu as derrière la tête, mais il ne s'est rien passé entre nous, à Miami Beach, et il ne se passera jamais rien. Compris ? Alors, cesse de me suivre, comme tu le fais. Et maintenant, va-t'en avant que j'appelle la sécurité. »

Il la défia du regard, mais Allison ne cilla pas. Finalement, Mitch s'en fut en titubant, comme aux pires moments de leur liaison, quand elle lui interdisait sa chambre et qu'il s'écroulait sur le canapé.

Elle le regarda s'éloigner, jusqu'à ce qu'il disparaisse au coin du couloir. Elle éprouvait à la fois l'envie de courir après lui et de l'étrangler et celle de le secouer par les épaules et de lui dire d'arrêter de gâcher sa vie.

Soudain, Allison entendit un tapement de talons sur les dalles de marbre. *Revenait-il ?*

Elle tendit l'oreille. Ce ne pouvait être Mitch. Il avait tourné à gauche, et le bruit provenait de la direction opposée. *Un vigile ?*

Elle franchit la distance qui la séparait du coin du couloir, et risqua un regard. Le silence se fit. Intriguée, elle recula et écouta de nouveau. Le bruit de pas avait repris, mais il était étouffé, comme si la personne marchait sur la pointe des pieds.

Ce ne pouvait être quelqu'un de la sécurité.

Allison se remettait en marche quand le claquement d'une porte la fit tressaillir. Pressant le pas, elle tourna en direction du bruit et tomba sur un hall où il y avait plusieurs cabines téléphoniques et une porte en métal peinte en rouge. Elle essaya la poignée. Fermée. Elle jeta un regard par la lucarne de verre mais ne vit qu'un escalier en ciment et une rampe en fer. Elle ouvrit son sac ; le bip d'alarme ferait accourir une équipe d'agents du FBI et des services secrets, mais que leur dirait-elle ? Qu'elle s'était querellée avec son ex-fiancé ? Elle referma son sac. Mieux valait garder cela pour soi.

« Tout va bien, madame Leahy ? »

Allison tressaillit, puis porta la main à sa poitrine en un geste de soulagement. C'était son garde du corps. « Oui, dit-elle. Je cherchais les lavabos.

— Par ici, je vous prie », dit-il, passant devant elle.

Au bout de quelques pas, elle remarqua que l'homme portait des semelles de caoutchouc qui ne faisaient aucun bruit. Ce ne pouvait être lui qu'elle avait entendu un instant plus tôt.

Elle coinça son sac sous son bras d'une main tremblante et marcha la tête haute en s'efforçant de retrouver son calme. Mais la peur lui serrait la gorge à la pensée que quelqu'un ait pu surprendre leur conversation...

« Allison, tu n'es pas encore prête ?

— Hein ? » Elle sursauta, arrachée à ses souvenirs par la voix de Peter. Il se tenait sur le seuil du salon de leur suite, habillé et prêt à partir, alors qu'elle était encore assise à la coiffeuse, en peignoir et les cheveux humides.

« L'hélicoptère part dans un quart d'heure. » Il vint vers elle et l'embrassa sur le front. « Je n'aimerais pas y aller sans toi. »

Elle lui sourit. « Je serai fin prête dans dix minutes. »

Il lui rendit son sourire et repartit vers le salon.

« Peter ? »

Il s'arrêta et se retourna.

« Crois-tu vraiment que j'aie bien fait de ne pas répondre à cette question ?

— Oui, je le crois, ma chérie. » Puis, remarquant l'expression inquiète d'Allison, il ajouta : « J'espère que tu ne le regrettes pas. »

Allison soupira, s'en voulant de ne pas lui avoir tout dit deux mois auparavant. Comme bien des hommes, Peter n'aimait guère entendre parler de ceux qui l'avaient précédé dans le cœur d'Allison, et elle avait jugé parfaitement inutile de lui raconter que son ex-fiancé était toujours amoureux d'elle. Qu'aurait-il pensé d'elle si elle lui avait rapporté ses deux rencontres avec Mitch, bien après les faits et son refus de répondre publiquement à une question relative à sa fidélité conjugale ? Qui eût cru à l'innocence de leurs retrouvailles ?

« Non, je ne regrette rien, dit-elle. J'étais dans mon droit en refusant de répondre. »

Il approuva d'un hochement de tête, et se retira dans la pièce voisine.

Allison se regarda dans le miroir, encore secouée par le souvenir de cette soirée au Capitol Hilton. Elle cédait peut-être à une tentation paranoïaque, mais elle avait le sentiment qu'on cherchait à la piéger, d'abord en la poussant à nier avoir jamais trompé Peter, pour ensuite la confronter à quelque témoin mystérieux et à un enregistrement qui dénatureraient complètement sa rencontre avec Mitch. Elle serait prise dans un double flagrant délit, d'adultère et de mensonge. Et elle s'en irait rejoindre ceux et celles immolés sur l'autel des pharisiens.

Elle n'avait pas menti à Peter : le silence était la bonne réponse.

Tu peux en être convaincue, dit-elle au visage troublé que lui renvoyait son reflet dans le miroir.

8

Les brillantes couleurs de l'automne éclairaient les rues bordées d'arbres de Nashville, Tennessee, ce mardi matin de Halloween. Les pluies dénuderaient bientôt les branches, mais une semaine de nuits claires et froides et de journées ensoleillées avait embrasé les feuilles.

Le soleil brillait dans un ciel bleu quand Kristen, une fillette de douze ans, monta dans le minibus de ramassage scolaire de l'école de Wharton. C'était la même routine chaque matin, du lundi au vendredi. Kristen avait classe à Wharton jusqu'à neuf heures, puis se faisait conduire au collège Martin Luther King, un établissement pilote situé de l'autre côté de la pittoresque université Fisk. Kristen, élève du sixième grade, était suffisamment douée pour suivre des cours de littérature du dixième grade. Apprendre était facile, paraître plus âgée, une autre paire de manches. Son visage en forme de cœur commençait à peine à prendre les angles de la maturité, et les résultats étaient prometteurs – trop, en ce qui concernait sa mère attentive. Contrainte d'attendre l'âge de treize ans pour se maquiller, Kristen n'en chipait pas moins un peu de mascara qui accentuait ses grands yeux noirs, le trait le plus remarquable de son visage. Elle savait aussi que ses longues jambes seraient un jour un atout mais, pour le moment, la jeune dégingandée se contentait de marcher sans trébucher sur ses échasses.

« Bonjour, Reggie. » Elle se laissa choir avec sa gaieté coutumière sur le siège de devant. Pour fêter Halloween, elle avait choisi un survêtement aux couleurs du drapeau national, qui était censé être le costume officiel des athlètes américains aux JO de l'an 2000.

« Bonjour, mademoiselle Kristen, répondit Reggie, le chauffeur noir d'une soixantaine d'années.

— Arrêtez de m'appeler mademoiselle ! Ça fait tellement aristocratique ! »

Reggie ouvrit de grands yeux. « En voilà un grand mot, dites donc. Ils vous en apprennent des choses à l'école, pas vrai, mademoiselle Kristen ?

— Il faut bien, Reggie. »

Le véhicule se mêla à la circulation toujours dense du boulevard du Dr D. B. Todd, qui longeait l'université Fisk, située entre l'école de Wharton et le collège Martin Luther King. Reggie tourna dans Meharry Street, entra dans le campus et s'arrêta bientôt devant le Jubilee Hall, un dortoir de six étages bâti dans un pur style victorien.

Ce détour par le campus faisait partie d'un accord que Kristen avait passé avec Reggie. Elle avait détesté arriver au collège avec un minibus qui portait en grandes lettres sur ses flancs : ÉCOLE PRIMAIRE DE WHARTON. Persuadée qu'elle ferait une entrée autrement plus digne si Reggie la laissait descendre à l'université et faire le reste du chemin à pied, elle avait usé de toute sa séduction pour convaincre son chauffeur. Reggie avait cédé au bout de deux semaines, à la seule condition qu'il la suive avec le minibus à une distance lui permettant de garder l'œil sur elle.

« À demain, Reggie. » Kristen ouvrit avec impatience la portière, sauta avec son cartable, et se mit en marche. Elle passa devant la vieille bibliothèque, avec son horloge cassée, une imposante bâtisse en briques qui abritait désormais l'administration du campus. À sa gauche s'élevaient l'auditorium avec ses fresques italiennes et la nouvelle bibliothèque de deux étages flanquée de colonnades. Ce trajet ravivait toujours en elle le rêve de devenir la plus jeune étudiante du plus ancien collège noir du pays.

Kristen franchissait la grille séparant le campus du terrain du collège quand elle remarqua que le minibus la suivait lentement à moins de vingt mètres. Elle traversa Jackson Street et prit Seventeenth Avenue. Un coup d'œil par-dessus son épaule la décida à s'arrêter. Elle se retourna et, les mains sur les hanches, jeta un regard irrité en direction du véhicule, comme pour dire : « Reggie, vous roulez trop près. »

Elle poursuivit son chemin sur le vieux trottoir bosselé par les racines des chênes centenaires. Il y avait un banc un peu plus loin, où elle fit une nouvelle halte pour défaire les deux horribles nattes que lui tressait sa mère. La première n'offrit aucune résistance à ses doigts impatients. Comme elle tiraillait sur la seconde, elle vit de nouveau que ce fichu minibus s'était encore rapproché.

« Il commence à m'énerver, celui-là », grommela-t-elle. Elle libéra ses cheveux, fourragea de ses deux mains dans les épaisses boucles brunes pour leur donner le volume requis, puis elle reprit son cartable et se remit en route.

Le véhicule la suivait maintenant à moins de dix mètres, mais elle décida de l'ignorer et continua de marcher jusqu'au prochain carrefour. Elle regarda de droite et de gauche, mais il n'y avait pas une seule voiture en vue. Elle s'avançait sur la chaussée quand le minibus la doubla, et s'immobilisa de l'autre côté de la rue, tel un fidèle éclaireur.

Kristen était furieuse, à présent. *À quoi joue Reggie, ce matin ?*

Elle traversa et s'arrêta à hauteur du minibus. Les frondaisons au-dessus d'elle se reflétaient sur le pare-brise, l'empêchant de voir clairement à l'intérieur. Mais elle distingua la vieille casquette familière du vieux chauffeur. Elle lui cria : « Reggie, je croyais qu'on avait passé un marché ! »

Seul le bruit du moteur lui répondit.

Elle franchit en quelques enjambées les quelques mètres qui la séparaient du véhicule, et ouvrit avec colère la portière.

« Reggie... » Elle se tut, et un sourire dissipa son courroux. Reggie portait un masque à l'effigie de Lincoln Howe, l'accessoire le plus populaire de cet Halloween de l'an 2000. « Super, Reggie. Joyeux Halloween à toi aussi. »

Le chauffeur tendit la main et la prit par le poignet.

« Reggie, mais qu'est-ce que... »

Sa voix s'étrangla. La main était blanche. Ce n'était pas Reggie.

Les doigts se resserrèrent et l'homme la tira avec une telle force que Kristen décolla littéralement du sol, et fut projetée à l'intérieur, où elle atterrit sur le siège du passager. Un autre homme lui empoigna les jambes, lui passa un sac sur la tête, et la fit passer à l'arrière du véhicule.

« Démarre ! » cria-t-il.

La portière claqua, le verrou cliqueta. Kristen tenta bien de ruer et de frapper, mais elle se retrouva vite entravée aux poignets et aux chevilles par des menottes en plastique, tandis que la toile épaisse du sac étouffait ses cris. Elle sentit une aiguille s'enfoncer dans sa cuisse, comme lors des vaccinations à l'école.

L'homme au volant enleva son masque et conduisit lentement, tout comme Reggie Miles, le chauffeur le plus prudent de l'école de Wharton.

Une sonnerie aiguë résonna à travers les couloirs du collège. Dans les vestiaires, les portes des casiers claquaient. Aux toilettes, garçons et filles tiraient une dernière bouffée sur leurs cigarettes. Une bagarre éclata sous l'escalier, laissant le perdant en pleurs. Les retardataires continuaient d'arriver dans la classe d'anglais de Roberta Hood, tandis que d'autres élèves allaient et venaient dans le couloir, réticents à travailler en ce jour de Halloween, dont l'esprit tapageur avait envahi tout le collège.

Mme Hood avait quarante-cinq ans, mais elle en paraissait dix de plus. Les cheveux entièrement gris, elle portait des carreaux si épais qu'ils lui faisaient, par un effet de loupe, d'énormes yeux. Elle enseignait la littérature anglaise depuis vingt ans, cherchant le nouveau Ralph Ellison ou la prochaine Maya Angelou. Elle était en tout cas persuadée qu'elle ne les trouverait pas parmi les voyous du fond de la classe, qui étaient en train de balancer des allumettes enflammées dans la corbeille à papiers.

« Arrêtez tout de suite ! » cria-t-elle en se précipitant pour piétiner les flammes sous un éclat de rire général. Elle épousseta les cendres maculant son superbe costume : un authentique boubou africain à pois noirs et jaunes rappelant la robe du léopard. Elle regagna son bureau et promena un regard sévère sur sa classe. Ils étaient quelques-uns à s'être habillés comme d'habitude par dédain de la fête de Halloween, mais beaucoup étaient costumés. Loups-garous et vampires étaient toujours très prisés. Son élève préférée manquait toutefois à l'appel. Elle scruta de nouveau les rangées, pensant que la gamine avait peut-être changé de place ou qu'elle-même ne l'avait pas remarquée dans son costume. Mais elle ne la vit pas. Elle alla jeter un coup d'œil dans le couloir : elle n'y était pas non plus.

Une expression inquiète se peignit sur le visage de Mme Hood. Elle se sentait particulièrement responsable de Kristen, en raison de son âge et de l'importance de sa famille. Kristen n'avait manqué les cours qu'une seule fois et, à cette occasion, le directeur de l'école de Wharton l'avait appelée pour lui annoncer que la petite ne viendrait pas.

Mme Hood réclama l'attention de ses élèves. « Un peu de silence, s'il vous plaît. »

Ils étaient plusieurs près de la fenêtre à se chamailler pour se faire lire les lignes de la main par une fille déguisée en bohémienne. Les autres bavardaient, volubiles comme des perruches. Même dans un collège aussi prestigieux que celui de Martin Luther King, il suffisait de quelques brebis galeuses pour corrompre la classe entière, surtout à Halloween.

« SILENCE ! »

Madame Hood avait crié avec une telle force que chacun se tut, pétrifié. Puis, comme elle reprenait son souffle, l'inquiétude dans ses yeux le céda à la peur.

« S'il vous plaît, dit-elle, est-ce que l'un d'entre vous a vu Kristen Howe ? »

Reggie Miles s'efforçait de glisser sa main dans la poche droite de son pantalon.

Il lui restait de douloureux élancements du coup qu'il avait encaissé sur le crâne, mais il avait rapidement repris connaissance. Toutefois, il avait jugé bon de feindre l'inconscience. Malgré son bandeau sur les yeux, il n'avait pas eu de mal à comprendre qu'ils tenaient Kristen.

Reggie n'avait plus entendu la fillette depuis le moment où elle avait été hissée dans la voiture. Les deux hommes avaient parlé des effets narcotiques du produit qu'ils lui avaient injecté. Ils continuaient de bavarder, à l'avant du véhicule. Reggie en déduisit que Kristen et lui étaient à l'arrière. Ils roulaient, ralentissaient, s'arrêtaient, repartaient, signe qu'ils n'avaient pas encore quitté la ville. Il essaya bien de noter les virages – gauche, droite, droite encore – dans l'espoir de se figurer où ils allaient, mais il finit par en perdre le compte et abandonna.

Les menottes en plastique le gênaient considérablement, mais il parvint au prix d'un douloureux et patient effort à crocheter de son index l'anneau de son trousseau de clés. Prenant soin de ne pas le faire tinter, il le sortit de sa poche et ramena ses mains entravées derrière lui. Ses doigts n'étaient plus aussi agiles qu'ils l'avaient été, mais il savait toujours manier le solide canif attaché à son trousseau. Il en ouvrit la lame.

Lentement, Reggie commença à tailler dans l'un des deux anneaux lui emprisonnant les poignets.

9

Le minibus enfila une ruelle étroite derrière un vieil entrepôt en briques. Il cahota sur un tas de tuyaux rouillés, bringuebala dans les fondrières et finit par pénétrer dans un garage dont la porte s'abaissa bruyamment derrière lui. Le véhicule s'immobilisa, moteur coupé, à côté d'une Buick Riviera immatriculée dans l'État de New York.

Des tubes fluorescents clignotèrent un instant au plafond, avant d'éclairer l'espace d'une lumière crue. Des taches d'huile semblables à de grosses amibes noires maculaient le sol fissuré en ciment. Çà et là, des bâches poussiéreuses recouvraient des pièces détachées de moteurs.

Deux hommes sautèrent du minibus. Tous deux portaient des gants et des blousons de cuir noir. Le chauffeur s'appelait Tony Delgado, un costaud, italien d'origine, avec un lourd accent de Brooklyn. Johnny, son jeune frère, avait la gueule fendue d'un grand sourire.

« Perfecta mundo ! » beugla Johnny. Et les deux frères de se congratuler à grandes tapes dans le dos.

Un troisième homme émergea de derrière la Buick. Grand, rasé de près, il était bien plus beau que les deux autres. Plus jeune aussi, avec ses vingt-trois ans. Johnny en avait vingt-cinq, et Tony, chef de la petite bande, approchait la trentaine. Tony avait empêché à dessein ses complices de se rencontrer, afin d'éviter tout risque de fuite. Il s'empressa de faire les présentations.

« Johnny, voici Repo. »

Ils se serrèrent la main. « Repo comment ?

— Juste Repo.

— Quoi, comme Cher ou Madonna ? dit Johnny avec un rire moqueur.

— Il pourrait s'appeler Lassie, on s'en foutrait, intervint Tony. Sors-moi plutôt la petite princesse et mets-la dans la caisse. T'as préparé le coffre, Repo ? J'ai pas envie qu'elle s'étouffe là-dedans, d'accord ?

— Jette donc un œil », répondit Repo.

Tony regarda son frère. « Eh bien, qu'est-ce que t'attends pour sortir la gosse ? »

Repo alla ouvrir le coffre de la voiture et fit signe à Tony de venir voir, tandis que Johnny ouvrait le hayon du minibus.

Son chargement n'avait pas bougé : la fille à gauche, le vieux à droite. Leurs corps étaient étendus entre les deux banquettes latérales, pour le moment rabattues, sur lesquelles pouvaient prendre place une douzaine d'écoliers. Une cagoule noire couvrait la tête de la gosse, afin qu'elle ne puisse voir ses ravisseurs, au cas où les effets du barbiturique qu'ils lui avaient injecté se dissiperaient plus tôt que prévu.

Reggie gisait sur le flanc gauche, les mains derrière le dos, feignant d'être encore inconscient.

Johnny le tirait par les chevilles en s'appuyant du pied contre le pare-chocs quand, soudain, le corps inerte se détendit comme un ressort. Johnny entrevit l'éclair de la petite lame dans la main osseuse du vieux Noir, juste avant qu'elle ne se plante dans son épaule droite.

« Enfant de putain ! »

Reggie arracha son bandeau et se jeta sur Johnny. Les deux hommes roulèrent à terre. Une âpre lutte s'ensuivit, mais Johnny immobilisa rapidement Reggie et, sortant son revolver, lui colla le canon contre le front. Il allait presser la détente lorsque Tony le tira en arrière. « Arrête ! »

Johnny haletait, le regard étincelant de rage. Tony lui arracha l'arme des mains et la pointa sur le Noir, qui gisait sur le dos en roulant des yeux emplis d'effroi.

Johnny se releva et essuya le sang qui coulait de la déchirure dans son cher blouson de cuir. « Ce vieil enculé m'a planté ! » Il lui balança un coup de pied dans les côtes. « Et il a bousillé mon putain de blouson ! » Il le frappa de nouveau.

Reggie gémissait derrière son bâillon.

Tony examina la blessure de son frère. « Ça va, c'est rien que le gras de l'épaule. Mais, putain, s'il avait frappé plus bas, il t'aurait touché le cœur, ce salaud. » Il jeta un regard méchant à Reggie. « T'as failli tuer mon p'tit frère ! » Et de frapper Reggie avec encore plus de force que Johnny, arrachant un nouveau cri de douleur étouffé au vieil homme recroquevillé sur le sol.

Johnny grimaça, non pas pour Reggie, mais pour lui-même. Sa blessure commençait à l'élancer. Son visage rougit de colère. Il flanqua un coup de poing dans la portière du van, puis balança sa botte dans le ventre du Noir.

« Saloperie de peau de boudin ! » Il frappa encore et encore, marquant une pause entre deux insultes, shootant tantôt du gauche tantôt du droit, dans les côtes, le ventre, les reins. Il s'arrêta, essoufflé.

Son frère y alla d'un dernier coup de pied à la tempe.

Reggie ne bougea plus.

À cinq mètres de là, Repo perçait quelques trous d'aération de plus dans la cloison séparant le coffre de l'habitacle de la voiture. Il arrêta la perceuse électrique et entendit des rires du côté du van. Il s'extirpa de sa position et se figea à la vue du vieil homme étendu aux pieds des frères Delgado.

« Non mais, vous faites quoi, là ? » s'écria-t-il.

Johnny pressait un mouchoir rougi contre son épaule. « On donne une leçon au nègre. »

Repo s'approcha. Le sang sourdait de la bouche et des oreilles du Noir. Inquiet, Repo s'agenouilla auprès du chauffeur et lui prit le pouls, d'abord au poignet, puis à la jugulaire. Il leva un regard stupéfait vers ses complices. « Il est mort.

— On l'a seulement savaté », dit Johnny sur la défensive.

Repo jeta un coup d'œil aux bottes de Johnny. Du sang maculait les bouts ferrés. « Connards, vous l'avez tué.

— Merde, il m'a planté avec son couteau ! »

Repo se releva et, empoignant Johnny par le col, il le colla contre le van. « On devait tuer personne ! »

Tony s'interposa. « Hé, doucement. Il est crevé, et on va pas le ressusciter !

— Ouais, c'est sûr, acquiesça Repo. Et maintenant, on a un meurtre sur le dos. Tout ça à cause de ce con de...

— Ça suffit ! » cria Tony. Il saisit Repo par les épaules et le regarda dans les yeux. « Tu vas rester là et chier dans ton froc ? Ou bien tu vas te conduire comme un homme ? C'est pas une grande affaire. On va balancer le corps quelque part, et basta !

— On n'a qu'à le laisser ici, dit Johnny. Avec le bus. »

Tony secoua la tête. « Le bus, c'est une chose. On peut le nettoyer. Mais un cadavre, ça laisse trop de traces. Tu t'es battu avec lui, alors le vieux a peut-être un bout de ta peau sous les ongles, microscopique, mais assez pour qu'un fouille-merde de la Criminelle identifie ton ADN. Sans compter qu'il a sûrement du sang à toi sur lui. »

Cette fois, Johnny fit la grimace. « Ça veut dire qu'on peut pas laisser le bus non plus. On peut même rien laisser qui prouve qu'on était là. Ils pourraient trouver une goutte de mon sang par terre.

— Putain, Johnny, faut toujours que tu déconnes, dit Tony.

— Moi ? Tu m'as aidé, non ?

— Fermez-la ! intervint Repo. Voilà ce que je propose. Il faut sortir la fille de Nashville, et tout de suite. Johnny prend le bus et l'abandonne quelque part. Tony et moi, on emmène la fille. On se retrouve plus tard.

— J'peux pas conduire ce putain de bahut en ville, protesta Johnny. J'me ferai coincer au bout de cinq minutes. »

Repo consulta sa montre. « La classe de Kristen a commencé il y a cinq minutes. Le bus doit être de retour à Wharton dans un quart d'heure. Et il faut compter aussi un quart d'heure avant que l'école confirme au collège que Kristen n'est pas malade et qu'elle est partie à neuf heures, comme d'habitude. Johnny a juste une quinzaine de minutes avant que les flics lancent un message à toutes les patrouilles. »

Après un bref échange de regards avec son frère, Tony approuva d'un signe de tête. « À toi de jouer, Johnny. On se revoie dans le Maryland. Tu connais l'adresse, hein ? 46, Commonwealth Boulevard. »

Johnny secoua la tête d'un air dégoûté. « Et comment j'irai là-bas ? Avec un autocar de ramassage scolaire ?

— Je me fous de savoir comment, dit Tony. Assure-toi seulement de pas être suivi. Si tu prends l'avion, choisis-en un avec une correspondance. Si tu viens par la route, change de caisse au moins une fois.

— Et mon épaule ?

— C'est rien qu'une égratignure. Et vire-moi ce blouson, il est troué et taché de sang. T'as qu'à prendre la veste du mort.

— Hé ! j'porte pas des fringues de nègre ! »

Repo lui donna une poussée dans l'épaule. Johnny émit un cri de douleur. « Non mais, pour qui tu te prends, pour Calvin Klein ? Arrête avec ta putain de garde-robe. Ferme-la et débarrasse-toi du corps ! »

Johnny jeta un regard mauvais à Repo. « Ah ouais ? Et où est-ce que je le balance ?

— T'aurais dû penser à ça avant de le savater à mort.

— Démerde-toi, trouve un endroit que les flics trouveront pas dans l'heure qui suit, dit Tony, exaspéré par l'incapacité de son propre frère. Et fais vite. Comme dit Repo, t'as tout juste un quart d'heure avant qu'elle soit portée disparue et que les flics commencent à chercher le bus. Allez, bouge ! »

Johnny jeta un regard fielleux à Repo avant d'aider son frère à charger le corps de Reggie dans le minibus, pendant que Repo transportait la fillette profondément endormie dans le coffre de la voiture, où il l'installa le plus confortablement possible. Il était heureux qu'elle n'ait rien entendu. La porte du garage s'ouvrit, et Johnny démarra, suivi quelques secondes plus tard par Tony qui conduisait la Buick. Repo referma derrière lui et monta à côté de l'Italien.

Alors que la voiture cahotait dans la ruelle défoncée, Tony alluma une cigarette, la tendit à Repo, et en alluma une autre pour lui. « Tu sais bien que, de toute façon, on était obligés de tuer ce type. Il avait vu le visage de Johnny. Le mien aussi. »

Repo tira une longue bouffée sur sa cigarette. « Vous auriez dû lui faire un shoot, comme à la petite. Et on n'aurait pas eu ce problème.

— C'est risqué de piquer un vieux. Peut-être qu'il suivait un traitement incompatible avec des barbituriques et qu'une injection l'aurait tué. »

Repo secoua la tête, ne sachant s'il devait rire ou pleurer. « J'aime pas ça, mec, j'aime pas ça du tout. C'est rien d'autre qu'une putain de bavure c'que vous avez fait là. »

Tony redevint sérieux. « Faut faire avec, mec. Les règles du jeu ont changé, c'est tout. »

10

Allison passait la journée du mardi à Indianapolis. À trois heures et demie de l'après-midi, elle reçut un coup de fil urgent de James O'Doud, directeur du FBI. Il appelait depuis le quartier général, à Washington. Elle prit l'appel dans sa chambre d'hôtel.

« On nous a rapporté un enlèvement dans le Tennessee, dit O'Doud. Survenu peu après neuf heures et demie, ce matin. Une fillette de douze ans. Son identité n'a pas encore été révélée. Mais j'ai voulu vous en informer parce que cette affaire va créer de fameuses retombées.

— Qui est-ce ?

— Kristen Howe. La petite-fille de Lincoln Howe. »

Allison ferma les yeux, en proie à une soudaine angoisse. Après le kidnapping de son propre enfant, elle était parvenue à se relever et à reprendre pied dans la réalité en aidant les familles qui avaient traversé la même terrible épreuve. Toutefois, même pour l'attorney général qu'elle était, les enlèvements d'enfants ne se résumaient jamais à une simple statistique. Chaque cas était pour Allison une affaire personnelle, réplique de celle qu'elle avait subie. Et le fait de connaître Lincoln Howe rendait les choses encore plus difficiles.

« Est-ce qu'elle est en vie ?

— Nous l'ignorons. Un bus de ramassage scolaire l'emmenait tous les matins de son école primaire au collège voisin pour y suivre un cours spécial. C'est un étudiant de l'université Fisk qui a trouvé son cartable, non loin du collège. Personne ne l'a vue, et le chauffeur et le véhicule ont disparu.

— Pas de demande de rançon ?

— Rien encore. »

Mille pensées lui venaient à l'esprit, y compris les incidences politiques. « Je veux que le FBI se charge immédiatement de l'affaire. C'est bien trop gros pour s'en remettre à la police locale. Quelle latitude de juridiction avons-nous ?

— Pour l'instant, rien ne donne à penser qu'ils aient franchi la frontière de l'État. Et les locaux connaissent la loi. Ils nous ont déjà rappelé cent fois que la gosse devait avoir disparu depuis vingt-quatre heures, avant que nous puissions présumer un passage entre États et prendre officiellement en charge l'enquête.

— Quand s'achève la période de vingt-quatre heures ?

— D'après nos estimations, demain matin à dix heures. D'un point de vue pratique, cela veut dire que nous retarderons l'annonce de notre engagement jusqu'à demain dix heures. En attendant, nous sommes déjà en pleine action.

— Parfait. Qui sont vos agents de pointe ?

— J'ai demandé à nos superviseurs de Nashville et de Memphis de rassembler les meilleurs parmi leurs agents connaissant bien la région. Mais l'investigation ne se limitera certainement pas à Nashville et à l'État du Tennessee. Je vais désigner quelqu'un pour superviser toutes les opérations, où qu'elles aient lieu.

— Pour régler les problèmes administratifs, vous voulez dire ? Comme pour l'attentat à la bombe à Oklahoma City ?

— Plus que ça. Il sera également sur le terrain. Avec l'autorité d'un directeur d'enquête. Cela n'est pas dans nos habitudes, mais nous devons prendre des mesures à la hauteur de l'événement.

— Oui. Et à qui pensez-vous pour cette tâche ?

— J'ai déjà envoyé Harley Abrams, de Quantico. Il a passé près de vingt ans dans le Sud, principalement à Atlanta. Il est toujours resté un agent de terrain, même s'il est aujourd'hui le meilleur spécialiste qu'on ait au CASKU[1]. »

Allison marqua son approbation d'un hochement de tête. Depuis qu'elle était attorney général, elle avait appris à respecter le travail d'Abrams au CASKU. « Très bien, et qu'avez-vous fait d'autre ?

— Nous vérifions auprès de toutes nos sources, afin de déterminer si ce n'est pas le fait de terroristes. Ainsi la brigade d'intervention dans les prises d'otages est-elle en alerte. Les services secrets prennent des mesures pour mieux protéger les candidats et leurs familles. Ils

1. CASKU (Child Abduction and Serial Killer Unit) : unité du FBI spécialement chargée des enlèvements d'enfants et des crimes en série. *(N.d.T.)*

auraient dû le faire depuis le début, mais les types du Trésor, si avares de leurs deniers, ne savent pas encore que ça coûte moins cher de prévenir que de guérir. Et j'ai ordonné à quelques agents de Memphis d'aller renforcer l'équipe de Nashville. À part ça, nous suivons la procédure standard, mais sur une grande échelle.

— Je veux des détails, James. Pas de "procédure standard" avec moi.

— D'accord, des détails. Nous avons envoyé une équipe au domicile de la victime pour y recueillir quelques-uns de ses objets personnels – brosse à cheveux, cahiers et autres, bref, tout ce qui est susceptible de porter ses empreintes, y compris celles de ses chaussures. Nous avons emporté aussi des draps et quelques vêtements, destinés aux maîtres-chien, au cas où il y aurait une battue. Nos techniciens sont en train d'installer une écoute téléphonique, ainsi qu'un numéro vert opérant vingt-quatre heures sur vingt-quatre. Il y a, m'a-t-on dit, une photo récente d'elle que notre coordinateur des médias a commencé de diffuser. Nous avons passé l'information à toutes les forces de police et dressé une liste des délinquants sexuels répertoriés dans le Tennessee. Abrams supervise personnellement le centre de commandement.

— Où avez-vous placé ce centre ? Pas au domicile de Kristen, j'espère.

— Non, le centre a été installé sur le campus de Fisk, à mi-chemin entre le point de départ de la petite et celui de sa destination. Il est au cœur de notre périmètre de patrouille. Nous ratissons toute la zone autour de l'université, du collège et de l'école, et cherchons des témoins et des indices. Enfin, nous travaillons avec les équipes de secours d'urgence de Nashville. À l'heure où je vous parle, elles sont déjà en train de draguer la rivière. »

Le cœur d'Allison se serra à cette pensée. « Vous pensez que...

— Je ne sais pas, mais nous avons reçu une information selon laquelle un véhicule serait tombé dans la Cumberland. »

Allison consulta sa montre. « Je peux être à Nashville dans deux heures.

— Il n'y a pas lieu de se précipiter. Nous pouvons vous tenir informée.

— Je sais bien, mais je préfère être là-bas, en tout cas pour le début de l'enquête. »

Il y eut un silence, suivi d'un raclement de gorge. « Je ne sais comment vous dire cela, Allison, mais j'espère sincèrement que vous réfléchirez au rôle que vous comptez jouer dans cette enquête. »

Allison pinça les lèvres. Ce n'était pas la première fois que James

O'Doud déclenchait une querelle de territoire. Il avait été nommé à son poste en 1992 par un président républicain, et bien que la loi limitât son mandat à dix ans, il se voyait volontiers en nouvel Edgar Hoover, n'ayant de comptes à rendre à personne, et surtout pas à un attorney général démocrate.

« Le rôle que j'entends jouer, dit-elle fermement, est celui d'attorney général. Et, à ma connaissance, cela fait de moi le chef de toutes les forces de police du pays.

— Je vous le concède. Mais vous êtes aussi candidate à la présidentielle. Or, la victime est la petite-fille de votre adversaire. En conséquence, je vous conseillerai de ne pas vous impliquer personnellement dans cette affaire et de la laisser à ceux qui sont au-dessus des manœuvres politiciennes.

— C'est-à-dire à quelqu'un comme vous ? demanda-t-elle, incrédule.

— Oui, parfaitement. »

Allison serra plus fort le combiné dans sa main. « Ma vie a été une fois détruite par un enlèvement d'enfant, et je vous garantis que ça ne se reproduira pas. Si vous voyez une manœuvre politicienne dans ce que je viens de vous dire, faites-le-moi savoir. Je serai à Nashville dans deux heures », dit-elle d'un ton glacé, avant de raccrocher sèchement.

DEUXIÈME PARTIE

1

À cinq heures et demie du soir, un agent du FBI accueillit Allison à sa descente d'avion à l'aéroport international de Nashville et la conduisit directement sur les rives boueuses de la rivière Cumberland, à la hauteur du pont Jefferson.

La nuit était tombée, et de puissantes lampes fixées en haut des grues jetaient de brillantes taches de lumière sur les eaux, alors que la ville alentour baignait dans une lueur brumeuse. Deux hélicoptères survolaient à basse altitude la zone qu'ils balayaient de leurs projecteurs, tandis que deux vedettes de la brigade fluviale croisaient d'aval en amont et que des équipes de policiers ratissaient les berges, les mouvements de leurs torches électriques donnant l'impression d'un ballet d'énormes lucioles. Un groupe d'hommes portant l'anorak bleu sombre aux initiales du FBI se tenaient près d'un gros 4 × 4, arrêté sous le pont sur l'ancien chemin de halage.

Allison, accompagnée d'un agent des services secrets, descendit prudemment la rive escarpée. Elle n'avait pas eu le temps de changer de vêtements depuis son meeting à Indianapolis, et le collant et le chemisier qu'elle portait sous son tailleur n'offraient guère de protection contre le vent froid soufflant du nord. Elle commençait à frissonner quand elle remarqua l'homme qui donnait des ordres au responsable des plongeurs.

« Merde, je sais bien que les eaux sont noires, mais elles le sont déjà en plein jour ! S'il y a un corps là-dedans, le courant le déplace de deux kilomètres à l'heure. Alors continuez de quadriller la rivière jusqu'à ce qu'on ait fini de mettre en place les filets de retenue.

Servez-vous des radios sous-marines, gardez les plongeurs groupés, et puis dépêchez-vous de me déplacer la première équipe en aval du pont. On n'est pas en train de chercher du frai de saumon. »

L'interpellé, un malabar rendu plus imposant encore par son gilet de sauvetage, acquiesça d'un hochement de tête et s'en retourna en grommelant un juron étouffé par le bruit de la rivière. Le coordinateur des opérations poussa un grand soupir qui lui fit une éphémère écharpe de buée.

Allison s'approcha. « Harley Abrams, je présume ? »

Elle se tenait au bas de l'étroit sentier qui serpentait à travers les herbes folles. L'homme tourna vers elle un visage confus, puis la reconnut en la prenant brièvement dans le faisceau de sa torche électrique.

« Vous devez être gelée, dit-il en jetant un regard discret aux bas et aux escarpins qu'elle portait. Venez, il y a une thermos de café chaud. »

Allison le remercia d'un sourire en prenant le gobelet qu'il lui tendait.

Ils ne s'étaient encore jamais rencontrés, mais Allison avait visionné les cassettes vidéo éducatives qu'il avait réalisées. Elle se rappelait que huit ans plus tôt, après la disparition d'Alice, elle avait acheté tous les enregistrements des conférences de Harley Abrams sur les rapts d'enfants.

Abrams était encore plus beau en personne qu'à l'écran, pensa Allison. Il avait « une gueule », disaient de lui les autres agents, des traits virils qui l'auraient bien servi du temps d'Edgar Hoover. Ancien marine, il avait une carrure qui imposait le respect. À quarante-six ans, il lui restait encore onze ans avant d'atteindre la retraite, mais il émanait de lui une énergie juvénile qui laissait prévoir un prolongement de carrière.

« Qu'avez-vous trouvé jusqu'ici ? demanda Allison.

— Le minibus de l'école. Un SDF, qui vit sous le pont Jefferson, l'a vu dégringoler la berge en amont de l'endroit où il s'est installé un abri de cartons. Le courant l'a entraîné sur quelques mètres avant que le tourbillon qui se forme autour de la première arche du pont ne le tire vers le fond. Il n'y avait personne à l'intérieur. Une équipe du labo s'occupe d'examiner le véhicule, et, comme vous pouvez le voir, nous draguons les eaux sur une zone de deux kilomètres carrés. Mais nous n'avons pas encore repêché de corps.

— Cette chute dans la rivière serait-elle accidentelle ?

— Non, je ne le pense pas. Il n'y a aucune trace sur la chaussée qui pourrait l'indiquer. Je suppose qu'ils ont changé de véhicule et balancé le minibus à la flotte.

— Ils auraient pu le garer quelque part dans une rue. Pourquoi se donner le mal de lui faire dégringoler cette berge, au risque de se faire remarquer par un passant ?

— En tout cas, s'ils ne l'avaient pas fait, nous ne serions pas en train de patauger dans la boue et de plonger dans cette eau noire, pas vrai ? Ils ont déjà franchi la frontière du Kentucky, à cette heure. »

Allison approuva d'un signe de tête. « Bien entendu, je n'ai pas besoin de vous dire que cette affaire doit être résolue en un temps record.

— Nous ferons de notre mieux. Mais outre le fait que tous les crétins que compte ce pays vont encore se balader demain déguisés en Mickey, la configuration hydrographique de Nashville joue en faveur des ravisseurs. La rivière décrit toute une série de méandres, et il y a au moins une douzaine de ponts depuis lesquels on peut jeter un corps. Quant aux deux lacs voisins, Old Hickory et Percy Priest, ils sont si grands et si profonds qu'ils ne rendront jamais un seul cadavre. Par ailleurs, on compte douze États dans un rayon de quatre cents kilomètres, avec trois autoroutes partant de la cité dans six directions différentes, sans parler de l'aéroport qui peut vous emmener aux quatre coins du monde. On retrouve le même puzzle qu'à Atlanta au début des années quatre-vingt, quand on essayait d'épingler le meurtrier de cet enfant noir.

— C'était avant que j'arrive.

— Oui, et c'est la raison pour laquelle le FBI a créé le CASKU. » Il marqua une pause, puis ajouta : « Je ne voudrais pas paraître irrespectueux, mais la berge glacée de cette rivière n'est pas un endroit pour l'attorney général.

— Le directeur O'Doud me l'a déjà signifié, mais disons que je porte un intérêt particulier à cette affaire. »

Un soudain éclair de lumière la fit tressaillir. Un photographe émergea de sous l'arche du pont. Il avait de longs cheveux roux tombant jusqu'aux épaules, mais le dessus du crâne était chauve. Il faisait penser à un Bozo le Clown défrisé.

Abrams fronça les sourcils. « Hé ! Vous n'avez pas vu le ruban ? La zone est interdite à la presse.

— Je ne suis pas de la presse, répondit le personnage, l'œil collé à l'objectif. Si je pouvais prendre un ou deux clichés, madame Leahy. Comme ça, M. Wilcox pourra faire son choix. »

Abrams se tourna vers Allison. « Qui c'est, ce Wilcox ? »

Un mélange de colère et d'embarras s'empara d'Allison. « Mon directeur de campagne. »

Abrams la regarda avec une expression incrédule. « C'est pour ça que vous êtes venue ici ? Pour vous faire prendre en photo ?

— Pas du tout. Je vous assure, ce n'est pas ce qu'on pourrait croire.

— En politique aussi il ne faut pas se fier aux apparences, répliqua-t-il sèchement. Maintenant, si vous voulez bien m'excuser, madame Leahy, j'ai du travail. » Et sur un bref salut de la tête, Harley Abrams s'éloigna.

Allison pinça les lèvres d'un air de dépit. Il ne manquait plus qu'elle perdît toute crédibilité aux yeux de l'homme qui dirigeait l'enquête sur le terrain ! Elle se retint de courir après lui et de fournir au photographe matière à un nouveau cliché. Elle se rapprocha de la rivière, hors de portée de voix de son propre garde du corps et, sortant son portable de sa poche, appela David Wilcox.

« Allison ? Où êtes-vous ? demanda David sitôt qu'il reconnut la voix.

— Vous le savez très bien. Je suis au bord de la Cumberland, là où vous avez envoyé ce photographe me prendre en photo sur le front.

— Je n'ai envoyé aucun photographe.

— Allons, David, pas de ce jeu-là avec moi.

— Je ne joue pas, Allison ! Je vais vérifier auprès de mes assistants, au cas où ils en auraient pris l'initiative. Mais, réflexion faite, ce n'est pas une mauvaise idée.

— C'est une idée abominable.

— Enfin, Allison, vous n'avez donc pas lu les derniers sondages ? En moins de quatre heures, le vent de la compassion nous a balayés de la carte. La seule façon de minimiser la casse, c'est de faire exactement ce que vous faites : retrousser vos manches, monter en première ligne et... me laisser m'occuper de la propagande.

— On ne fait pas de propagande quand la vie d'une fillette est en jeu, répliqua Allison avec colère.

— Foutaises ! Vous croyez que le général Howe ne profite pas de cette affaire ? Il a envoyé au casse-pipe des gosses qui n'avaient pas vingt ans, tout ça au nom d'une noble cause. Ce type a toujours joué les cabots devant les caméras. Et puis il n'y a pas de guerre sans victimes.

— Avez-vous perdu la tête ? Nous parlons de sa petite-fille.

— Non, nous parlons de la présidence des États-Unis ! Et jusqu'à l'élection, c'est le seul sujet qui compte ! » Il poussa un soupir, comme s'il était soudain gêné de son propre emportement. « Je vous en prie, Allison, faites-moi confiance. Quant à ce photographe, j'ignore qui il est et pour qui il travaille, mais je ne tarderai pas à le savoir. Je vous rappellerai. »

Allison était troublée. Elle n'avait encore jamais soupçonné David de mentir. Le fait qu'il eût spontanément approuvé l'idée de la prendre en photo « en première ligne » incitait à penser qu'il n'était pas étranger à l'irruption de ce photographe. Mais, d'un autre côté, cela ne ressemblait pas à David d'embaucher un type assez stupide pour la mitrailler en présence de Harley Abrams et de ses hommes.

En tout cas, il serait intéressant d'entendre les explications du chasseur d'images en personne. Elle se retourna dans la direction de l'endroit où le bonhomme s'était tenu quelques instants plus tôt, mais il avait disparu.

« Vous n'auriez pas vu un photographe ? demanda-t-elle à un agent du FBI qui passait par là. Un rouquin de petite taille, avec de longs cheveux et le dessus du crâne chauve. »

L'homme secoua la tête. « Désolé, madame Leahy. Voulez-vous qu'on le cherche ?

— Non, ce n'est pas nécessaire. »

Allison se tourna, songeuse, vers la rivière. *Qui pouvait être ce type au drôle de look ? Dans quelle intention et surtout pour qui avait-il pris ces photos ?*

2

La disparition et le rapt probable de Kristen Howe firent la une de toutes les informations du mardi soir. Le FBI n'avait, à ce point de l'enquête, écarté aucune hypothèse, y compris celle qu'elle ait pu être enlevée par le chauffeur de son bus, qui, lui aussi, était porté disparu.

Lincoln Howe regardait le journal télévisé dans la limousine qui l'avait attendu à sa descente d'avion à l'aéroport de Nashville. Après avoir fait état du peu de renseignements dont il disposait, le présentateur poursuivit par une analyse de la situation, qui n'était rien de plus qu'un tissu de spéculations quant aux ramifications politiques de l'enlèvement. Lincoln écouta ainsi une jeune correspondante, plantée devant l'école primaire de Wharton, faire son rapport d'un air stoïque.

« Alors que les ravisseurs ne se sont pas encore fait connaître, l'homme de la rue semble voir dans ce rapt la main d'extrémistes décidés à empêcher Lincoln Howe d'accéder à la présidence. Cette perception, combinée à un formidable élan de sympathie envers la famille Howe, a déjà propulsé le général en tête des sondages, où il devance son adversaire Leahy de sept points, et cela à sept jours de l'élection. »

Howe éteignit le poste. Jamais il n'avait réagi avec aussi peu d'enthousiasme à son propre envol politique.

La limousine ralentit à l'approche d'une maison de briques au toit mansardé. Une bonne douzaine de véhicules de régie étaient garés de l'autre côté de la rue, chacun portant sur ses flancs le logo d'une émission de télévision, *Eyewitness News*, *Action News*, et autres. La rue de ce quartier d'ordinaire si paisible était envahie de reporters préparant leurs bulletins d'informations et de cameramen qui arpentaient le trottoir, cherchant la meilleure prise de vues de la maison.

Lincoln abaissa la vitre et sentit sa gorge se serrer à la vue de son propre nom sur la boîte aux lettres. C'était la première fois de sa vie qu'il se rendait au domicile de sa fille.

Lincoln n'avait pratiquement plus revu Tanya Howe depuis qu'elle avait quitté le collège treize ans plus tôt pour donner naissance à Kristen. Elle avait par la suite suivi des cours du soir et décroché une licence en histoire de l'art. Elle enseignait maintenant au centre universitaire. Tout ce que savait Lincoln de la vie de Tanya, il le tenait de sa femme, qui était restée proche de sa fille en dépit du différend qui opposait celle-ci à son père. Natalie s'était rendue auprès de Tanya dès le matin, sitôt que la disparition de Kristen avait été rendue publique.

Tels des charognards, les reporters fondirent sur la limousine. Les agents des services secrets les repoussèrent sans ménagement, tandis que Lincoln Howe descendait de voiture et allait frapper à la porte de la maison. Ce fut sa femme qui lui ouvrit. Le visage impassible, elle affichait un grand calme, mais Lincoln savait qu'elle s'efforçait seulement de paraître forte devant sa fille. Elle le mena dans la salle à manger, où Tanya était assise les bras croisés sur la table, en conversation avec deux agents du FBI qui prenaient des notes. Le silence se fit à l'entrée du général et de sa femme.

Tanya avait hérité de sa mère la beauté, et de son père l'intelligence. D'ordinaire, son regard semblait éclairer la pièce. Ce soir, elle avait les yeux rougis et gonflés, et serrait dans sa main un mouchoir humide.

« Vous voulez bien nous excuser un moment ? » dit-elle aux deux agents.

Ils rassemblèrent leurs notes et disparurent dans la cuisine, suivis de Natalie. Lincoln posa son pardessus sur le dossier d'une chaise et ferma la porte coulissante séparant la cuisine de la salle à manger, afin d'avoir un peu plus d'intimité. Ressentant pour la première fois depuis si longtemps le désir d'étreindre sa fille, il attendit que Tanya se levât. Mais elle ne bougea pas, et il prit la chaise à l'autre bout de la table.

Elle leva vers lui son visage pâli par la lumière diffuse du lustre en cuivre. Ni son regard ni son expression ne trahissaient ses sentiments.

« Je me demandais si tu viendrais, dit-elle enfin.

— Je suis venu. Tu es ma fille.

— Et Kristen ? Elle est quoi ? Est-ce toujours aussi difficile pour toi d'admettre qu'elle est ta petite-fille ?

— Ne parlons pas de ça, d'accord ?

— Et pourquoi pas ?

— Parce que je suis venu pour toi, et c'est tout ce qui compte pour le moment.

— Est-ce que tu as bien fait signe aux caméras en venant ?

— Ce n'est pas pour ça que je suis ici.

— Et pour quelle raison exactement as-tu fait le déplacement ? Pour me dire que c'est Dieu qui me punit pour avoir eu un enfant hors des liens sacrés du mariage ? Ou pour me dire que si je m'étais fait avorter, comme tu m'y encourageais, rien de tout cela ne serait arrivé ? »

Lincoln tressaillit. « Comment peux-tu dire ça ?

— Regarde-moi dans les yeux et jure-moi que tu n'y as pas pensé. »

Il détourna le regard. « Je ne peux changer le passé. Je sais que je n'ai pas été un bon grand-père.

— Un bon grand-père ? Mais tu ne connais même pas Kristen ! Elle n'a jamais été pour toi qu'un handicap politique.

— Ce n'est pas vrai, Tanya. Mais même si tu penses ce que tu dis, nous devons oublier nos divergences, aujourd'hui. Il ne peut rien arriver de pire à une mère que la disparition de son enfant, et je comprends ta colère. Et aussi le fait que tu puisses m'en vouloir d'exposer notre famille au feu des projecteurs.

— Je t'en veux de nous mettre en danger. Tu savais très bien que ce risque-là existait. Et qu'as-tu fait pour le prévenir ? Rien ! Si ce n'est fuir, comme toujours.

— Je veux que tu saches que je ferai tout ce qui est en mon pouvoir pour te ramener Kristen, dit-il avec toute la sincérité dont il était capable.

— Ah oui ? Et si ses ravisseurs sont des racistes prêts à tout pour empêcher un Noir d'être élu président ? Que feras-tu s'ils menacent de la tuer à moins que tu ne te retires de la course et laisses ton adversaire ou ton vice-président, qui sont des Blancs, entrer à ta place à la Maison-Blanche ? Accepteras-tu leurs conditions ?

— On ne doit pas – on ne peut pas – céder au terrorisme. Et je sais que tu ne voudrais pas que je le fasse.

— Et comment que je le voudrais ! Je veux qu'on me rende ma fille, point final. Aussi, n'entre pas chez moi pour me dire que tu feras tout ce qui est en ton pouvoir pour me ramener Kristen si tu ne le penses pas.

— Je ferai tout mon possible. Dans les limites de la raison.

— Dans les limites de la raison ! Et qu'est-ce qui peut être plus important que la vie d'une fillette de douze ans ?

— Rien n'est aussi simple.

— Au contraire, c'est l'évidence même. » Son regard se durcit encore. « Maman t'a peut-être pardonné ce que tu as fait de ta vie, mais pas moi. Tu as toujours fait le mauvais choix. Tu as préféré la vie de soldat à celle de mari et de père. Et tu préfères la présidence à l'existence même de ta petite-fille. Tu te gargarises de grands mots pour parler de la famille devant tes chers électeurs, alors que tu as sacrifié la tienne sur l'autel de tes ambitions. C'est pitoyable. Rien ni personne ne te changera jamais, Lincoln Howe. »

Il voulut se défendre, protester, mais les mots restèrent coincés dans sa gorge. « Je... je... »

Tanya se leva de sa chaise et le pria de se taire d'un geste de la main. « S'il te plaît, va-t'en ! » Elle prit le pardessus posé sur le dossier de la chaise et le lui tendit.

À son tour, il se leva. Lentement. Les épaules voûtées. Il la regarda. « Tanya, je suis vraiment peiné.

— C'est à Kristen qu'il faut le dire », répliqua-t-elle d'une voix tremblante d'émotion en lui montrant la porte.

Allison prit une chambre à l'aéroport de Nashville. Elle n'était pas sûre d'y passer la nuit, mais elle avait besoin de changer de vêtements et de prendre une douche pour se débarrasser de l'odeur grasse de la rivière. Alors qu'elle défaisait sa valise, elle se rappela que Peter l'attendait à Kansas City, où ils devaient présider un gala de bienfaisance. A cette heure, il avait déjà dû comprendre qu'il irait seul. Elle l'appela quand même et lui rapporta ce qu'elle avait appris, autrement dit pas grand-chose de plus que ce qu'il avait pu entendre aux informations télévisées.

« J'ai du mal à croire qu'il soit arrivé une chose pareille, dit-elle en se servant un soda light au minibar.

— Et moi, ça m'étonne que ça ne se produise pas plus souvent. Ce monde est fou. Tu devrais le savoir mieux que quiconque. Tu as peut-être inconsciemment minimisé les dangers de la campagne, afin de ne pas te retourner toutes les minutes pour voir s'il n'y a pas un cinglé armé d'un bazooka derrière toi. Mais si tu as véritablement du mal à croire que l'horreur nous guette au coin de la rue, alors c'est que tu es frappée de cécité ou d'amnésie.

— C'était une façon de parler. Je voulais seulement dire combien c'était horrible quand ce genre d'événement survenait. Je sais que tu t'inquiètes pour moi, mais je ne suis pas stupide.

— Allison, je t'aime. Et tu es sans doute la femme la plus intelligente que j'aie jamais rencontrée. Mais je tremble parfois en constatant combien ta vision de la politique est romantique. »

Elle se débarrassa de ses chaussures et se laissa choir sur le lit. « Peter, j'ai remporté ma première élection à Chicago, une ville où le crime est presque une institution. Pour une romantique, je suis drôlement consciente des réalités.

— Oh, tes racines sont solides, c'est certain. » La voix de Peter se fit plus basse, le ton plus pénétré. « Ce qui m'inquiète, ce serait plutôt ton attitude. Il y a un an, quand tu as décidé de te présenter à la présidentielle, je t'en ai fait la remarque. Mais il m'a semblé que tu ne voulais rien entendre. »

Elle se redressa contre le ciel de lit. « Entendre quoi ?

— Ne penses-tu pas, avec le recul, dit-il d'une voix hésitante, que la perte de ta fille ait grandement favorisé ton accession aux hautes sphères du pouvoir ?

— Que vient faire Alice là-dedans ? »

Peter marqua une pause, conscient de la nature délicate du sujet qu'il désirait aborder. « Ç'a été la plus grande tragédie de ta vie, cela ne fait pas de doute. Mais en même temps, ç'a été ton atout politique le plus décisif.

— Jamais je n'ai joué la carte d'Alice !

— Je le sais bien, mais tu dois bien admettre que personne n'attaquerait une femme à qui on a arraché son enfant. Personne, pas même tes adversaires, et encore moins la presse. Quand ton nom a été avancé pour le poste d'attorney général, l'ambiance assassine qui domine d'ordinaire les séances du Sénat à chaque confirmation de nomination t'a été épargnée. La ville entière t'a accueillie, aimée, dès le jour où tu es entrée au ministère de la Justice. Tu as une formidable personnalité et un très grand talent, c'est indéniable, mais si les gens t'ont aimée autant, c'est parce qu'ils éprouvaient de la compassion pour toi et que c'était leur moyen de t'aider à vaincre l'adversité. C'est dans la nature humaine.

— Je ne peux pas changer mon passé.

— Et aujourd'hui, Lincoln Howe ne peut pas changer le sien. Aussi, ne t'étonne pas si les électeurs ressentent à son égard une sympathie identique. Et surtout, ne t'étonne pas s'il l'exploite.

— C'est marrant, David Wilcox pense comme toi.

— Et cela te surprend ? »

Allison se regarda dans le miroir au-dessus de la commode, et repensa à la manière dont Howe avait su semer le doute dans les esprits quant à la moralité de son adversaire. « Après ce débat d'Atlanta, plus rien ne peut me surprendre. »

Emportant le général, la limousine redémarra sous une mitraille de flashs. Lincoln Howe, indifférent à l'essaim bourdonnant de reporters, était plongé dans ses pensées. Ce que lui avait dit sa fille n'était pas éloigné de la vérité. Il avait fait des choix. Les jungles du Vietnam au lieu de la naissance de son fils. Une tournée en Corée à la place du premier récital de piano de Tanya.

Et maintenant, cette candidature contre tout le reste.

Ils roulaient depuis un moment sur la voie express quand Lincoln regarda enfin par la vitre. Ils traversaient la rivière. Un frisson lui parcourut l'échine. Il savait qu'à cet instant même des plongeurs fendaient les eaux noires à la recherche de tout ce qui pouvait ressembler à un corps.

Il fut pris d'une soudaine nausée. Il se pencha en avant et tapa de son index recourbé sur la vitre qui le séparait du chauffeur et de l'agent des services secrets.

« Prenez la prochaine sortie, dit-il. Je dois m'arrêter quelque part. »

Le chauffeur le regarda dans le rétroviseur. « Mais, monsieur, votre avion.

— Ça m'est égal. Faites ce que je vous dis. »

Lincoln les guida jusqu'à ce qu'ils parviennent en vue de l'université Fisk et du quartier où Kristen avait été enlevée. Il sentit son cœur battre plus fort et sa respiration se faire plus courte en passant devant le collège Martin Luther King, la destination qu'elle n'avait jamais atteinte. Des barricades en bois et le ruban jaune de la police bloquaient l'accès à la Dix-Septième Avenue, le trajet que suivait chaque matin le minibus.

« Arrêtez-vous ici », dit Howe.

La limousine stoppa au carrefour, perpendiculairement à l'avenue barrée. La lumière était faible, mais le général finit par distinguer la rue qui menait tout droit au collège. Le FBI et des hommes de la police de Nashville continuaient de ratisser la zone, fouillant de leurs lampes chaque recoin et chaque buisson. Des chiens de la patrouille K-9 allaient et venaient au bout de leurs longues laisses, la truffe au ras du sol. Des hélicoptères survolaient le périmètre, qu'ils scrutaient à l'aide de capteurs infrarouges capables de détecter la chaleur dégagée par un corps. Ces grandes manœuvres paraissaient au général aussi vaines que les « renifleurs d'urine » utilisés au Vietnam, d'autres capteurs susceptibles de détecter les concentrations d'excréments, afin de pouvoir désigner les cibles aux bombardiers, ce qui avait neuf fois sur dix pour résultat d'anéantir d'innocents villageois rentrant des champs quand ce n'étaient pas leurs troupeaux de buffles.

Une angoisse le prit à la pensée de la futilité de ces efforts, tandis que l'image d'une fillette de douze ans, qu'il n'avait pas connue, hantait son esprit. Qui avait pu faire une chose pareille ? se demandait-il. Certes, son ascension ne s'était pas faite sans qu'il se créât des ennemis. Certaines de ses décisions avaient brisé de prometteuses carrières militaires. Il avait donné des ordres qui avaient parfois coûté la vie à des soldats. Et il ne pouvait pas non plus écarter le dingue à qui sa gueule ne revenait pas.

Un homme vêtu de l'anorak du FBI approcha de la voiture. Le chauffeur descendit sa vitre.

« Vous ne pouvez pas vous garer ici », prévint l'agent fédéral. Le chauffeur allait protester, mais Howe intervint. « Ça va bien, dit-il. Reprenons la route. »

Un policier qui réglait la circulation leur fit prendre une déviation par une petite rue. Ils roulèrent en silence pendant quelques blocs, jusqu'à ce qu'ils atteignent l'université.

« Arrêtez-vous là », ordonna Howe.

Le chauffeur se gara le long du trottoir, juste devant la chapelle du campus. L'antique bâtisse de briques étaient impressionnante à la lueur de la pleine lune qui montait dans le ciel.

« Je dois sortir. »

L'agent des services secrets se retourna en sursaut. « Ici ? »

Howe hocha la tête. « Oui, je veux dire une prière, dit-il la gorge serrée. Pour ma petite-fille. »

L'homme soupira mais ne discuta pas. Il actionna son émetteur portable. « Ici, Bravo Un. Bref arrêt au campus de Fisk. Je sors de la voiture. » Après une courte pause, il reçut confirmation, et jeta un regard au général. « Allons-y. »

L'agent accompagna Howe jusqu'au petit parvis de la chapelle et poussa la porte cintrée. Le solide battant de chêne ne bougea pas. Il essaya encore, plus fort. En vain.

« Désolé, monsieur, mais c'est fermé. »

Le cœur serré, le général se détourna et reprit à pas lents la direction de la voiture. La tristesse qu'il ressentait en cet instant frisait le désespoir. Sa fille l'avait chassé et, maintenant, Dieu lui fermait Sa porte !

Soudain, l'agent qui marchait à côté de lui s'immobilisa pour ajuster le récepteur qu'il portait derrière l'oreille et écouter le message qu'on lui transmettait.

Le général s'arrêta. « Que se passe-t-il ? »

L'homme leva les yeux vers lui. « Les plongeurs ont trouvé un corps dans la rivière, monsieur. Pas d'identification pour le moment. Ils sont en train de le retirer. »

Howe sentit sa bouche se dessécher. « Où ça ?

— En aval du pont Jefferson. »

Le général détourna les yeux. « Allons-y. »

L'agent lui ouvrit la portière, puis fit le tour de la voiture et reprit sa place.

Alors que le chauffeur faisait démarrer le moteur, les mains du général se mirent à trembler, en même temps qu'il avait la gorge serrée au point de suffoquer. Il n'avait éprouvé semblable sensation qu'une fois dans sa vie, trente ans plus tôt, quand son meilleur ami avait sauté sur une mine le long de la piste Hô Chi Minh. Il se pencha en avant et referma la vitre coulissante, afin que ni le chauffeur ni son garde du corps ne puissent le voir. Puis son menton heurta sa poitrine, tandis qu'il luttait contre les larmes.

Elles vinrent lentement au début, mais une minute plus tard, Lincoln était secoué de sanglots, submergé par des émotions qu'il avait refoulées depuis des années.

À cent mètres de là, dans une Ford Taurus garée dans l'ombre de la pelouse du campus, un photographe tenait braqué par la vitre ouverte un téléobjectif à infrarouges. Quand la limousine entra dans son champ de vision, le visage ruisselant de larmes du général lui apparut aussi nettement qu'en plein jour. Howe avait une expression hagarde et défaite.

L'obturateur cliqueta. L'image était parfaite.

La limousine quitta le trottoir devant la chapelle.

La vieille Ford démarra dans la direction opposée, prenant de la vitesse à chaque seconde.

3

Les lumières de Nashville scintillaient sur les eaux noires de la Cumberland, tandis que se détachaient dans la nuit le dôme illuminé de l'hôtel de ville et la tour BellSouth qui ressemblait à un palais de verre. La police avait délimité une partie de la rive est, en aval du pont Jefferson – l'endroit exact où Harley Abrams avait ordonné aux plongeurs de chercher.

Allison avait été immédiatement informée de la découverte d'un corps. Elle arriva dans une voiture du FBI à dix heures vingt, juste au moment où l'on remontait le corps de l'eau.

En moins de cinq heures, la température était descendue à trois degrés. Les phares des véhicules de secours baignaient d'une lueur orange la trentaine de policiers qui avaient pris position sur la berge. Plusieurs hélicoptères – certains appartenant aux médias, d'autres à la police – survolaient la rivière. Les équipes de la brigade fluviale, les pieds enfoncés dans la boue glacée, guidaient le filin ramenant la prise.

Allison était à une dizaine de mètres du bord de la rivière quand le filet creva la surface, l'eau jaillissant par les mailles serrées. Le corps semblait grand pour une fillette, mais Allison savait que les cadavres pouvaient gonfler après une journée d'immersion.

« C'est le chauffeur du minibus », dit Abrams à côté d'elle.

Allison tressaillit. Toute à l'opération en cours, elle n'avait pas remarqué la présence de l'agent spécial.

« Aucune nouvelle concernant Kristen ? demanda-t-elle.

— Non. »

Elle était soulagée et triste à la fois. « Je veux le meilleur médecin légiste pour pratiquer l'autopsie. Les locaux se contenteront d'observer. »

Il lui jeta un regard amusé. « J'ai déjà appelé quelqu'un de qualifié à l'hôpital Walter Reed.

— Dans quel état est le corps ?

— L'eau est froide, aussi n'y a-t-il pas de décomposition. Mais il est assez amoché.

— Les rochers et le courant...

— Ouais, à moins que ce ne soit une batte de base-ball. Je suis curieux de savoir ce qu'en pensera le pathologiste. »

Allison remarqua une limousine noire qui descendait une rue parallèle à la rivière. La voiture s'arrêta sur le parking situé au-dessus d'eux, à une dizaine de mètres à peine. La portière s'ouvrit, et Lincoln Howe descendit. Ses gestes étaient raides, presque mécaniques. Un agent du FBI s'approcha de lui. Allison les vit s'entretenir. Puis le général s'appuya à la voiture, apparemment soulagé. Allison en déduisit qu'il venait d'apprendre que ce n'était pas le corps de Kristen.

« Excusez-moi un instant », dit-elle à Abrams. La berge présentait une pente abrupte, et elle était un peu essoufflée en arrivant sur le parking.

Le général continuait de parler avec l'agent fédéral, mais il s'interrompit en voyant Allison.

« Est-ce que je pourrais vous parler une minute, Lincoln ? » demanda Allison.

Il semblait surpris de la voir. « Oui, bien sûr », répondit-il. Il remercia l'homme puis, ouvrant la portière de la limousine, il invita Allison à monter. « Il fait meilleur à l'intérieur. »

Il s'effaça devant elle et monta à son tour. Des yeux, il adressa un signe au chauffeur et à son garde du corps, qui sortirent pour les laisser seuls.

« Je voulais seulement vous dire, commença Allison d'une voix hésitante, que je suis sincèrement peinée par ce qui vous arrive.

— Merci.

— Comment votre fille réagit-elle ?

— Comme vous pouvez l'imaginer. »

Allison n'avait pas besoin d'imaginer ; elle avait déjà subi semblable épreuve. « Je sais que des centaines d'amis bien intentionnés se proposeront de vous aider. Mais je suis l'une des rares personnes à pouvoir faire quelque chose pour vous. Je ne vous laisserai pas tomber. J'ai ordonné au ministère de la Justice de lancer la plus grande chasse à l'homme de l'histoire de notre pays. Nous retrouverons Kristen. Et nous traduirons ses ravisseurs en justice.

— J'ai l'impression d'entendre la conférence de presse que vous donnerez demain. »

L'amertume du ton surprit Allison. « Nous avons des divergences, Lincoln, mais ce que je vous dis vient du cœur.

— Et je vous en remercie. Permettez-moi d'être franc avec vous. J'ai appris la petite séance de photographies que vous avez eue ici même, aujourd'hui. »

Elle grimaça. Les nouvelles voyageaient vite. Harley Abrams devait en avoir rendu compte à ses supérieurs. « Ce n'était rien d'autre qu'un malentendu.

— Appelez ça comme il vous plaira, mais je ne laisserai personne user de la disparition de ma petite-fille à des fins politiques.

— Ça n'a jamais été dans mes intentions, vous avez ma parole.

— Ce n'est pas suffisant.

— Je ne vois pas ce que je pourrais vous donner de plus. »

Le général lui jeta un regard dur. « Alors, je vais vous le dire. Je ne veux pas que vous vous occupiez de l'enquête. Laissez le FBI faire son travail. Le directeur O'Doud est un homme parfaitement capable. Il se passera volontiers de votre présence et de l'exploitation politique que vous pourrez en faire. »

Allison n'en revenait pas. « Cette affaire touche chacun d'entre nous, Lincoln. Si ça n'avait pas été votre petite-fille, ç'aurait pu être mon mari. Il se peut aussi qu'un fou projette de nous assassiner, vous ou moi. Et ce n'est pas parce que je suis candidate que le pays doit se passer de son attorney général. Je ne peux pas rester à l'écart des investigations.

— Dans ce cas, si vous ne voulez pas vous pousser, on vous poussera. »

Ils échangèrent un regard de défi. Allison ouvrit la portière. « Bonne nuit, Lincoln. » Elle sortit puis, se penchant à l'intérieur, elle ajouta : « Au cas où vous ne le sauriez pas, je ne suis pas du genre à tendre l'autre joue. Je rends toujours les coups. »

Elle ponctua ces paroles en claquant la portière.

À une heure du matin, ce mercredi, Buck LaBelle était toujours au téléphone dans sa suite de l'hôtel Opry Land. Depuis sa promotion comme directeur national de la campagne républicaine, il n'avait pas pris plus de trois heures de sommeil par nuit. Un fond de café dans une tasse côtoyait une bouteille de bourbon. Le devant de sa chemise était taché de cendre de cigare. Le téléviseur était allumé, le son coupé. Il venait de passer trois quarts d'heure à visionner les derniers spots télévisés qui devaient donner un ultime élan à la campagne. Il avait au bout du fil son consultant médiatique et arpentait la pièce d'un pas rageur.

« Je ne veux plus voir une seule image montrant Lincoln Howe serrant la main d'un Noir ! beuglait-il. Ce profil-là est déjà dans notre poche. » Il écouta la réponse de son correspondant tout en poursuivant sa déambulation. « Je m'en fous que ça envoie ou pas un nouveau message. Ces gens-là n'écoutent pas les messages. Merde, la moitié des Noirs américains pensent que Howe doit son prénom à une putain de bagnole ! Je veux un nouveau spot d'ici cinq heures et, cette fois, je veux voir le général serrer la paluche d'une greluche blanche. Vous avez compris ? C'est ça, notre nouvelle cible : les femmes blanches ! »

Il raccrocha et vida son verre de bourbon. Le coup frappé à la porte provoqua un gargouillement dans son estomac. *Qui c'est ça encore ?*

Il vérifia par le judas, et un sourire étira ses lèvres minces quand il ouvrit la porte.

Entra un homme en jean déchiré, chemise de flanelle et veste de chasse imperméabilisée. Ses cheveux d'un roux carotte tombaient jusqu'aux épaules. Il ôta sa casquette de base-ball des Atlanta Braves, exposant un crâne chauve comme un pamplemousse.

« J'ai trouvé le filon », dit l'homme avec un sourire sournois. Il balança une enveloppe kraft sur le bureau.

LaBelle s'empressa de l'ouvrir et d'examiner les agrandissements 18 × 24 en noir et blanc en tirant nerveusement sur son cigare. Les clichés avaient été pris en une rapide succession, et présentaient tous le même sujet : Lincoln Howe sanglotant dans sa limousine.

LaBelle grimaçait quand il leva les yeux des photos. « Il n'y en a pas une seule que je puisse utiliser. »

Le photographe écarquilla les yeux. « C'est pourtant ce que vous m'avez demandé : un portrait humain de votre général.

— Oui, humain, quelque chose qui rendrait un vieux soldat séduisant aux yeux des électrices. Une photo le montrant en train de consoler sa fille ou même une où il aurait l'air triste et les yeux un rien brillants. C'est pas le portrait d'un homme sensible que vous m'apportez là, c'est celui d'un homme qui, frappé par l'adversité, se met à chialer comme un gosse. Vous parlez d'une image présidentielle !

— Vous auriez dû être plus précis.

— Bon Dieu, Red ! Il y a cinq ans, est-ce que j'ai eu besoin de vous dire "Rapportez-moi une photo du congressiste Butler en train de sauter sa secrétaire" ? Non, il m'a suffi de vous demander une image le compromettant. Je n'ai pas eu besoin d'en dire plus, vous avez tout de suite compris la manœuvre. Et maintenant, pour le travail le plus important que je vous ai jamais donné, voilà que vous foirez complètement. »

Red secoua la tête. « Écoutez, j'ai fait mon boulot. Ce n'était pas facile de filer Lincoln Howe, entouré comme il est d'agents des services secrets. En tout cas, j'ai pas foiré, comme vous dites, le premier volet de ma mission. Leahy en grande conversation avec le FBI au bord de la rivière passe pour une pute politique. Je suis sûr que le FBI pense qu'elle m'a engagé pour que je prenne une photo de l'attorney général sur les lieux du crime. Et j'ai eu une sacrée veine de m'en tirer avant qu'elle comprenne ce qui s'était passé. J'ai rempli mon contrat et j'ai pas volé mes cinq mille dollars. »

LaBelle lui jeta un regard noir. Il avait envie de lui dire d'aller se faire voir ailleurs, mais il ne voulait pas se faire un ennemi à quelques jours de l'élection. Il posa sa mallette sur le bureau, composa la combinaison d'ouverture, et en sortit une enveloppe qu'il tendit à contrecœur à Red.

« Le voilà, votre fric. »

Red jeta un coup d'œil dans l'enveloppe avant de fourrer celle-ci dans la poche intérieure de sa veste. « C'est un plaisir de travailler avec vous. Vous pouvez garder les photos.

— Je m'en branle, des photos. C'est les négatifs que je veux.

— Il n'a jamais été question des négatifs dans notre marché. Je ne les vends jamais, ou alors il faut payer le prix. »

LaBelle grommela en ouvrant de nouveau sa mallette. « Salopard. Combien ?

— Cinquante mille. »

Buck faillit en lâcher son cigare. « Pour des négatifs que je ne pourrai jamais utiliser ?

— Vous, peut-être, dit Red avec un haussement d'épaules ; mais je connais quelqu'un que ça intéresserait beaucoup, un candidat présidentiel qui... comment avez-vous dit ? Un homme qui, frappé par l'adversité, se met à chialer comme un gosse.

— Espèce de salaud, grogna LaBelle, les poings serrés et les veines du cou gonflées à éclater. C'est du chantage. Jamais je n'allongerai cinquante mille dollars.

— Comme vous voudrez, dit Red en se dirigeant vers la porte. Quelqu'un d'autre le fera à votre place.

— D'accord, d'accord », soupira LaBelle.

Red s'arrêta et se retourna. « J'aime mieux ça.

— Je n'ai pas une telle somme avec moi. Donnez-moi jusqu'à midi.

— Non, neuf heures. Pas une minute de plus. »

LaBelle le regarda mais s'abstint de discuter. Il ouvrit la porte. « Je n'aime pas être traité de cette façon par des gens en qui j'ai confiance.
— Je t'aime toujours, Buck, dit Red avec un clin d'œil. Mais tu sais ce qu'on dit à propos de l'amour et de la guerre, hein ?
— Ouais, tous les coups sont permis », ajouta LaBelle, dont le sourire s'effaça sitôt qu'il eut refermé la porte. *Et il n'y a pas de guerre sans victimes.*

4

Depuis leur départ de Nashville, Repo et Tony Delgado se relayaient au volant, ne s'arrêtant que pour prendre de l'essence. Ils roulaient en dessous de la vitesse limite, peu désireux de courir le risque de se faire arrêter par la police de la route. Il était près de deux heures du matin, le mercredi, quand ils dépassèrent Richmond, en Virginie, se dirigeant toujours vers le nord.

« Tu penses qu'elle est réveillée maintenant ? » demanda Repo.

Tony ne répondit pas. Avachi sur le siège du passager, il avait les yeux fermés.

La lueur du tableau de bord éclairait le visage soucieux de Repo. Il alluma la radio afin de réveiller son compagnon.

Tony sortit de sa somnolence. « Qu'est-ce qu'il y a ?

— Excuse-moi, dit Repo, baissant le volume. J'étais en train de penser au shoot que vous avez fait à la petite. Combien de temps dure l'effet ?

— Oh, vingt-quatre heures ! Pourquoi, tu t'inquiètes ?

— Euh... non, répondit Repo, hésitant à dévoiler ses pensées. Je me disais seulement que l'un de nous devrait être là quand elle se réveillera. Pour lui expliquer ce qui se passe. Elle a que douze ans. Et il y a de quoi paniquer quand on se réveille avec une cagoule sur la tête et qu'on sait pas où on est ni où on va. »

Tony grogna et lui jeta un regard amusé. « T'es quoi, sa nounou ?

— Non, mais j'vois pas pourquoi on effraierait la gosse pour le restant de ses jours, c'est tout. »

Tony se redressa sur son siège et regarda longuement Repo. « Tu sais, tu me rends nerveux quand tu parles comme ça. Je t'ai choisi pour faire ce travail parce que j'croyais que t'avais des couilles.

— Ah ouais ? Et tu penses que j'en ai pas ? répliqua Repo, durcissant le ton. D'abord, on était d'accord pour qu'il n'y ait pas de casse.

— Quoi, tu pleures encore le vieux ?

— C'est un meurtre, Tony. Vous l'avez tué.

— Tu sais combien j'ai tué de types dans ma vie ?

— Tout ce que je sais, c'est que vous avez descendu ce type pour rien.

— C'était pas pour rien. Il le fallait. Et on continuera de faire tout ce qu'il faut pour que le coup marche comme prévu. »

Repo regardait la route devant lui, l'air songeur. « Peut-être, dit-il enfin. Mais un vieil homme est une chose, et j'vois pas pourquoi on rendrait la vie dure à la fille. Merde, c'est rien qu'une gosse ! »

Tony le saisit par le poignet. « C'est pas une gosse. C'est une monnaie d'échange. Oublie jamais ça. »

Repo tourna vers Tony des yeux emplis de colère.

Tony le lâcha et détourna le regard.

Repo reporta son attention sur la route. Il ne dit plus rien. Dans la voiture, le silence était soudain devenu pesant.

Red Weber monta d'un pas chancelant l'escalier du Thrifty, un hôtel borgne qui offrait des chambres pouilleuses à la semaine, à la journée ou à l'heure, et ne fournissait des serviettes et des draps que contre dépôt d'espèces. Après avoir quitté Buck LaBelle, Red s'était arrêté dans un bar et avait fêté la grosse rallonge obtenue pour les négatifs. Le Tennessee Bar ferma ses portes à deux heures, mais il fallut à Red près de trois quarts d'heure pour retrouver le chemin de l'hôtel. Il aurait une sacrée casquette tequila au matin. Il serait aussi plus riche de cinquante mille dollars.

J'pourrai m'acheter dix kilos d'aspirine.

Les vieilles marches de chêne craquaient sous ses pas. La rampe avait été démolie, aussi grimpait-il prudemment en battant des bras pour garder l'équilibre, comme un novice sur une corde raide. Parvenu sur le palier, il sourit bêtement, comme s'il venait d'accomplir un exploit. Il pêcha la clé de sa chambre au fond de sa poche, visa la serrure et la manqua. Frustré, il essaya la poignée. La porte s'ouvrit.

Il aurait pourtant juré qu'il avait fermé en partant, mais il se contenta de pouffer de rire en entrant dans la chambre.

Il voulut allumer la lampe, et ne réussit qu'à la faire tomber de la commode. Sa maladresse le fit rire derechef, mais une soudaine nausée le fit courir aux toilettes.

Il allait en franchir le seuil quand le battant de la porte lui arriva en plein visage, le projetant à la renverse. Puis une silhouette se matérialisa devant lui. Il cligna les yeux et se redressa sur son séant pour mieux voir.

« C'est qui ? »

L'ombre se pencha vers lui. Le coup de pied qu'il encaissa en pleine poire le recoucha sur le dos. Il entrevit une paire de bottes passer à côté de son nez. Il essaya de crier, mais ne réussit qu'à cracher une dent. Il entendit la porte de la chambre s'ouvrir, puis un bruit de pas pressés, qui s'estompa rapidement.

Sonné, il se releva, chancela jusqu'à la porte, passa la tête dans le couloir. Plus personne. Soudain, il se figea.

Les négatifs !

Il referma la porte, fit de la lumière et courut à la penderie. Son sac de photographe était sur l'étagère, là où il l'avait laissé. La seule différence, c'est qu'il était vide, maintenant. Plus d'appareil. Il fouilla fébrilement toutes les pochettes. Plus de négatifs, plus une seule pellicule, même les rouleaux neufs encore dans leur emballage.

Il tomba à genoux, avec un creux de cinquante mille dollars à l'estomac. « L'enfant de putain », grommela-t-il.

À cinq heures du matin, le téléphone sonna dans la chambre d'hôtel de David Wilcox. L'homme était déjà réveillé et prenait son premier café de la journée, retravaillant le communiqué de presse qu'il avait concocté pour Allison.

« Allô ?

— Mission accomplie, dit une voix à l'autre bout de la ligne.

— Vous avez pu le trouver ?

— Ça n'a pas été trop difficile. Il n'y a pas tellement de photographes maraudant dans Nashville et qui ressemblent à Bozo le Clown. Le type s'appelle Red Weber. Il loge au Thrifty, un hôtel sordide.

— Personne ne vous a vu ?

— Non. Il est arrivé quand j'étais encore là. Il était bourré, la chambre était dans le noir, et je l'ai séché avant qu'il puisse rien voir.

— Et les photos ?

— Je les ai. L'appareil aussi. Il y en a une demi-douzaine de Mme Leahy en conversation avec ce type du FBI, Abrams. »

Wilcox ricana. « Quelle bande de salauds ! Lâcher un chien de photographe sur Allison pour qu'on pense qu'elle exploite le malheur d'autrui. Brûlez-moi ces saloperies.

— D'accord, mais il y en a d'autres, de photos, qu'il vaut mieux ne pas détruire. Figurez-vous que je suis tombé sur quelques clichés du général Howe qui valent vraiment le coup qu'on les garde.

— Ah oui ? fit Wilcox avec un mince sourire. Vous pouvez me les décrire ? »

5

Le mercredi matin, la salle de conférence de presse du ministère de la Justice était remplie de journalistes, assis épaule contre épaule sur les rangées de chaises pliantes. Une simple tenture bleue, imprimée de deux sceaux, l'un pour le ministère de la Justice, l'autre pour le Bureau fédéral d'investigation, décorait le mur du fond derrière l'estrade. Le drapeau américain pendait sur sa hampe.

À dix heures trente tapantes, Allison entra par une porte latérale, un sinistre cortège d'hommes en noir dans son sillage. James O'Doud lui emboîtait le pas. Les obturateurs cliquetèrent, puis le silence se fit alors qu'Allison prenait place au pupitre.

« Bonjour, dit-elle. Comme vous devez tous le savoir, Kristen Howe, la petite-fille du général Lincoln Howe, âgée de douze ans, a disparu. À neuf heures, hier matin, Kristen a quitté l'école primaire de Wharton, à Nashville, dans le Tennessee, pour se rendre au collège Martin Luther King, quelques blocs plus loin. Elle était seule avec le chauffeur dans le minibus de l'école. Quelque part sur le trajet, le véhicule a été détourné. Pour le moment, nous ignorons comment et par qui.

« La nuit dernière, les plongeurs ont remonté le minibus de la rivière Cumberland, près du centre de Nashville. Plus tard, cette même nuit, le corps de Reggie Miles a été repêché. La cause de sa mort n'est pas encore déterminée. Kristen Howe n'a pas encore été retrouvée.

« Laissez-moi d'abord vous dire combien nous condamnons ces actes de lâcheté. Le ministère de la Justice a mobilisé toutes ses forces de police pour déclencher la plus grande chasse à l'homme de l'histoire américaine. Le directeur du FBI, M. O'Doud, a rassemblé ses meilleurs agents, qui sont à pied d'œuvre vingt-quatre heures sur vingt-quatre. Nous retrouverons Kristen Howe, et nous traduirons ces criminels en justice. En tant qu'attorney général, je porterai personnellement toute mon attention sur cette affaire. Ma campagne présidentielle a été suspendue. »

Allison marqua une pause et balaya la salle du regard. « Je répondrai brièvement à quelques questions. »

Les journalistes bondirent de leurs sièges. Allison en choisit un.

« Madame Leahy, dit-il, le peuple américain doit élire son prochain président dans six jours. Certaines photos du général Howe, parues dans les quotidiens du matin, témoignent du choc dans lequel cette tragédie personnelle l'a plongé. Êtes-vous d'accord avec ceux qui pensent que les répercussions psychologiques de cet enlèvement pourraient handicaper le général dans l'exercice de ses fonctions présidentielles ? Et pensez-vous vous-même que sa réaction jette un doute sur sa capacité à guider la nation en temps de crise ? »

Serrant à deux mains le pupitre, Allison répondit sans hésitation : « Je n'ai nullement l'intention de politiser cette tragédie. Je suis de tout cœur avec le général Howe et sa famille. Comme je l'ai dit, le retour en vie de Kristen Howe est la seule priorité actuelle du ministère de la Justice. »

Elle désigna quelqu'un d'autre au deuxième rang. L'homme se leva.

« Madame Leahy, le ministère de la Justice recommandera-t-il la peine de mort pour le meurtre de Reggie Miles ? »

Allison prit le temps de réfléchir à la question. Avec une otage entre les mains des ravisseurs, elle savait qu'il n'était pas opportun de parler publiquement de peine capitale.

« Il est prématuré d'aborder ce sujet. Le médecin légiste qui pratique l'autopsie de M. Miles n'a pas encore conclu à un homicide. Et même si c'en était un, il ne deviendrait un crime fédéral qu'une fois établi le lien entre ce crime et celui d'un kidnapping ne regardant pas le seul État du Tennessee. Aussi, ma réponse est non, nous n'avons pas encore pris de décision concernant la peine de mort. »

Ce fut ce moment que choisit O'Doud pour s'avancer. « Laissez-moi ajouter quelque chose à ce sujet. »

Allison lui jeta un regard de côté en s'efforçant de dissimuler sa stupeur. O'Doud l'ignora.

« Bien que l'administration actuelle n'ait pas encore fait exécuter un seul condamné pour crime fédéral, le FBI traitera cette affaire comme si la peine capitale était au bout du chemin. Je veux seulement dire par là que nous nous efforcerons de rassembler tous les éléments susceptibles de classer légalement ce crime parmi ceux punis ordinairement de la peine de mort. Nous espérons que la prochaine administration appuiera notre démarche et fera en sorte que le juste châtiment soit appliqué. »

Il jeta un regard à Allison et reprit sa place près du drapeau.

« Je vous remercie, mesdames et messieurs, conclut Allison. Ce sera tout pour aujourd'hui. »

Les questions fusèrent, mais personne n'y répondit. Allison et sa suite d'assistants au ministère sortirent les premiers, suivis de O'Doud et de ses hommes. Quand ils atteignirent le couloir, Allison entraîna le directeur du FBI dans un bureau vide et ferma brutalement la porte derrière elle.

« Que signifie cette intervention ? demanda-t-elle sèchement.

— Je fais mon travail, rien de plus », répondit-il, feignant l'ignorance.

Elle se rapprocha de lui, tirant avantage des talons hauts qui la faisaient plus grande que lui. « Il n'entre pas dans vos attributions de parler de la peine de mort. Il appartiendra au procureur de prendre cette décision. Pas au FBI.

— Je ne prenais aucune décision, je disais seulement les choses comme elles sont.

— Quelles "choses" ? Vous venez de faire campagne contre moi et ma position concernant la peine de mort, voilà ce que vous faisiez ! Cette conférence de presse était apolitique. »

O'Doud recula d'un pas en étouffant un rire. « Apolitique, hein ? Trente minutes avant votre prestation télévisée, la presse entre en possession de mystérieuses photos qui font passer le général pour une lavette. Comment vous appelez ça ? Un hasard ?

— Insinuez-vous que j'aurais diffusé ces photos ?

— Le niez-vous ?

— Fermement ! répondit-elle rouge de colère.

— Très bien. Mais à moins que vous ne preniez plaisir à devoir nier ce genre d'accusation devant le pays, je vous suggère de suivre le conseil que je vous ai donné dès le début. Ne vous mêlez pas de cette enquête.

— Entends-je des voix ou bien un imbécile prétentieux me menacerait-il de salir mon nom dans les médias ?

— Je ne menace personne, répliqua O'Doud, pâlissant sous l'insulte. Mais je ne permettrai pas qu'une enquête de cette importance soit dirigée par un attorney général qui préfère remporter une élection plutôt que de résoudre un crime.

— Vous ne permettrez pas, dites-vous ? dit-elle, incrédule. Vous travaillez pour moi, O'Doud. »

Il grimaça. « Simple détail technique, vu les circonstances. Et puis, je ne pense pas que le directeur du FBI risque d'être démis de ses fonctions vingt-quatre heures après le rapt le plus sensationnel depuis celui du bébé Lindbergh. Je ne pense pas non plus que vous vouliez passer pour un attorney général plus impatient de préserver son petit territoire que de voler au secours d'une fillette de douze ans.

— Vous êtes l'individu le plus méprisable et le plus amoral que j'aie jamais rencontré.

— C'est vous la politicienne, pas moi. C'est vous qui avez un conflit d'intérêts.

— Qui vous a donné l'autorité de décider si j'ai ou non un conflit d'intérêts ? »

L'expression de O'Doud se fit suffisante. « Qui ? Mais le prochain président des États-Unis. »

Troublée par ces paroles, Allison le regarda en silence quitter la pièce.

6

Repo éteignit le poste de télé et se frotta les yeux. La route de Nashville à Baltimore avait été épuisante, mais Tony Delgado et lui étaient trop imbibés de caféine pour dormir.

Le salon s'obscurcit sans la lueur du téléviseur. De vieilles tentures bloquaient le soleil matinal. Le tapis élimé rappelait à Repo l'appartement de sa grand-mère. La minuscule cuisine avec ses tablettes de formica donnait sur le living. La salle de bains, dont la baignoire et le lavabo devaient dater des années soixante, était située au fond du couloir. A droite se trouvait la chambre principale, que se partageaient Tony et son frère Johnny. Kristen était dans l'autre chambre, plus petite. Repo dormait sur le canapé.

La porte des toilettes s'ouvrit sur un bruit de chasse d'eau, et Tony regagna le living.

Repo alluma le lampadaire et se rencogna sur la banquette, l'air sombre. « Ils demandent la peine de mort.

— Quoi ?

— J'ai écouté la conférence de presse de l'attorney général, et le directeur du FBI a déclaré qu'ils demanderaient la peine de mort pour le meurtre de Reggie Miles.

— Faut d'abord qu'ils nous attrapent. »

Repo secoua la tête avec colère. « J'ai réfléchi à ça depuis qu'on s'est tirés de Nashville, et je te le dis en face : ton frère est une catastrophe. »

Un sourire sarcastique éclaira le visage de Tony. « Et moi, je te dis que tu es un trouillard. Ça fait le triangle parfait, personne n'a confiance en personne.

— Je plaisante pas. »

Le sourire de Tony s'effaça. « Tu veux que je fasse quoi, Repo ? dit-il d'un ton rageur en décrochant le téléphone. Tu veux que j'appelle Elliot Ness et que je balance Johnny ? » Sa voix monta d'un cran, tandis qu'il reposait violemment le combiné et sortait son revolver. « Tu veux que je lui colle une balle dans la tête, à mon frère, quand il rentrera ? Tu veux le faire toi-même ? C'est ça qui te plairait ? Dis-le-moi, parce que j'en ai plein le cul de t'entendre gémir. »

Repo lui rendit son regard sans ciller. « J'ai accepté ce travail parce que c'était toi le cerveau. Pas Johnny. Maintenant, si tu approuves toutes les conneries que peut faire ton frangin, alors ce bateau va pas tarder à couler. Je veux seulement que tu contrôles ce con, rien de plus.

— Me dis pas comment j'dois m'occuper de Johnny. S'il déconne, je le punirai. Mais tuer Reggie Miles, c'était pas une connerie. En fait, Johnny nous a rendu un service.

— Un service ? Grâce à lui, il y a une chaise électrique qui nous attend quelque part.

— Justement, c'est parfait. Maintenant, on joue le tout pour le tout. Tous les moyens seront bons pour arriver au but. Ils peuvent nous exécuter qu'une seule fois, non ? Alors, s'il faut tuer un flic, on tuera un flic. Si un type tient à jouer les héros et nous barre le chemin, on descendra le héros. On est libres, totalement libres. Et s'il faut qu'on tue Kristen Howe... »

Le visage de Repo prit une soudaine pâleur.

Tony sourit. « Dis-le, Repo. Je veux t'entendre le dire. S'il faut qu'on tue Kristen Howe... »

Repo détourna le regard.

Tony partit d'un éclat de rire. « Libres ! Enfin libres ! » beugla-t-il en gagnant la cuisine.

Allison rentra chez elle pour le déjeuner, pas tant pour manger que pour parler avec Peter. Cela devait faire une éternité qu'elle n'avait pas pris un repas en compagnie de son mari dans leur salle à manger, mais après la conférence de presse et son accrochage avec O'Doud, elle éprouvait simplement le besoin de quitter le lieu de son travail et de s'éclaircir les idées. Elle avait l'impression que tout son entourage voyait dans le moindre de ses mouvements un enjeu politique.

Elle se défaisait de son manteau quand elle entendit sa propre voix, provenant du téléviseur dans la cuisine. Ce n'était pas une interview récente ; elle remontait en vérité à l'année précédente. Quand elle avait pris ses fonctions d'attorney général, Allison n'avait jamais plus évoqué la tragédie qui l'avait frappée, de crainte de passer pour un ministre de la Justice animé d'un esprit de vengeance. Elle savait toutefois que les médias fouineraient de nouveau dans son passé dès qu'elle aurait lancé sa campagne présidentielle. Aussi, lors de l'annonce de sa candidature en décembre dernier, avait-elle accordé une seule interview en prime time, pour parler de l'enlèvement d'Alice et de la dure épreuve que cela avait été pour elle. Sa stratégie était d'exposer cette affaire personnelle dès le début, pour ne plus avoir à l'évoquer et se consacrer dès lors aux problèmes strictement politiques. Elle ne s'étonnait pas qu'avec le rapt de Kristen Howe les médias exhument cette interview et en rediffusent un extrait conforme à leur goût de la dramatisation.

« Une chose reste vraie aujourd'hui, comme elle l'était hier, disait Allison. Les premières vingt-quatre heures sont cruciales dans toute affaire de kidnapping d'un enfant par une personne étrangère à la famille. »

Le correspondant du journal télévisé reparut à l'écran, avec pour toile de fond le quartier général du FBI. « Cet après-midi, alors que l'enquête sur la disparition de Kristen Howe entre dans son deuxième jour, ce que nous confiait l'attorney général il y a un an pèse lourd dans les esprits et les cœurs des Américains. Nous ne pouvons qu'espérer un dénouement plus heureux que celui qui frappa Allison et Alice Leahy.

— Absolument », conclut le présentateur du studio d'un ton grave et solennel.

Allison frémit. *Absolument...* les quatre syllabes préférées de la gent journalistique, servies à toutes les sauces accompagnant les platées de lieux communs composant l'ordinaire médiatique. « On espère bien être les premiers sur les lieux quand ils retrouveront le cadavre de la gosse dans les bois, hein, les gars ? » *Absolument, absolument, absolument.*

« Salut, mon cœur. »

Peter émergea de la salle à manger. Il avait pris une semaine sur son travail à New York pour faire campagne aux côtés de sa femme, mais la soudaine diversion que cet enlèvement représentait pour Allison le mettait en quelque sorte en vacances, dans le sens le plus absurde du terme.

Allison lui donna un rapide baiser, puis éteignit la télé et alla prendre place à table en face de lui. Plongée dans ses pensées, elle essaya de chasser de son esprit l'allusion du journaliste à une fin plus heureuse et de concentrer son attention sur la désastreuse conférence de presse de la matinée.

Peter sirotait son thé glacé en scrutant le visage inquiet de sa femme. « Wally est à son entraînement de foot, dit-il. Quant à Beaver, il est en retenue à l'école. Ce crétin a lâché un crapaud dans la classe de Mme Mergatroid. »

Allison tressaillit. « Quoi ? Excuse-moi, j'avais l'esprit ailleurs.

— Si tu me disais ce qui te tracasse ? »

Elle soupira, puis attendit que leur intendante polyglotte se retirât après leur avoir servi du poulet à la « moussetarde », et raconta à Peter ce qui s'était passé.

« Et tu t'étonnes de ces manœuvres ? dit Peter qui l'avait écoutée sans l'interrompre. L'enjeu est de taille, et tous les coups en dessous de la ceinture sont la règle.

— Ce sont plus que des manœuvres. J'ai le sentiment que toute cette histoire de kidnapping fait l'objet d'une... d'une manipulation. »

Le mot resta un instant suspendu dans l'air. « Une manipulation, dis-tu ? De quelle manière ?

— De toutes les manières. D'abord, il y a ce photographe qui me tend une embuscade au bord de la rivière, dans l'intention manifeste de faire croire au public que je suis venue uniquement pour me faire prendre en photo à côté de Harley Abrams. Puis la presse diffuse des photos qui font passer Lincoln Howe pour une mauviette. Ce matin, O'Doud m'a avoué que Howe lui avait ordonné de me retirer de l'enquête. Ils se foutent tous de retrouver Kristen Howe en vie. Tout ce qui les intéresse, c'est d'utiliser l'affaire à des fins politiques.

— Si c'est comme ça, peut-être que tu ferais mieux de te distancier de l'enquête. »

Elle secoua la tête. « Non, Peter. Leur but, en m'enlevant l'enquête, est de me placer dans une position de perdante. Si Kristen est retrouvée en vie, Howe aura beau jeu de vilipender un attorney général qui n'aura pas levé le petit doigt pour sauver la petite-fille de son adversaire. Mais si, que Dieu me pardonne, le pire arrivait, c'est encore moi qu'on accuserait, parce que je suis le premier flic de ce pays et que j'ai à ce titre le devoir de tout faire pour sauver Kristen. »

Peter se versa un autre verre de thé glacé. « À t'entendre, il semblerait que ce rapt ne soit pas seulement manipulé par les politiciens, mais qu'il soit aussi motivé politiquement.

— Ce qui veut dire ?

— Que tout ce qui s'est passé durant ces dernières vingt-quatre heures n'est pas uniquement la réaction d'une bande de stratèges politiques face à une terrible tragédie, mais que cette tragédie elle-même fait partie d'une stratégie. »

Allison le regarda dans les yeux. « Non, ce serait trop horrible. Jamais je ne pourrais croire qu'on puisse prendre une enfant en otage à des fins politiques.

— Pourtant, ce n'est pas inconcevable. On peut très bien imaginer qu'un partisan farouche du général Howe ait kidnappé la gosse dans le fol espoir que le facteur de compassion lui ouvrirait les portes de la Maison-Blanche.

— Ou bien qu'un partisan non moins farouche d'Allison Leahy ait pensé que l'enlèvement plongerait dans le chaos la campagne du général Howe, ferait oublier au pays les soupçons d'adultère orchestrés contre moi, et me permettrait d'abreuver les médias de discours sécuritaires musclés pendant toute la semaine précédant l'élection.

— Je n'avais pas pensé à quelqu'un de ton côté.

— Moi, oui. As-tu vu ou entendu un seul mot sur l'adultère dans la presse écrite ou les journaux télévisés depuis l'enlèvement de Kristen Howe ? Pas un. En une nuit, ce qui semblait être mon handicap décisif est passé à la trappe de l'actualité.

— Alors, dit-il avec un haussement de sourcils, de quel côté est le méchant ravisseur ? De celui de Howe ou du tien ? »

Allison tourna son regard vers la fenêtre. « Sincèrement, Peter, je n'en ai pas la moindre idée. »

7

Le service à l'hôtel Opry Land permettait de déjeuner dès onze heures du matin, mais la rage avait coupé l'appétit de Lincoln Howe. Les clichés le montrant en train de sangloter dans sa limousine avaient saisi de sa personne un trait dont il était le premier stupéfait. Ed Muskie doit sourire, se dit-il. Désormais, quand le monde parlerait des larmes des candidats à la présidence, il désignerait Lincoln Howe en l'an 2000, et non l'ancien sénateur défait aux primaires du parti démocrate en 1972.

Howe détestait les manifestations d'émotion en public. Même quand il partait pour de longues tournées d'inspection des armées outre-mer, il n'avait jamais permis à sa femme de l'accompagner à l'aéroport. Ils se disaient au revoir à la maison, dans l'intimité. Jamais de baiser ni d'embrassade devant les troupes.

La seule idée de son visage en pleurs placardé à la une de tous les journaux du pays réveillait en lui ce désir de punir qui lui avait fait tant d'ennemis. Et le courage de son directeur de campagne, qui venait de lui avouer avoir de son propre chef engagé l'auteur des photos, ne faisait qu'exacerber sa colère.

Howe arpentait en silence la suite de Buck LaBelle, digérant les aveux de ce dernier. Aveuglé par la colère, il manqua s'étaler en trébuchant sur un câble électrique serpentant sur la moquette. Depuis l'enlèvement, la chambre avait été équipée d'un ensemble d'ordinateurs, de fax et de lignes téléphoniques dignes d'un PC opérationnel.

« De toutes les idées à la con, beugla le général en continuant de faire les cent pas, comment a pu vous venir celle d'embaucher quelqu'un pour me prendre en photo sans m'en informer ? »

LaBelle se tassa un peu plus dans son fauteuil. « Je voulais des instantanés, des clichés où vous seriez vous-même, sous votre meilleur jour. C'est pourquoi je ne pouvais vous en parler. Évidemment, je ne les aurais jamais communiqués à la presse sans votre consentement.

— Vous auriez pu au moins engager un homme de confiance.

— J'étais persuadé qu'il en était un. »

Howe s'arrêta et le regarda dans les yeux. « Et est-ce que vous croyez toujours ce qu'il raconte ? Que quelqu'un s'est introduit par effraction dans sa chambre et a volé les négatifs ? Ou bien le soupçonnez-vous de nous avoir doublés et d'avoir vendu les photos au camp d'en face ?

— Je n'en sais rien. Il me semble toutefois que s'il avait voulu nous doubler, il aurait attendu que je lui file les cinquante mille dollars. C'est après qu'il aurait pu fourguer un autre jeu de photos. »

Le raisonnement parut convaincre Howe, qui hocha la tête et reprit sa déambulation. « Vous pensez donc qu'il y a eu vol avec effraction. En supposant que nous accusions les partisans de Leahy d'avoir monté ce mauvais coup, où cela nous mènerait-il ? »

LaBelle se gratta le crâne d'un air songeur. « C'est à double tranchant. Ça n'arrangerait sûrement pas les affaires de Leahy qu'on soupçonne ses partisans de telles pratiques. Mais, une fois que les médias et la police s'en mêleront, ils auront vite fait de découvrir que c'est nous qui avons employé le photographe. Alors, ça nous fera beaucoup plus de mal qu'à eux.

— Bon Dieu de merde, Buck ! Je n'aurais jamais pensé que vous soyez aussi con ! » La rage reprenait Lincoln, gonflant les veines de son cou. « Vous ne voyez pas dans quelle merde ça me fout ? Je n'ai pas arrêté de déclarer au FBI, à la presse, même à Allison Leahy, que je ne tolérerais pas la moindre manipulation de cet enlèvement à des fins politiques. Alors, pour qui je vais passer, maintenant que vous engagez un petit salopard pour capter ma douleur en noir et blanc et l'afficher dans tous les canards du pays ?

— Monsieur, je...

— Taisez-vous, soldat ! »

Ils échangèrent des regards, se gardant l'un comme l'autre de commenter ce subit glissement vers le parler militaire.

« Je vous jure, Buck, reprit le général en serrant les poings, que je vous virerais séante tenante, à coups de pompes dans le cul, si l'élection n'était si proche. Nous sommes assis sur une bombe, vous m'entendez ? Qu'est-ce qui empêche ce rat de Weber de courir dire à la presse que vous l'avez embauché pour ce sale travail ? Les tabloïds paieraient gros pour une juteuse histoire de ce genre. »

LaBelle garda longtemps le silence, comme si la question était de pure rhétorique. « Je ne vois qu'un seul moyen de le tenir tranquille, dit-il enfin. Lui payer ses cinquante mille dollars. »

Le général se figea. « Un bakchich ? dit-il d'une voix blanche.

— Disons, le prix du silence. »

Le général fit la grimace. « Vous êtes sérieux, Buck ?

— Voulez-vous que Weber reste tranquille ? Ou voulez-vous redescendre de cinq points derrière Allison Leahy ? »

Howe se détourna, pétri d'angoisse. « Je n'en crois pas mes oreilles », marmonna-t-il. Il s'appuya au rebord de la fenêtre et regarda dans le parking. Une mère et sa fillette regagnaient leur voiture, lui rappelant sa propre progéniture. Il avait envie de virer sur-le-champ LaBelle, mais il savait qu'il n'y avait rien de plus dangereux qu'un directeur de campagne blessé. Ce salaud prendrait le prochain avion pour New York et vendrait aux enchères ses Mémoires aux grandes maisons d'édition.

« Même si nous payons, dit-il sans se retourner, rien ne nous garantit une absence de fuites.

— Exact. Il n'y aurait qu'une seule façon de prévenir toute fuite. Mais vous n'êtes pas du genre brise-jambes, général. Du moins, pas en costume civil. »

Howe ne sut que répondre à cela. Puis il distingua dans la vitre le reflet de LaBelle assis derrière lui et ignorant que le général le voyait. Il y avait une lueur amusée dans les yeux du Texan en même temps qu'un pli méprisant sur ses lèvres, comme si l'homme se réjouissait du fait que le « grand », le « noble » général Howe caressait l'idée d'acheter le silence d'un homme.

C'était le cauchemar qu'avait redouté Lincoln Howe, la raison pour laquelle il avait refusé d'être candidat en 1996 et ce pour quoi il avait commencé sa présente campagne sans entrain excessif. À cet instant même, il se maudissait d'être entré dans cette arène de toutes les salissures qu'on appelait la politique. Il respira un grand coup, devant s'avouer que les circonstances ne lui donnaient guère le choix.

« D'accord, dit le candidat en lui. Donnez-lui son sale argent. »

Johnny Delgado entendit un bruit.

Il était au lit, à moitié endormi. Sur la tablette de nuit, le réveil indiquait midi vingt.

Il avait roulé sans s'arrêter depuis Nashville, après avoir balancé le minibus et le corps du chauffeur dans la rivière. Il était arrivé à Philadelphie vers quatre heures du matin ce mercredi. Son frère lui avait recommandé de prendre une route détournée, afin d'éviter d'être suivi, et il s'était dit qu'il pourrait dormir un peu chez son ancienne petite amie à Philly, avant de poursuivre vers le Maryland.

Il se redressa dans le lit, l'oreille tendue. Il était en caleçon ; sa chemise et son pantalon gisaient en tas au pied du lit, à côté du déshabillé rouge de Honey. Les volets étaient fermés, mais l'une des lattes manquait, et un méchant rayon de soleil pénétrait par la fente, pour frapper Johnny en plein dans les yeux.

« T'as rien entendu, Honey ? » demanda-t-il.

Diane Combs – « Honey » – gisait sur le ventre à côté de lui. Les retrouvailles de la veille s'étaient soldées par un manque de sommeil aussi inattendu qu'apprécié. Elle roula sur le flanc et sourit. « Entendu quoi ? »

Johnny ne lui rendit pas son sourire. « J'ai cru entendre du bruit près de la voiture.

— C'est peut-être les voisins.

— Tu veux pas regarder par la fenêtre ? Voir si c'est quelqu'un que tu connais.

— Pourquoi cette parano ?

— Vérifie, tu veux bien ? »

Elle roula de grands yeux. Elle n'aimait pas qu'on lui parle sur ce ton. Mais elle se leva quand même et, s'enroulant dans le drap, s'en fut regarder à travers les volets.

« C'est des flics, dit-elle.

— Merde ! » Il sauta du lit et commença de se rhabiller en vitesse. « Qu'est-ce qu'ils font ?

— J'sais pas trop, ils tournent autour de ta voiture, comme s'ils n'en avaient jamais vu une comme ça.

— Merde ! »

Elle tourna vers lui un visage inquiet. « Qu'est-ce qui se passe ?

— C'est une caisse que j'ai tirée. »

Elle s'écarta de la fenêtre. « Espèce d'enfoiré ! Ça fait un mois que je n'ai aucune nouvelle de toi, et tu débarques en plein milieu de la nuit avec une voiture volée ? »

Il remonta la fermeture Éclair de son jean. « C'est pas à cause de la bagnole.

— C'est à cause de quoi, alors ?

— Un gros truc, un très gros truc. »

Honey le regarda, de plus en plus alarmée. « Dis-moi ce que c'est. Je veux savoir ce que tu... »

Elle se tut à la vue du revolver qu'il venait de sortir d'un petit sac à dos. « Ta gueule et tiens-toi tranquille. » Il s'approcha de la fenêtre et risqua un coup d'œil dehors.

Honey tremblait, maintenant.

« Il y a une autre sortie dans ce trou à rats ? »

Elle hocha la tête. « Oui, dans la cuisine. Mais il te faut une clé.

— Elle est où ?

— Dans mon sac.

— Donne. »

Toujours enveloppée dans son drap, Honey trébucha en traversant la chambre, puis sortit la clé de son sac à main et la lui tendit d'une main tremblante.

« Tu as des ennuis, Johnny ?

— Pas encore.

— Pourquoi as-tu volé cette voiture ?

— Ta gueule ! » Il pointa son arme sur elle.

« Allons, Johnny, tu n'as pas besoin de me menacer. »

Il grimaça, comme sous l'effet d'une douleur subite. « Merde, j'suis trop con d'avoir fait ça.

— D'avoir fait quoi ?

— D'avoir tiré cette chiotte à Nashville. Maintenant, ils savent que j'étais à Nashville hier. »

Le visage de Honey prit une couleur de cendre. Elle avait vu les informations à la télé. « Ne me dis pas que tu as trempé dans le kidnapping de cette petite fille ! »

Il jeta un regard par la fenêtre. L'un des deux flics relevait le numéro de la plaque. Johnny se mordit la lèvre. « Putain, pourquoi j'ai déconné comme ça ?

— File, Johnny. Passe par-derrière. Je leur dirai que je sais pas qui a garé cette voiture devant ma porte. Que je me suis réveillée et que je l'ai trouvée là. »

Il secoua la tête. « Non, c'est une affaire trop grosse pour eux, et ils s'en laisseront pas conter par une petite pétasse. » Il sortit de son sac un gros silencieux qu'il vissa sur le canon.

Elle recula. « Johnny, dit-elle d'une voix tremblante, je t'en supplie. Si tu crois que je parlerai, emmène-moi avec toi. On prendra ma voiture. Tu peux même me bâillonner et m'enfermer dans le coffre, mais ne me tue pas ! »

Il parut réfléchir, mais après le meurtre de Reggie Miles, il lui semblait impensable de se charger d'une autre otage. « C'est pas possible, Honey. »

Elle tomba à genoux, les mains croisées levées vers Johnny. « Je te le jure, j'dirai rien. À personne. Jamais. »

Il ferma un œil et visa le front. « Je sais bien que tu diras rien », dit-il en pressant la détente.

8

Harley Abrams arriva à Philadelphie peu avant trois heures de l'après-midi. C'est lui qui avait eu l'idée de faire rechercher à travers tous les États les véhicules loués ou volés à Nashville au cours de la dernière semaine. Vu l'importance des forces de police en alerte, il avait suffi de vingt-quatre heures pour les localiser. Une seule voiture, toutefois, avait conduit à la découverte d'un meurtre. Harley jugea opportun de se rendre sur place.

Une jeune femme, agent du bureau fédéral de Philadelphie, l'accueillit à l'aéroport avec une Mercury quatre portes, le genre de conduite intérieure discrète utilisée par le FBI. Pendant le trajet, Harley, plongé dans ses pensées, prit des notes sur un calepin jaune. Il leva les yeux alors qu'ils quittaient la voie express et entraient en zone urbaine.

« Je tiens à ce que la recherche des indices dans l'appartement se fasse dans la plus parfaite légalité, dit-il. Voyez-vous un quelconque problème avec le mandat de perquisition obtenu par la police de Philadelphie ? »

Elle secoua doucement la tête, sans quitter la route des yeux. « L'assistant de notre procureur ne le pense pas. Le policier en patrouille a vérifié le numéro d'immatriculation et a eu confirmation qu'il s'agissait d'un véhicule déclaré volé par un résidant de Nashville, environ deux heures après l'enlèvement de Kristen Howe. La police a appris par le gérant du lotissement que l'emplacement de parking correspondait à l'appartement 201, loué par une certaine Diane Combs. Après avoir frappé sans succès à sa porte, ils ont appelé son employeur, mais elle ne s'était pas présentée à son travail et n'avait pas appelé non plus pour dire qu'elle était malade. Il y avait assez d'éléments de doute afin que le juge signe un mandat de perquisition. »

Harley opina du chef, l'air rassuré.

Ils arrivèrent bientôt devant l'entrée de la résidence Chestnut, lotissement composé de petites maisons d'un étage aux murs beiges et aux toits de tuiles rouges, accolées les unes aux autres. Une clôture entourait la résidence, mais l'entrée n'était pas équipée d'une grille de sécurité. Cet après-midi, pourtant, un policier en uniforme en contrôlait l'accès. Harley abaissa sa vitre et montra sa plaque.

« Je cherche l'inspecteur Wyatt. »

L'homme lui désigna la direction, puis il annonça par radio l'arrivée d'Abrams à l'équipe d'enquêteurs.

Un policier dut écarter la foule des curieux rassemblés sur le parking, pour permettre à la voiture du FBI de se garer à côté d'un fourgon appartenant au service de médecine légale. Trois véhicules de patrouille et deux conduites intérieures banalisées formaient un demi-cercle autour d'un coupé Chevrolet Camaro de 1997 immatriculé dans le Tennessee. Deux techniciens du service anthropométrique relevaient les empreintes et les fibres des sièges et du tapis, tandis que les aides du médecin légiste roulaient un brancard par la porte ouverte de l'appartement 201.

Harley descendit de la Mercury et boutonna son veston, se demandant si on était bien en novembre, et pas plutôt en janvier. Un homme noir de grande taille, vêtu d'un imperméable froissé et les joues rongées par une barbe de deux jours, s'approcha d'Abrams et se présenta.

« Inspecteur Wyatt, de la Criminelle.

— Harley Abrams, FBI. Je supervise l'enquête sur le rapt de Kristen Howe.

— Je sais qui vous êtes. Que puis-je faire pour vous ?

— J'essaie seulement de coordonner nos recherches. Je sais fort bien que ce meurtre concerne votre juridiction, mais il se pourrait qu'on relève sur les lieux du crime d'importants indices concernant l'enlèvement. »

Wyatt haussa les sourcils d'un air étonné. « Quoi, vous pensez que ceux qui ont kidnappé la petite-fille de Lincoln Howe aient pu être assez stupides pour se tirer de Nashville dans une voiture volée et de rouler avec jusqu'ici ?

— D'après l'expérience que j'ai des rapts d'enfants, je sais que parfois les ravisseurs sont persuadés qu'ils ne se feront jamais prendre, quoi qu'ils fassent. Il y a six ans, nous avons pu arrêter les poseurs de bombe du World Trade Center parce qu'ils sont revenus chercher l'argent déposé lors de la location du véhicule utilisé pour faire sauter le bâtiment. Alors, voler une voiture pour s'enfuir, ça ne peut pas être plus idiot. »

L'inspecteur approuva d'un hochement de tête sans conviction.

« Parlez-moi de la victime, demanda Abrams.

— Elle s'appelle Diane Combs et travaillait comme caissière dans un supermarché, quand elle ne tapinait pas un peu pour se payer sa came. Elle a fait onze cures de désintoxication en six ans. Je la vois mal complice dans une affaire de kidnapping.

— Pourrais-je jeter un coup d'œil à l'appartement ?

— Je vous en prie. »

Harley remonta la petite allée au ciment craquelé et franchit le seuil. Deux autres hommes du service anthropométrique passaient au peigne fin la moquette et le mobilier du living. Harley les laissa travailler et, prenant le couloir, s'arrêta à la porte de la chambre.

Un trait de craie soulignait le contour du corps de Diane Combs, telle qu'elle était tombée, enveloppée dans un drap. La perte d'humeur vitrée commençait à aplatir le globe oculaire. Une coulée de sang descendait du trou dans le front, couvrant un œil, pour finir en une tache sombre sur la descente de lit. Harley remarqua que le sang n'avait pas encore complètement séché. Il s'agenouilla près du cadavre et tâta la joue du dos de sa main : la peau n'était pas froide et la tête bougea légèrement quand il accentua sa pression sur la joue, indiquant que la raideur cadavérique n'avait pas encore tendu les muscles de la nuque. Cela ne devait pas faire plus de trois heures qu'elle était morte, se dit-il. Le tueur ne pouvait être très loin.

Il se releva. « Pas de signe de lutte ou d'effraction ?

— Non », répondit Wyatt.

Harley se rapprocha du lit et appuya sur le matelas. La matière était molle et elle retint l'empreinte de sa main. Il se baissa de manière à avoir les yeux au niveau de la couche.

« On peut voir un léger creux de chaque côté du lit, dit-il. Il semblerait que deux personnes ont dormi ici, la nuit dernière. » Il se redressa et son regard alla de la victime à l'inspecteur. « Nous savons qui est l'une d'elles. Découvrez l'autre et vous aurez la solution de ce meurtre. Et peut-être celle de l'enlèvement.

— Quelle est votre théorie ? demanda Wyatt.

— Jusqu'à présent, nous avons supposé qu'il s'agissait d'un rapt soigneusement préparé par des criminels endurcis. Mais il n'est pas impossible que nous ayons affaire à une action spontanée, œuvre d'un petit voyou qui a un peu trop forcé sur les amphétamines, volé une voiture et, rempli d'euphorie et d'un sentiment d'invincibilité, s'est senti capable d'accomplir quelque chose de grand, comme d'enlever la petite-fille du général Howe. Peut-être que Mlle Combs était sa petite amie. Alors, il s'est dit qu'il passerait par chez elle, pour lui montrer son otage, histoire de l'impressionner. Au lieu de cela, la fille a paniqué, lui en a fait autant et il l'a tuée. Bien sûr, ce ne sont que des suppositions, mais je vais vous envoyer une équipe spécialisée dans la recherche d'indices. Nous connaissons heureusement le code génétique de Kristen, aussi il nous suffirait de trouver un seul cheveu d'elle pour prouver qu'elle était là. Je veux aussi m'assurer qu'on aura ratissé chaque centimètre carré de cet appartement, avec l'espoir qu'on tombera sur quelque chose susceptible de nous apprendre qui a mis cette balle dans la tête de Mlle Combs.

— C'est vrai, dit Wyatt, il se peut qu'il y ait ici la piste que vous cherchiez.

— Souhaitons-le. Il n'y a rien de pire dans une affaire d'enlèvement que de se retrouver dans une impasse. »

Ce même mercredi, dans l'après-midi, Natalie Howe, pour qui la cuisine de sa fille n'avait maintenant plus de secrets, préparait du thé pour Tanya et les trois agents du FBI qui gardaient la maison, quand le timbre résonna dans l'entrée. Tanya se leva de sa chaise, mais l'un des hommes l'arrêta.

« Laissez-moi répondre. »

Tanya reporta son attention sur l'écran de télé. Elle était collée depuis le matin à CNN, qui donnait depuis la veille la préséance à l'enlèvement sur la campagne présidentielle.

L'agent colla son œil au judas. Un fourgon blanc au logo bleu et rouge de la FedEx était garé le long du trottoir, et le livreur attendait devant la porte.

« Une minute. » L'agent sortit son portable pour appeler la FedEx et n'ouvrit qu'après avoir reçu confirmation de la livraison.

« J'ai un paquet pour Lincoln ou Natalie Howe.

— Nous le prenons. » L'agent signa le récépissé et referma la porte.

L'un de ses collègues soumit le colis au détecteur de métaux, sans obtenir de signal. Il se tourna vers Mme Howe. « Nous pouvons le faire porter au bureau, où ils le passeront aux rayons X et le feront renifler par des chiens, au cas où il contiendrait un explosif ou un gaz toxique.

— Combien de temps cela prendra-t-il ? demanda Natalie.

— Disons deux heures. Je vous le recommande fortement, madame.

— Mais si ce paquet a été envoyé par les ravisseurs, nous ne pouvons perdre deux heures à attendre. »

Tanya s'avança. « Je vais l'ouvrir.

— Non ! dit sa mère. C'est à moi et à Lincoln qu'il est adressé. Si quelque chose doit arriver, je préfère que ce soit à moi. Je m'en charge. »

Elle prit le paquet des mains de l'agent et s'éloigna dans la salle à manger, où elle s'assit au bout de la table. Elle respira un grand coup et déchira le papier d'emballage. Elle s'immobilisa, comme si elle s'attendait à ce qu'un nuage de gaz jaillisse, mais il ne se passa rien de tel. Elle retira du carton une seule feuille de papier, qui portait un message dactylographié qu'elle parcourut d'un œil fiévreux : « Un million de dollars. En coupures usagées de cent. D'ici à vendredi. Instructions suivront. »

La gorge douloureusement serrée, Natalie retourna la feuille, au verso de laquelle était collée par un adhésif la carte d'identité délivrée par l'école primaire de Wharton à Kristen Howe.

Elle frissonna en réalisant que la demande émanait bien des ravisseurs, et non de quelque mauvais plaisant.

Au bas de la feuille, quelqu'un avait écrit à la main, presque en manière de post-scriptum : « Si les flics voient ça, Kristen meurt. »

Sa main se mit à trembler.

L'un des agents s'avança. « Pouvez-vous nous dire ce que c'est, madame ? » demanda-t-il.

Elle pressa la feuille contre sa poitrine, afin de masquer le message. « Je ne peux pas vous le dire, répondit-elle d'une voix tremblante. Pas avant d'en avoir parlé à mon mari. »

9

Harley Abrams fut emmené en hélicoptère de Philadelphie à Washington pour une réunion d'urgence au siège du FBI. À quatre heures et demie de l'après-midi, il arriva dans les bureaux de la direction, une impressionnante suite de pièces connue comme la « suite acajou » en raison de ses riches lambris. Le reste du bâtiment n'était que murs beiges et portes grises, faisant du quartier général du directeur O'Doud une véritable oasis d'élégance dans une bâtisse dont la façade en béton criblée de trous était une aberration architecturale.

L'accès à ce sanctuaire était strictement réglementé et exigeait une autorisation du responsable de la sécurité. Harley, nanti d'un badge avec sa photo sur fond bleu, se présenta au réceptionniste, qui se fit un devoir de l'accompagner à l'intérieur. Deux agents des services secrets attendaient dans le couloir, près de la porte du bureau de O'Doud. Harley pensa qu'ils n'étaient pas tout à fait à leur place sur le territoire fédéral, puis il se rappela qu'ils flanquaient Lincoln Howe dans tous ses déplacements.

O'Doud était assis derrière son monumental bureau en noyer. Le général occupait le fauteuil en face du directeur. Harley remarqua que le général portait une photo sur fond doré, indiquant le plus haut niveau d'autorisation accordé par la sécurité et ordinairement réservé aux seuls directeurs et sous-directeurs des différents services. C'était là une courtoisie inhabituelle, voire excessive, pensa Harley, car le général avait beau être candidat à la présidence, il n'en restait pas moins pour le moment un simple civil.

Harley salua les deux hommes avec respect. Dans n'importe quelle autre affaire d'enlèvement, jamais un agent détaché du CASKU n'aurait fait directement son rapport au directeur, mais le rapt de Kristen Howe autorisait décidément bien des entorses au règlement.

O'Doud tendit à Abrams la copie faxée de la demande de rançon. Harley en prit connaissance et s'assit sur le canapé, près de la fenêtre.

« Ma femme a reçu ça cet après-midi, à Nashville, dit le général. Expédié par Federal Express au domicile de ma fille, mais adressé à ma femme et moi.

— Ça n'aurait guère eu de sens s'ils avaient adressé leur demande à votre fille, fit observer Harley. Ils doivent savoir qu'il vous est plus facile qu'à elle de réunir un million de dollars.

— Et autre point intéressant, intervint O'Doud, le pli a été expédié de Knoxville, et non de Nashville.

— Oui, il était évident qu'ils quitteraient Nashville, reprit Harley, et cela confirme aussi qu'ils sont allés vers l'est, ce qui renforce l'hypothèse d'un lien avec ce meurtre à Philadelphie.

— Mais pourquoi prendre le risque de passer par la poste ? demanda Howe. Pourquoi n'ont-ils pas plutôt téléphoné ?

— Ils n'ignorent pas que la technologie nous permet aujourd'hui de localiser un appel en une minute. Ils ont peut-être eu peur qu'on puisse identifier leurs voix ou encore que vous exigiez de parler à Kristen, ce qui les aurait obligés à prendre le risque de l'emmener dans une cabine téléphonique. Bref, ils ont préféré pour un tas de raisons déposer la demande dans une boîte FedEx, sachant que le temps qu'elle vous parvienne ils seraient loin de Knoxville.

— Est-ce que cette demande de rançon est un élément important dans votre enquête, Harley ? demanda O'Doud.

— Certainement, monsieur. Une affaire de kidnapping devient plus facile dès l'instant où les ravisseurs doivent entrer en contact avec la famille. Je ne pense pas pour autant que nous devions abandonner toutes les autres hypothèses et conclure que les ravisseurs n'ont agi que pour l'argent.

— Et pourquoi pas ? demanda Howe qui semblait ne pas apprécier le point de vue d'Abrams.

— Parce que je crois sincèrement que les autres approches restent plausibles. Je n'écarte pas un mobile crapuleux, mais il se peut aussi qu'il s'agisse d'un psychopathe avide de reconnaissance et de gloire, qui a ciblé une victime comme votre petite-fille uniquement pour le tapage médiatique qui en résulte. De ce point de vue, le message est assez explicite, ajouta Harley en relisant à haute voix la photocopie : "Un million de dollars. En coupures usagées de cent. D'ici à vendredi. Instructions suivront." On a l'impression que l'idée d'une demande de rançon est venue après coup, et il est manifeste que le ravisseur n'a pas encore réfléchi aux conditions de remise de l'argent. En conséquence, à ce niveau de l'enquête, nous devons retenir toutes les hypothèses, y compris le fait rare et sans précédent que ce rapt n'ait d'autre but que de saborder une élection présidentielle. »

Howe fit la grimace, comme s'il était rebelle à toute spéculation de nature politique. « Mais la demande de rançon devrait infirmer cette théorie, dit-il. Bien que Mme Leahy ait évidemment exploité l'enlèvement à des fins électorales, l'exigence d'un million de dollars prouve bien que le motif est financier.

— Je ne partage pas votre avis, et pour deux raisons. D'une part, si ce rapt est politique, une demande de rançon serait justement le meilleur moyen de faire accroire le contraire, autrement dit de brouiller la piste. D'autre part, on ne peut pas dire que les partisans de Mme Leahy aient été les seuls à tenter de profiter de cette affaire. »

Le général affecta une expression indignée. « Insinueriez-vous que j'ai personnellement prêté la main à une exploitation politicienne d'un drame touchant ma famille ? »

Harley soutint le regard du général en se demandant si le moment n'était pas venu de lui rappeler le discours du directeur O'Doud sur la peine de mort lors de la conférence de presse donnée par l'attorney général. Il décida de ne rien dire. « Je n'insinuerais jamais cela, général. Pas sans preuve, en tout cas. » Il jeta un coup d'œil à la demande de rançon. « Ce que j'aimerais voir, c'est l'original de ce message.

— Il doit arriver par avion d'un moment à l'autre, dit O'Doud. Il faudra l'analyser, et c'est l'une des raisons pour lesquelles je vous ai convoqué. »

Le général intervint de nouveau, comme s'il avait besoin de rappeler qu'il était le seul instigateur de cette réunion. « Je suis sûr que vous avez remarqué le message écrit à la main au verso : si nous informons la police de cette demande de rançon, ils tueront leur otage. Jusqu'ici, seuls sont informés ma femme, notre fille et quelques amis intimes qui nous aideront à réunir la somme. Bien entendu, il y a aussi le directeur O'Doud, et ceux qu'il a estimé devoir avertir : le sous-directeur du Bureau, le chef du CASKU et vous-même. Vous devrez, de votre côté, inclure les agents qui analyseront le message et son emballage, ainsi que l'expert graphologue qui étudiera la partie manuscrite. Je compte sur vous, naturellement, pour réduire le nombre de personnes à mettre dans la confidence et, surtout, les choisir en fonction de leur aptitude à garder un secret. Nous devons prendre au sérieux les menaces des ravisseurs et prévenir toute brèche dans nos défenses.

— Il est toujours difficile de se prémunir contre les fuites, mais vous pouvez compter sur moi pour dresser une liste d'agents en qui j'ai confiance. À ce sujet, y a-t-il des personnes que vous tenez à écarter ? »

Le général et le directeur échangèrent des regards entendus. « Il n'y en a qu'une seule, dit Howe en plissant les yeux. Allison Leahy. »

C'était l'heure de pointe dans Pennsylvania Avenue, cette large artère séparant au sens propre et au sens figuré le ministère de la Justice et le siège du FBI, entre la 9e et la 10e Rue. Allison, flanquée de ses deux agents des services secrets, traversa au passage clouté.

Après son déjeuner avec Peter, elle était parvenue à la conclusion qu'elle avait besoin d'un entretien particulier avec le coordinateur de l'enquête. Le retour inattendu de ce dernier à Washington en était l'occasion parfaite. Elle pensa à le faire mander à son bureau, mais vu que la largeur d'une rue les séparait, elle préféra, par courtoisie autant que par dessein, lui rendre visite sur son territoire.

Allison pénétra dans l'immeuble Hoover par l'entrée réservée au personnel. Un planton l'escorta jusqu'au bureau que Harley Abrams utilisait quand il s'absentait de sa base à Quantico. La porte était ouverte. La beige nudité des murs lui rappela les locaux souterrains du CASKU, à l'académie de police. Une plante verte végétait dans un coin. Assis à une table aux pieds métalliques et au plateau en bois verni, Abrams prenait des notes.

« Pourriez-vous m'accorder cinq minutes de votre temps ? » demanda-t-elle depuis le seuil.

Il leva les yeux, surpris. Puis, se levant, il désigna l'unique chaise devant son bureau. « Entrez, je vous en prie. »

Allison referma la porte derrière elle, laissant son escorte dans le couloir. Abrams glissa discrètement la liste de noms qu'il était en train de dresser – les noms de ceux qui seraient informés de la demande de rançon – dans le tiroir de son bureau.

« Auriez-vous peur que je découvre quelque chose ? » demanda-t-elle.

Il referma le tiroir en souriant d'un air gêné. « Oh, ça ? Non, c'est... personnel.

— Oui, moi aussi j'ai passé la journée d'hier et toute la matinée d'aujourd'hui à rattraper mon retard dans ma correspondance.

— Inutile d'enfoncer le couteau dans la plaie, dit-il.

— Écoutez, je sais pertinemment que votre position est inconfortable. Vous travaillez pour un directeur qui est déterminé à m'exclure de l'enquête. »

Abrams leva les mains. « Je vous en prie, si vous êtes venue me parler de lutte de pouvoir, je préfère que vous ayez cette conversation avec O'Doud.

— Il ne s'agit pas de pouvoir. Il s'agit d'une fillette de douze ans. Hélas, avec toutes les manœuvres politiques de ces dernières trente-six heures, tout le monde semble avoir oublié Kristen.

— C'est justement pour éviter une exploitation politique que M. O'Doud vous suggère de vous tenir à l'écart et de laisser faire le FBI. »

Allison hocha la tête d'un air las, bien qu'elle eût encore envie de se lever et de beugler : *Bon sang, dois-je vous rappeler que le FBI est sous mes ordres !* Mais Abrams était un homme précieux, qui convenait parfaitement à la tâche qui lui était assignée, et elle n'avait nullement l'intention de l'humilier. Elle sortit de son sac à main un petit lecteur de cassettes.

« J'aimerais vous faire écouter quelque chose. Juste une minute. »

Elle posa l'appareil sur le bureau et enclencha le bouton de marche.

Abrams, évitant de croiser le regard d'Allison, considérait fixement le lecteur. Un gazouillis de bébé, entrecoupé de gargouillements divers, envahit la pièce pendant une quinzaine de secondes, avant qu'Allison stoppe la bande.

Cette fois, leurs regards se rencontrèrent.

« C'était Alice, ma petite fille de quatre mois, dit Allison d'une voix que l'émotion faisait vibrer. Elle a été enlevée dans ma propre maison il y a huit ans. »

Abrams hocha lentement la tête. « Oui, j'en ai entendu parler.

— Ce lecteur et cette cassette sont ceux-là mêmes que le ravisseur a placés dans le berceau, afin que l'interphone de bébé continue de transmettre, et que je m'aperçoive de la disparition d'Alice quand il était trop tard.

— Je ne sais que vous dire. Ce qui vous est arrivé est terrible. Cependant, votre conflit d'intérêts provient non pas de votre passé mais de votre candidature à l'élection présidentielle.

— Mon prétendu conflit d'intérêts, répliqua-t-elle d'un ton durci, provient du fait qu'on me soupçonne de vouloir exploiter l'enlèvement de Kristen Howe à des fins politiques. Vous remarquerez que ceux-là mêmes qui veulent m'écarter de l'enquête ne se privent pas de politiser l'affaire. Mais après avoir entendu cette cassette, pensez-vous sincèrement que je puisse jamais me servir du rapt d'un enfant à je ne sais quelle fin ? »

Son expression répondit pour lui. « Qu'attendez-vous de moi ?

— Je vous demande seulement de considérer ce que vous voyez, et non ce que vous entendez. Quand Alice a été enlevée, les gens m'ont dit exactement ce que Lincoln Howe et O'Doud me répètent aujourd'hui : "Ne vous en occupez pas, vous manquez nécessairement d'objectivité, laissez l'affaire aux spécialistes." Et moi, comme une idiote, je les ai écoutés. Ça me faisait mal, mais au nom de l'enquête, je restais sur la touche, pour ne pas gêner leur travail. Et vous savez quoi ? »

Abrams secoua presque imperceptiblement la tête.

« Ils n'ont jamais retrouvé ma fille. Ils n'ont jamais pu relever un seul indice, le début d'une piste, l'ombre d'un suspect. Rien. À croire qu'Alice s'était volatilisée.

— Je suis désolé.

— Merci. Mais je ne suis pas venue solliciter votre compassion. Comme Tanya Howe, jamais je ne divulguerais le moindre détail de cette enquête. Cependant, en tant qu'attorney général, j'ai le devoir moral de m'assurer que tout est mis en œuvre pour retrouver saine et sauve Kristen Howe. »

Elle se leva et le regarda dans les yeux. « Il y a enfin une chose que vous devriez savoir, monsieur Abrams.

— Oui ?

— Cela me tue qu'on m'oblige une fois de plus à n'être qu'une observatrice. »

Sur ce, Allison ressortit du bureau et s'en fut sans se retourner en direction de l'ascenseur.

Un peu plus tard, à six heures et demie, Harley Abrams dînait d'un sandwich au thon à la cafétéria du FBI, tout en relisant le profil qu'il avait dessiné des ravisseurs à la lumière des événements de la journée. Non loin de lui, un poste de télé diffusait les informations, mais Harley n'écoutait que d'une oreille.

« Bonsoir, dit l'homme tronc à l'impeccable brushing. *ABC News* a pu, grâce à une source exclusive d'informations, obtenir la confirmation que les ravisseurs de Kristen Howe réclament une rançon d'un million de dollars. »

Harley, la bouche pleine, manqua s'étrangler.

« Leur demande, qui tient en quelques mots dactylographiés, est la première manifestation des ravisseurs depuis la disparition de la petite-fille du général Howe hier matin, alors qu'elle se rendait à son cours au collège Martin Luther King, à Nashville. En direct de Washington, notre correspondant... »

Le portable de Harley sonna. Il prit la communication sans quitter la télé des yeux.

« Vous écoutez les infos ? aboya O'Doud.

— Oui, monsieur.

— Vous en avez parlé à Leahy, n'est-ce pas ? »

Une lueur d'indignation s'alluma dans les yeux de Harley. « Non, monsieur, je ne lui ai rien dit.

— Je sais que vous vous êtes vus, cet après-midi.

— C'est exact, mais je ne lui en ai pas soufflé mot.

— Ça ne peut être qu'elle ou quelqu'un de sa bande. Ils ont dû passer un marché avec ABC, leur donner l'exclusivité aujourd'hui, contre renvoi de l'ascenseur demain. Je mets ma main à couper que dès le matin nous apprendrons que Leahy est sur tous les fronts de l'enquête.

— Monsieur, je vous le répète, je n'en ai parlé à personne. À moins que...

— Oui ?

— Il est possible qu'elle ait vu quelque chose sur mon bureau mais, en vérité, je ne le pense pas.

— Alors, si ce n'est pas Leahy, qui ça peut être ?

— Probablement ceux qui ont politisé l'enlèvement depuis le début.

— Et qui sont-ils ?

— À ce stade, je n'ai qu'une liste de suspects, répondit Harley. Mais elle se rétrécit. »

10

À huit heures et demie du soir, Lincoln Howe arriva aux studios de télévision, vêtu d'un costume sombre qui aurait convenu à un enterrement. Deux agents des services secrets l'accompagnaient. Le visage impassible, il gagna les coulisses et observa le plateau d'où il allait s'adresser au pays. Le décor, qui servait d'ordinaire à un talk-show, avait été modifié pour la circonstance. L'espace était vide, dépouillé, hormis le bureau planté en plein milieu. Deux grands écrans de projection couvraient deux des murs. Le sol n'était qu'un entrelacs de câbles, tandis qu'une batterie de projecteurs pendait sur son cintre du plafond. Cinq caméras étaient en position.

Buck LaBelle approcha. « Tout est prêt, général », dit-il.

Howe acquiesça. « La couverture médiatique ?

— Tous les grands réseaux nationaux sont là, plus quelques chaînes étrangères. L'audience devrait avoisiner les cent millions de téléspectateurs. »

Howe coula un regard en direction de son garde du corps le plus proche, qui ne pouvait pas ne pas avoir entendu. « Je me fiche du nombre de téléspectateurs, Buck. Tout ce que je veux, c'est la plus large diffusion possible, pour que les ravisseurs me voient.

— Oui, monsieur.

— Deux minutes ! cria le directeur de programme. Plus que deux minutes !

— Vous devriez aller prendre place », suggéra LaBelle.

Le général pénétra sur le plateau et prit place derrière le bureau.

Une maquilleuse lui poudra le visage et disparut. Howe s'orienta lui-même vers la caméra 1 et son prompteur.

« Quinze secondes ! » cria le directeur.

Le général passa sa langue sur ses lèvres. Il était prêt.

« On émet ! »

Lincoln Howe attendit deux secondes, puis se mit à parler, le regard toujours fixé sur la caméra 1.

« Mes chers compatriotes, bonsoir. Comme vous le savez tous, notre famille traverse une douloureuse épreuve. Kristen Howe, l'enfant unique de ma fille, a été kidnappée hier matin. Cet après-midi, mon épouse et moi, nous avons reçu une demande de rançon d'un million de dollars.

« Toutefois, les médias ne vous ont pas rapporté que les ravisseurs ont menacé de tuer leur otage si leur demande de rançon était divulguée. »

Howe se tourna sur sa chaise, et la caméra 3 s'avança pour un plan rapproché.

« Je ne sais pas comment la demande de rançon a été rendue publique. La fuite ne vient certainement pas de la famille Howe. Je sais qu'elle ne vient pas non plus des forces de police. J'ai appris que le FBI enquête actuellement pour savoir si cette grave indiscrétion n'émanerait pas du bureau de l'attorney général. En attendant les résultats de cette investigation, j'ai trois choses à déclarer.

« La première, à mon adversaire, Allison Leahy. Si la demande de rançon a été divulguée par vous ou par vos partisans dans un dessein politique, ce serait là le geste le plus méprisable jamais commis dans l'histoire de la politique américaine.

« La deuxième, aux lâches qui ont mis à prix la vie d'une enfant innocente : je n'ai pas un million de dollars, et l'aurais-je, je ne vous le donnerais pas. À la différence de mon adversaire et de son richissime époux, ma femme et moi vivons d'une modeste pension militaire.

« La troisième, au peuple américain... »

Le général se leva et gagna l'un des deux écrans, qui s'alluma à son approche, révélant un damier de photographies, chacune d'elles représentant le visage d'un enfant. La caméra balaya lentement les portraits, avant de cadrer de nouveau le général Howe.

« Chacun de ces jeunes enfants que vous voyez sur cet écran a disparu, victime d'un kidnapping. Chaque jour dans notre pays plusieurs enfants appartenant à toutes les communautés sont enlevés à l'affection de leur famille. En 1990, le ministère de la Justice a estimé que 4 600 enfants étaient kidnappés chaque année. Et sur ces 4 600, 300 étaient détenus pendant une longue période de temps, quand ils n'étaient pas assassinés. Dix ans plus tard, le problème n'a fait qu'empirer. »

Il se déplaça vers l'autre écran, sur lequel d'autres photos apparurent, des portraits d'hommes de tous âges, cette fois.

« Chacun de ces individus est connu des services de police pour être un ravisseur d'enfant. En ce moment même, tous ces hommes sont libres et rôdent dans les rues de nos villes, constituant une véritable menace pour les plus jeunes. Nous savons qui ils sont et ce qu'ils ont fait. Les forces de police ne sont pas suffisantes pour tous les arrêter et les livrer à la justice. »

Le général fit face aux caméras. « Mesdames et messieurs, j'ai consacré ma vie à la sécurité de ce pays. Rien ne menace plus notre sécurité nationale qu'une attaque contre nos enfants. Les politiciens parlent souvent de faire la guerre au crime. Je sais ce que faire la guerre veut dire. Et nous sommes loin de la faire. Mais nous devrions.

« Bien que le nombre de soldats ait considérablement diminué au cours de ces dix dernières années, les États-Unis d'Amérique possèdent l'armée la mieux équipée et la plus entraînée du monde. Elle constitue une force que nous devrions employer.

« Ce soir, je demande solennellement au président Sires, dans les dernières semaines de ses fonctions de commandant en chef des armées, de signer un ordre exécutif autorisant l'emploi de personnel militaire pour renforcer la lutte contre les ravisseurs d'enfants. Si je suis élu à la présidence de ce pays, je vous promets que je signerai un tel ordre, de la même façon que je promets qu'il n'y aura pas d'autre mission plus importante que l'arrestation de ceux qui ont enlevé Kristen Howe.

« Je vous remercie. Puisse Dieu bénir l'Amérique et ses enfants. »

Tanya Howe resta figée devant la télé, après que l'image de son père eut disparu. Haletante de rage, elle tourna enfin les yeux vers sa mère.

« Il vient juste d'assassiner mon enfant », dit-elle d'une voix mêlée de colère et de stupeur.

Natalie pâlit, cherchant une réponse. « Ton père est un homme très intelligent, Tanya. Il sait ce qu'il fait.

— Non, moi, je sais ce qu'il vient de faire. » Elle jeta un regard à l'agent du FBI affecté à l'enregistrement des appels téléphoniques. « Allez-vous-en », lui dit-elle.

Sa mère se leva. « Tanya, je t'en prie. N'exagère pas. »

Tanya tremblait de fureur contenue. « Les ravisseurs ont menacé de tuer Kristen si nous faisions appel à la police. Et qu'est-ce qu'on fait ? On invite le FBI à s'installer chez moi et, aux yeux de mon père, je ne suis qu'un prétexte pour déclarer à la télévision qu'il entre en guerre. Et ce serait moi qui exagère ? »

Natalie lui prit la main. « J'aimerais que tu attendes un peu.

— Attendre qu'elle soit morte ? cria-t-elle en se libérant. Non, m'man. Je n'attendrai pas. »

Tanya ramassa le pardessus de l'agent et le lui lança, avant de courir à la porte qu'elle ouvrit en grand. « Hors de chez moi ! Emmenez vos armes, vos radios, vos tanks et vos bazookas, et tout ce dont vous et le général Howe aurez besoin pour déclencher votre guerre et faire tuer ma fille. Sortez ! »

Un air glacé entrait dans la maison. L'agent regarda Natalie. « Je dois obéir aux souhaits de votre fille, madame, dit-il. Nous vous appellerons demain pour savoir si vous maintenez votre décision », ajouta-t-il à l'adresse de Tanya.

Elle claqua la porte sitôt qu'il eut franchi le seuil et resta un moment seule dans le vestibule. Son regard tomba sur une paire de tennis maculées de boue séchée derrière la porte... les tennis de Kristen, là où la petite les laissait toujours, en dépit des remontrances de sa mère.

Tanya en ramassa une et la serra contre son ventre. Elle étouffa un sanglot puis s'adossa au mur, impuissante à retenir ses larmes.

Allison avait suivi la déclaration du général depuis sa maison de Georgetown. Elle appela aussitôt David Wilcox afin de savoir si quelqu'un de leur camp avait eu vent de la demande de rançon. Si la fuite provenait de leur côté, il fallait au plus vite trouver le coupable. Elle chargea son directeur de campagne d'organiser une réunion pour le lendemain à leur QG de campagne, puis se retira dans sa bibliothèque pour rédiger une réponse au général.

Il était un peu plus de dix heures du soir quand on sonna à la porte. La domestique alla répondre, accompagnée d'un agent des services secrets. Allison se rendait à la cuisine pour s'y servir un café lorsqu'elle vit Harley Abrams dans le vestibule.

« Venez avec moi », lui dit-elle.

Harley remit son manteau à la domestique et suivit Allison dans la bibliothèque.

« Voulez-vous du café ?

— Non, je vous remercie. »

Ils s'assirent en vis-à-vis dans des fauteuils en cuir. Harley apprécia la pièce d'un long regard, s'attardant sur les magnifiques lambris et la cheminée de marbre blanc. *À moins qu'il ne cherche les emplacements des microphones.*

« Notre entrevue dans votre bureau aujourd'hui m'a laissé comme un mauvais goût dans la bouche, dit-elle en remuant son café. J'ai eu peur que vous ne pensiez que je vous avais fait entendre cette cassette pour gagner votre sympathie. Voyez-vous, cet enregistrement a quelque chose de sacré pour moi, et j'ai eu le sentiment de vous dévoiler mon âme. Depuis le début de cet enlèvement, j'ai été traitée injustement par mon adversaire. Et le seul moyen que j'avais de vous prouver la pureté de mes motifs dans cette affaire était de vous montrer de façon dramatique que j'avais enduré ce qu'endure Tanya Howe.

— Vous ne pouviez trouver de meilleure démonstration.

— Est-ce pour me dire cela que vous êtes ici ? Ou bien pour mener l'enquête qu'a mentionnée le général dans son discours ?

— Une enquête ?

— Oui. Il a dit que le FBI cherchait à savoir si la fuite concernant la demande de rançon provenait ou non de ma propre équipe.

— Oui, je suppose qu'on peut considérer ma visite comme en faisant partie. »

Allison fronça les sourcils. « Pourriez-vous être un peu plus explicite ? »

Abrams marqua une pause avant de répondre : « Entre nous, cette allégation du général est complètement bidon.

— Ah, nous quittons enfin la langue de bois, nota-t-elle avec un léger sourire. Ma visite de cet après-midi n'aura donc pas été vaine ?

— Non, mais si je ne crois pas à une fuite de votre côté, c'est avant tout parce que vous ne saviez rien de cette demande de rançon. Et je ne vous en ai pas parlé.

— Pensez-vous que l'indiscrétion vienne du général Howe ?

— Et vous ? »

Allison sirota son café, réfléchissant avant de dévoiler sa pensée. « J'ai essayé de raisonner à sa place. C'est vrai qu'il n'est pas riche et qu'il n'a certainement pas les moyens de réunir un million de dollars. Peut-être s'est-il dit qu'en divulguant la demande de rançon il stimulerait les dons privés et parviendrait peut-être à récolter la somme. Et en m'accusant de la fuite, il a cherché non seulement à protéger sa famille et Kristen mais encore à détourner sur moi la colère des ravisseurs.

— Oui, c'est fort possible, dit Abrams. Mais il y a deux ou trois choses qui me font douter de la pureté de ses motifs. »

Ces paroles suscitèrent l'intérêt d'Allison. « Ah oui ? Et lesquelles ?

— D'abord, il y a ce show médiatique, avec sa lourde mise en scène et cette déclaration de guerre, qui est une espèce de fanfaronnade machiste digne d'une production hollywoodienne. Est-ce qu'un homme pleinement conscient du danger de mort planant sur sa petite-fille réagirait de cette façon ?

— Il appartient à l'espèce militaire, et il ne connaît pas d'autre manière de répondre à la menace qu'en menaçant à son tour.

— Certes, mais son attaque contre vous est également étrange. Avant de vous accuser d'avoir divulgué à la presse la demande de rançon, et cela en dépit de la menace des ravisseurs, il se dit persuadé que la fuite ne vient pas des forces de police, reconnaissant par là que c'est lui qui a, le premier, appelé lesdites forces.

— Oui, mais je ne peux pas le prendre en défaut sur ce point. C'est une déduction que les ravisseurs auront faite, dès que leurs exigences ont été rendues publiques.

— Peut-être. Mais si le général avait été réellement soucieux de protéger sa petite-fille, il aurait utilisé son temps d'antenne à assurer aux kidnappeurs que leurs instructions seraient suivies à la lettre par sa famille et par lui. Il aurait pu affirmer que personne n'avait appelé le FBI, et que la fuite devait provenir d'un reporter qui avait très bien pu surprendre une conversation entre Tanya et sa mère grâce à un capteur de sons. Au lieu de cela, il a implicitement admis avoir pris contact avec le FBI, avec la seule intention de tirer sur vous. Et cela m'inquiète, surtout quand on examine en profondeur son discours.

— Qu'avez-vous remarqué d'autre ?

— Sa façon de parler de sa petite-fille.

— C'est-à-dire ?

— Je l'avais déjà observé, et sa prestation télévisée n'a fait que me le confirmer. Il mentionne rarement son prénom, ou le fait en y accolant le nom de famille. Il ne dit jamais "ma petite-fille" mais "l'enfant unique de ma fille" ou bien "cette innocente enfant". Ça n'a l'air de rien, mais j'ai eu l'occasion d'observer le même phénomène il y a dix ans, quand je suis entré au CASKU. C'était l'une de mes premières affaires. Un bébé de trois mois avait disparu. Nous avons interrogé le père. Il a commencé par nous parler du bonheur qui avait été le leur, à sa femme et lui, quand "notre bébé" était arrivé et combien ils aimaient la petite Amy. Puis, comme l'interrogatoire se poursuivait, il nous a confié que pendant trois mois "le bébé" n'avait cessé de pleurer et que "l'enfant" mettait à rude épreuve leur mariage. Fini "Amy", fini "notre bébé". Il se distanciait de son enfant. Il s'est avéré qu'il avait tué "le bébé". »

Allison frissonna. « Mais comment serait-ce possible ? Je pense à cette photo prise le soir de l'enlèvement, qui montre Lincoln Howe en pleurs dans sa limousine ?

— On peut pleurer de chagrin, mais aussi de remords », répondit sans ciller Abrams.

Ils échangèrent un long regard.

« Insinueriez-vous que Lincoln Howe a organisé l'enlèvement de sa propre petite-fille ?

— Non, je n'irais pas jusque-là. Du moins, pas encore. Mais je ne m'interdis aucune hypothèse. Imaginons qu'un de ses subalternes monte le kidnapping afin de propulser son candidat à la présidence. Lincoln Howe découvre la manœuvre mais ne fait rien pour l'arrêter. Et puis, c'est la bavure, Reggie Miles est tué, et tout fout le camp. En quelques heures, notre héros est dans une merde plus noire que Nixon et son Watergate. »

Allison secoua la tête d'un air incrédule. « Non, je ne vois pas le général Howe se lancer dans une pareille aventure. Nous avons des divergences sur bien des points, mais je n'ai jamais douté de son intégrité.

— Il est ambitieux, dit Harley. Suprêmement ambitieux. »

Allison porta son regard vers l'âtre où dansaient les flammes d'un feu de bois. Finalement, elle regarda de nouveau Harley. « Serait-ce donc là le but de votre visite ? L'incrimination de mon adversaire politique ?

— À ce stade de mon enquête, je ne peux rien éliminer, y compris le fait qu'il y ait peut-être un lien entre l'enlèvement de Kristen Howe et celui de votre fille il y a huit ans. »

Allison frémit intérieurement. Elle connaissait le danger des faux espoirs, mais le fait que la possibilité d'une relation entre Alice et Kristen fût envisagée par quelqu'un d'autre ne pouvait que la réjouir. « Qu'est-ce qui vous le donne à penser ?

— À vrai dire, rien pour le moment. Pourtant il y a une chose que j'aimerais examiner de plus près : ce sont les menaces que vous avez probablement reçues durant ces derniers dix-huit mois. Voir s'il y a quelque chose qui pourrait nous dire si la personne qui a enlevé votre fille il y a huit ans a refait surface. »

Allison s'accorda une minute de réflexion. « Non, je ne vois rien, dit-elle enfin. L'attorney général reçoit son lot d'appels injurieux et de lettres de menace d'un tas de cinglés, qui ont tous fait l'objet d'une enquête fédérale.

— Je chargerai quelqu'un de ressortir les dossiers et de creuser un peu plus profondément. J'aimerais établir un profil du ravisseur d'Alice, afin de le comparer à celui de Kristen Howe. Pour cela, j'ai besoin d'exhumer certains détails que vous avez dû refouler pour vous permettre de recommencer de vivre. Je sais qu'il est tard et je n'aimerais pas rouvrir des plaies aujourd'hui cicatrisées, mais ne pourrions-nous pas en parler ? »

Allison respira fortement, comme si l'air lui manquait soudain, puis sourit tristement. « Je vais faire du café », dit-elle en se levant. Elle allait sortir de la bibliothèque quand elle s'arrêta et se retourna. Son expression était troublée, mélange de doute et de curiosité. « Il doit bien y avoir quelque chose qui vous fait soupçonner un lien entre les deux enlèvements. C'est quoi, dites-moi ? »

Harley pinça les lèvres d'un air embarrassé, comme s'il lui coûtait de répondre à la question. « En vérité, c'est juste une intuition, mais pas de celles qui font croire à certains qu'ils ont choisi les bons numéros du loto. Non, il s'agit d'une intuition empirique, d'un sentiment fondé sur mon expérience professionnelle.

— Et que vous dit-elle, votre expérience ?

— L'enlèvement d'Alice a été très singulier. Je ne connais pas une seule affaire où un étranger pénètre dans une maison et arrache un enfant à son berceau. Le ravisseur a pris d'énormes risques et s'est donné beaucoup de mal, ainsi qu'en témoigne l'enregistrement des bruits de bébé. Un stratagème aussi élaboré signifie à mes yeux que celui qui a fait cela n'en avait pas seulement après la petite. Ce qu'il désirait avant tout, c'était vous faire mal. »

Allison frissonna malgré elle. « En quoi l'enlèvement de Kristen Howe présenterait-il une analogie ?

— Il y en a une, bien qu'elle ne soit pas apparente. À première vue, il suffit de voir la montée en flèche du général dans les sondages pour soupçonner un coup monté par son propre camp. Mais ce n'est pas là le véritable but poursuivi par les ravisseurs. Peut-être se fichent-ils pas mal que Lincoln Howe soit le prochain président. Non, ce qu'ils veulent, c'est qu'Allison Leahy perde. Autrement dit, on vous veut du mal. Une fois de plus. »

Elle tressaillit. « Mais pourquoi ?

— C'est justement la question à laquelle je vous invite à réfléchir. » Il jeta un coup d'œil à la tasse de café vide d'Allison. « Un peu plus de café est une excellente idée.

— La caféine ne me fait plus aucun effet, dit-elle en le regardant dans les yeux. Avec ou sans, ça fait huit ans que je ne sais plus ce qu'est une nuit de sommeil. »

11

Le couteau fendit l'air, et la lame en titane se ficha dans la cloison de placoplâtre avec un bruit sourd.

Tony Delgado traversa le salon et inspecta les dégâts. Une série de cercles concentriques tracés au feutre noir à même le mur formait une cible, à présent criblée de profondes entailles dont la plupart flirtaient avec le mille.

« Joli coup », commenta Tony à l'adresse de son jeune frère. Il délogea la lame.

Repo, assis bien droit sur le canapé, semblait perdu dans ses pensées.

Tony descendit le reste de sa canette de bière et ouvrit le frigo. Le pack de douze que son frère avait rapporté de Philadelphie était terminé. « Repo ! cria-t-il. C'est ton tour de bibine.

— Pourquoi ce serait mon tour, j'en bois pas. »

Tony lui donna une tape amicale sur l'épaule. « Tu bois pas, et t'as pas tué non plus Reggie Miles, mais on est tous sur le même bateau. »

Les frères Delgado éclatèrent de rire.

Repo se leva en grommelant. « Vous faites vraiment une paire de rigolos.

— Relax, mec ! dit Tony.

— C'est ça, relax, répliqua Repo. C'est tout ce que tu sais dire. Et moi j'ai qu'à la fermer chaque fois qu'il y a un changement de programme. Merde, on fait rien de ce qu'était prévu. Personne serait tué, et il y aurait pas de rançon. Tout ce qu'on devait faire, c'était garder la fille jusqu'à la fin de cette putain d'élection.

— Exact, Repo. C'est ça qu'on devait faire.

— Ouais, mais c'est pas ce que je viens d'entendre aux infos.

— Encore exact, Repo. Et s'ils le disent, c'est parce que je les ai moi-même rancardés. C'est de la stratégie. D'abord le ravisseur avertit la famille de rien dire aux flics, et puis il tuyaute lui-même la presse. Résultat, ça fout la merde, et tout le monde accuse tout le monde. Stratégie, Repo.

— Alors, cette demande de rançon, c'est du pipeau. Rien que de la... stratégie ? »

Tony fit un pas en avant en tapotant la paume de sa main avec la lame du couteau.

« Tu poses trop de questions, Repo.

— Comme tu disais, on est tous sur le même bateau, alors j'ai le droit de demander pour qui on bosse, non ? Qui donne les ordres ? »

Tony sourit. « Ça fait deux questions différentes. T'as pas à savoir pour qui on bosse. Mais j'répondrai à la seconde. » Il se retourna vivement et lança le couteau, qui se ficha en plein dans le mille. « Tant qu'on gardera la gosse, c'est moi qui donnerai les ordres. »

Il était deux heures du matin. Repo ne dormait pas. Allongé sur le canapé, il contemplait la tache claire du plafond dans la pénombre, pensant à Kristen Howe, seule dans la cave. Il la savait terrifiée. Il avait lu la peur dans ces grands yeux noirs que lui seul avait vus depuis l'enlèvement. Les deux autres n'avaient aucune envie de s'occuper d'une fillette de douze ans, et Repo s'était porté volontaire. Toutes les trois ou quatre heures, il enfilait sa cagoule et accompagnait Kristen dans la salle de bains ou lui apportait un sandwich et un verre d'eau. Tony lui avait ordonné de ne pas enlever le bandeau qui lui couvrait les yeux, mais Repo pensait qu'elle serait moins terrifiée si, de temps à autre, elle pouvait voir qu'elle n'était pas enterrée vivante dans un cercueil ou attachée à un poteau dans une fosse aux serpents.

La chaudière s'ébranla bruyamment, faisant tressaillir Repo. La température avait encore chuté, et la vieille maison pleine de courants d'air semblait incapable de garder la chaleur. Il ramena la couverture sur ses pieds et pensa de nouveau à la fillette. La cave était plus froide que le reste de l'habitation, et il n'était pas sûr que la bouche de chauffage fût ouverte. La gosse était peut-être en train de geler. Il se leva, enfila son pantalon et, ramassant sa cagoule, prit la direction du couloir.

Des ronflements sonores provenaient de la chambre, où les frères Delgado cuvaient leur caisse de bière. Il risqua un regard par la porte entrebâillée. Étendus à moitié déshabillés en travers du lit, ils paraissaient plus inconscients qu'endormis. Sans le bruit de leurs respirations, on les aurait crus morts, une perspective qui ne manquait pas de charme, pensa Repo. Il se recula et gagna sur la pointe des pieds la porte de la cave. Il enfila sa cagoule et surprit son reflet dans le miroir de la salle de bains au fond du couloir.

Il se trouva proprement effrayant. Il hésita. Il ne pouvait se montrer à visage découvert, mais il n'avait pas pour autant besoin de ressembler à un terroriste. Il ôta la cagoule, alla prendre un essuie-mains dans la salle de bains, et s'en masqua le bas du visage. Il se regarda dans la glace. Il ressemblait maintenant à l'un de ces bandits de grands chemins qu'on voyait dans les vieux westerns. Il avait l'air beaucoup plus humain.

Repo prit la lampe électrique accrochée à un clou dans la cloison, ouvrit la porte de la cave, descendit deux marches, et referma derrière lui.

L'ampoule était grillée, et le faisceau de la torche trouait l'obscurité. L'escalier, abrupt et étroit, grinçait et branlait sous son poids. Il s'arrêta à mi-chemin, surpris par cette odeur qui lui rappelait la cave de la maison familiale à Philadelphie, où il avait passé d'innombrables heures à jouer au ping-pong et au billard japonais.

Il reprit sa descente et parvint au bas des marches. Le sol en ciment était recouvert d'un lino craquelé, rongé de moisissure aux endroits où de l'eau s'était infiltrée. L'humidité gondolait les lattes de parquet lambrissant les murs. Des planches condamnaient le soupirail au-dessus de l'évier. Il y avait une lampe coiffée d'un abat-jour poussiéreux sur une vieille commode. Repo l'alluma et éteignit sa torche.

Dans la faible lumière, il vit Kristen couchée sous une couverture de l'armée sur le mince matelas d'un canapé-lit. Épinglée au cadre métallique par deux paires de menottes, l'une aux poignets, l'autre aux chevilles, elle avait les yeux bandés et un bâillon sur la bouche.

Kristen se raidit de tout son corps en prenant conscience d'une présence dans la pièce.

Repo s'approcha lentement, pour ne pas l'effrayer, et s'assit sur la chaise à côté de la couche. Se penchant vers elle, il murmura : « Je vais t'enlever ton bandeau. »

Elle ne bougea pas.

Il passa ses mains derrière la tête de la fillette et dénoua avec précaution la bande de tissu. Les longs cils noirs battirent un instant, comme si la faible lumière baignant la cave avait l'éclat d'un soleil. Repo la regarda ouvrir lentement ses grands yeux marron. Tel un ange se réveillant d'un cauchemar, pensa-t-il. Finalement, leurs regards se rencontrèrent.

Elle eut l'air confuse, comme étonnée de le voir sans sa cagoule. Elle avait peur, mais beaucoup moins que la dernière fois qu'il lui avait rendu visite.

« Tu sais, je te veux aucun mal, dit-il dans un chuchotement. Et si tu as confiance en moi, tout se passera bien. »

Il était plus de trois heures du matin quand Allison prit congé de Harley Abrams. Elle gagna l'étage, se déshabilla rapidement et se glissa sous les couvertures à côté de Peter, qui dormait profondément.

Couchée sur le dos, la tête enfoncée dans la douceur de l'oreiller, elle ne sentait plus son corps, tant elle était épuisée, mais son esprit bourdonnait encore de sa conversation avec Abrams. Incapable de fermer les yeux, elle finit par distinguer dans l'obscurité les objets familiers de la chambre.

Elle tourna la tête vers Peter. Son profil était à peine visible, et, cependant, sa mémoire plus que ses yeux en reconstituait parfaitement les traits. Allison était très douée pour se souvenir de petits détails physionomiques, tels la forme des yeux, la courbe des joues ou le modelé d'un nez. C'était là une faculté d'observation qu'elle avait longuement travaillée depuis la disparition d'Alice. La mémoire avait une remarquable capacité de compensation quand elle était tout ce qui vous restait.

Elle était aussi une arme à double tranchant. Les quatre heures en compagnie de Harley Abrams avaient réveillé les journées noires du passé, et leurs nuits blanches.

Allison finit par poser sur ses yeux le second oreiller garni de duvet d'oie. Au bout de quelques minutes, elle n'entendit plus rien, ne vit plus rien, ne sentit plus que l'air qu'elle respirait. Les paupières closes sous le poids des plumes, elle contemplait un vide à la couleur laiteuse. Puis, comme le sommeil l'emportait, cette blancheur prit forme. Une bâtisse blanche. Une porte blanche. Des colonnes blanches. La Maison-Blanche...

Allison referma la lourde porte du portique nord et avança dans le vaste et sobre hall d'entrée. Le rez-de-chaussée était sombre et désert. Elle actionna l'interrupteur, et le lustre de cuivre au-dessus du grand escalier s'alluma. Elle s'approcha des marches et appela : « Ohé ? »

Seul l'écho lui répondit. Elle frissonna soudain en réalisant qu'elle était chez elle, que cette maison était la sienne, et qu'elle était seule.

Elle monta l'escalier. Elle n'avait pas encore atteint le palier qu'elle entendit une voix. Elle s'arrêta pour mieux écouter, puis grimpa rapidement le reste des marches.

Un long couloir s'étendait de chaque côté. Des appliques de cristal pourvoyaient juste assez de lumière pour qu'elle pût distinguer le bout de chacun des deux corridors.

Elle hésitait, à présent, ne sachant si elle devait aller à droite ou à gauche, quand elle perçut de nouveau la voix, plus clairement cette fois.

« Maman ! » C'était l'appel d'une fillette, et il provenait de derrière une porte dans le couloir de droite.

Allison se précipita, tourna en vain la poignée, martela le battant de ses poings. « Alice ! hurla-t-elle. Je suis là ! Je suis là ! »

Elle poussa de son épaule, pesa de tout son poids. Sans résultat. Elle chercha des yeux une chaise ou quelque chose avec quoi démolir cette porte et se figea. Tout au bout du couloir se tenait une toute jeune fille à la chevelure noire, vêtue d'une robe rose plissée. Allison ne pouvait distinguer ses traits dans la faible lumière, mais elle entendit sa voix comme si la fillette était à côté d'elle.

« Je m'appelle Kristen, pas Alice. »

Allison s'élança, mais l'enfant disparut dans une chambre en claquant la porte derrière elle. Une fois de plus, la poignée refusa de céder.

« Ouvre, Kristen ! » Elle cogna derechef le panneau de bois et s'arrêta abruptement, en proie à une étrange sensation. Elle se tourna sur le côté. À l'autre extrémité du long corridor, une petite fille blonde portant la même robe rose plissée semblait l'attendre. Si le visage était flou, la voix, elle, portait avec force.

« Je m'appelle Alice, pas Kristen !

— Alice ! » Elle se précipita, mais la fillette se réfugia dans une pièce et referma derrière elle. Allison se jeta sur la poignée qui, cette fois, céda. Elle ouvrit la porte à la volée, et s'arrêta net.

Ce n'était pas une pièce d'habitation.

Le souffle court, elle observa l'étrange environnement. D'épaisses tentures de velours rouge flanquaient la sombre entrée d'un espace meublé de quatre fauteuils vides faisant face à la balustrade en cuivre d'un balcon. Celui-ci paraissait suspendu au-dessus d'une fosse obscure.

Allison s'avança jusqu'au balcon, et recula, effrayée, en découvrant la foule des spectateurs assis face à la scène éclairée. Un éclat de rire monta de la salle, saluant la réplique d'un des comédiens.

Allison, la gorge sèche, comprit qu'elle était dans une loge de théâtre. Elle perçut le froissement des tentures dans son dos. Elle se retourna vivement et découvrit un homme au visage grimaçant de colère ; elle ne l'avait jamais vu mais, étrangement, avait le sentiment de le connaître. Elle allait même en prononcer le nom, quand il pointa sur elle un pistolet et fit feu à bout portant. La détonation résonna dans la salle, étouffant le cri d'Allison. Elle se sentit tomber à la renverse, passer par-dessus la balustrade et chuter lentement dans le vide, tandis que s'élevaient dans le vieux Ford Theater les cris d'angoisse et les paroles inoubliables de Mary Todd Lincoln [1].

« Ils ont tué le président ! Ils ont tué le président ! »

« Allison ? »

Allison se réveilla en sursaut. Elle était trempée de sueur et hors d'haleine.

« Ça va ? » demanda Peter en allumant la lampe de chevet.

Elle cligna des yeux. « Quel horrible rêve, dit-elle d'une voix tremblante, en serrant la main de Peter. J'ai l'impression de devenir folle.

— Tout va bien. Je suis là.

— Je te le dis sincèrement, Peter, s'ils ne retrouvent pas rapidement Alice, je ne sais pas ce que je ferai.

— Kristen.

— Quoi ?

— Tu as dit “s'ils ne retrouvent pas Alice”. Tu voulais dire Kristen. »

Les yeux d'Allison s'embuèrent de larmes. « Bien sûr, dit-elle, tandis que Peter la serrait contre lui, je voulais dire Kristen. »

---

1. Le président Abraham Lincoln fut assassiné par un acteur sudiste, alors qu'il assistait à une représentation théâtrale. *(N.d.T.)*

12

Harley Abrams parvint à dormir un peu dans l'avion qui le déposa à Nashville le jeudi matin à neuf heures. La décision de Tanya Howe d'interdire sa maison au FBI était compréhensible, étant donné les circonstances, et Harley avait déjà vu d'autres parents exiger, sous la menace d'un ravisseur, le retrait de la police. Toutefois, dans la mesure où la première demande de rançon avait été adressée au domicile de Tanya, son refus d'autoriser le FBI à placer sur écoute sa ligne téléphonique risquait de gêner considérablement l'enquête.

Harley se rendit chez Tanya avec une collègue attachée au bureau fédéral de Nashville dans une voiture banalisée. Il tenait à démontrer à la jeune mère que le FBI pouvait lui rendre visite incognito en se faisant passer pour un couple d'amis ou de voisins venu soulager une mère en détresse de ses tâches ménagères. Ce fut donc les bras chargés de sacs d'épicerie et de deux ou trois ustensiles de cuisine qu'ils sonnèrent à la porte.

« Allez-vous-en, monsieur Abrams ! » leur cria Tanya en se gardant d'ouvrir.

Harley se rapprocha du judas. « Tanya, si quelqu'un nous observe, il vaut mieux nous ouvrir plutôt que de nous refuser d'entrer. Tout ce que je vous demande, c'est de nous accueillir comme si nous étions des amis, et non le FBI. »

Trente secondes s'écoulèrent, puis un verrou claqua, et la porte s'ouvrit. Jouant son rôle, Tanya embrassa la femme comme elle l'aurait fait pour une amie intime, puis les invita à entrer. Mais, sitôt qu'elle eut refermé la porte, son visage se durcit. « Je croyais avoir été claire : je ne veux plus de vous dans ma maison.

— Je sais, dit Harley. Pourrais-je vous parler un moment ? Si vous persistez dans votre décision après avoir entendu mes arguments, je vous promets que nous respecterons vos vœux. »

Tanya paraissait sceptique, mais elle n'en prit pas moins leurs manteaux et les invita à passer dans la salle à manger. Harley et sa collègue prirent place d'un côté de la table, Tanya de l'autre. L'hostilité de la fille du général Howe était tellement tangible que Harley tenta de dégeler l'atmosphère. Il se força à bâiller.

« Excusez-moi, dit-il. J'ai eu une longue conversation, cette nuit, avec l'attorney général, et je n'ai pratiquement pas dormi.

— Ah oui ? fit Tanya avec un mépris non déguisé. Est-ce que ses brillants conseillers ont trouvé le moyen de faire mieux que la déclaration de guerre de mon père ?

— Ça, je l'ignore. Mais, à ce sujet, je veux que vous sachiez que le FBI n'est pour rien dans le discours de votre père. Il s'est livré à cet exercice de son propre chef.

— Est-ce cela que Mme Leahy vous a prié de me rapporter ?

— Elle ne sait même pas que je suis venu vous voir. Pour tout vous dire, elle et moi, nous avons passé la nuit à évoquer l'enlèvement de sa propre petite fille de quatre mois, il y a huit ans. On ne l'a jamais retrouvée. Et jamais arrêté non plus le ravisseur. »

L'expression de Tanya perdit un peu de sa fureur contenue.

Harley, sentant une ouverture, prit un ton plus confidentiel. « Il m'est venu une idée. Oh, ce n'est qu'une hypothèse. Et je n'ai pas encore la moindre preuve pour l'étayer. Mais je vous la livre tout de même : je me demande si la fille de Mme Leahy et Kristen n'ont pas été enlevées par la même personne. Évidemment, c'est une théorie que le FBI aurait le plus grand mal à développer si vous vous refusiez à coopérer. »

Tanya secoua la tête d'un air agacé. « Je vous en prie, ne tournez pas autour du pot. Demandez-moi simplement ce que vous voulez savoir.

— Fort bien. Ce qui m'a troublé dans l'affaire de Mme Leahy, c'est l'enlèvement lui-même. Le ravisseur s'est introduit par effraction dans sa maison, alors que Mme Leahy était chez elle, il a pris l'enfant dans son berceau et est reparti par la fenêtre par laquelle il était entré. C'est là un procédé très inhabituel. La plupart des kidnappeurs agissent dans des endroits publics, tels les parcs, les grands magasins ou encore la rue. Souvent, l'enfant est victime d'un stratagème. Un homme jouant les figures paternelles offrira vingt dollars à un jeune garçon si celui-ci accepte de l'aider à retrouver son chien qui s'est perdu. Ce genre de choses.

— C'est ce qui serait arrivé à Kristen, d'après vous ? »

Abrams haussa les épaules. « Je ne sais pas. Nous n'avons pas de témoins. Nous savons seulement qu'ils ont pris le van et tué Reggie Miles. L'homme n'a pas péri noyé. L'autopsie a révélé de nombreuses traces de coups, dont un traumatisme crânien. Il s'agirait donc de toute évidence d'un enlèvement de force, ce qui donnerait un peu plus de crédit à mon hypothèse, car la petite Alice – le bébé de Mme Leahy – a aussi été victime d'une action violente.

— De toute façon, je ne vois pas Kristen se faire avoir par la ruse, dit Tanya.

— Vous l'avez avertie des dangers qu'il y avait à parler avec un inconnu, a fortiori à le suivre ?

— Naturellement. Quelle mère ne le ferait pas, aujourd'hui ? Mais il y a des choses que l'on ne peut pas enseigner. Kristen a toujours eu de la jugeote. C'est une fille très intelligente.

— Les ravisseurs ne sont pas bêtes non plus, et bien des gosses brillants se sont fait avoir. »

Tanya Howe eut un sourire triste. « Laissez-moi vous parler de Kristen. Elle avait quatre ans quand elle a suivi sa première lecture commentée de la Bible, et elle est revenue à la maison en déclarant qu'elle avait tout appris sur Adam et Ève. C'était si mignon sa façon de me raconter. Ils vivaient dans un beau jardin et avaient tout ce qu'ils voulaient, mais il y avait les fruits d'un pommier que Dieu leur avait interdit de manger. Un jour, un gros serpent qui se trouvait dans le pommier a invité Ève à croquer une pomme. Elle a cédé à la tentation, et Adam aussi. Dieu était très en colère, et il a dit à Adam et Ève d'aller se chercher un autre jardin.

« "Maintenant, Kristen, je lui ai dit, quelle est la morale de cette histoire ?" Elle a réfléchi un peu, puis a levé des yeux brillants vers moi et m'a répondu : "M'man, il faut jamais parler avec les serpents." »

Un sourire éclaira le regard de Harley.

Tanya s'était animée à ce souvenir, mais son visage s'assombrit de nouveau. « Je peux vous garantir, monsieur Abrams, que Kristen n'a jamais parlé aux serpents. Et ces monstres n'ont pu m'enlever ma Kristen que par la force, comme ils l'ont fait avec l'enfant de Mme Leahy.

— Je vous remercie de votre aide, mademoiselle Howe. »

Tanya se leva. « Il est temps de vous en aller, maintenant. » Elle tendit leurs manteaux aux agents, qui la suivirent dans le vestibule.

« J'aimerais que vous reveniez sur votre décision et permettiez le retour de nos hommes, mademoiselle Howe, dit Harley. Il me semble que vous pourriez nous faire davantage confiance.

— Monsieur Abrams, je suis une femme noire, née et élevée dans le Sud. La première fois que j'ai entendu parler du FBI, ç'a été pour apprendre qu'il était l'auteur des écoutes téléphoniques illégales dont étaient victimes tous les dirigeants noirs menant le combat pour les droits civiques. Aussi le FBI a encore une longue route à faire avant de venir chez moi et de s'attendre à ce que je lui accorde ma confiance. » Sur ce, Tanya ouvrit la porte.

Harley laissa sa collègue sortir la première. « Je me garderai bien de défendre les agissements du FBI durant l'époque de J. Edgar Hoover, dit-il d'un ton pénétré. Mais je peux vous certifier une chose : les ravisseurs vont reprendre contact avec vous. Comme pourrait le dire Kristen, vous allez devoir parler aux serpents. Et quand vous le ferez, vous regretterez que nous ne soyons pas à vos côtés. » Il la salua et regagna sa voiture.

Allison grappilla quelques heures de sommeil et, en retard, fila à la réunion de son état-major de campagne, fixée à neuf heures du matin. C'était la première fois depuis l'enlèvement de Kristen Howe que ses stratèges avaient de nouveau l'occasion de se concerter.

Il était neuf heures vingt quand elle arriva à la permanence du parti démocrate sise dans South Capitol Street.

Elle s'amusa de voir que la grande bannière « LEAHY PRÉSIDENTE » tendue en travers de la façade proclamait son message juste en face des bureaux du cabinet d'avocats qui n'avait pas voulu d'elle à la seule lecture de son curriculum vitæ. Au bout d'une demi-heure en compagnie de l'avocat recruteur – un aristocratique ancien de Yale –, elle avait compris qu'elle ne serait jamais engagée. Non seulement elle était une femme mais encore elle venait d'une université d'État qui n'était pas proche géographiquement de l'Ivy League[1]. L'invitation à déjeuner, purement formelle, n'avait été qu'un lot de compensation pour la petite provinciale qu'elle était. Elle avait décliné puis avait ajouté de son plus bel accent du Middle West : « Ce qui me plairait vraiment, monsieur, c'est de prendre le chemin de fer métropolitain. » Et dire que ce crétin lui avait donné un dollar, avec les indications pour se rendre à la plus proche station de métro ! Elle avait passé

1. Regroupe les huit grandes universités du Nord-Est. La ligue doit son nom au fait que les murs des bâtiments sont traditionnellement recouverts de lierre. *(N.d.T.)*

le restant de sa journée à rêvasser dans la salle des présidents, à la National Portrait Gallery.

Allison laissa son agent des services secrets à la réception.

« Bonjour, madame Leahy, commença la jeune femme qui s'occupait de la photocopieuse. Ils vous attendent dans la grande salle.

— Merci », dit Allison en s'enfilant dans le couloir. Elle allait ouvrir la porte quand elle perçut la voix de David Wilcox.

« Mais je m'en branle de ce que peut penser Allison ! » tempêtait élégamment son directeur de campagne.

Allison garda la main sur la poignée et continua d'écouter.

« Le fait est, poursuivit Wilcox, que l'enlèvement de Kristen Howe va décider de l'élection. Nous avons vu le facteur de compassion propulser le général en tête des sondages. Puis ces merveilleuses photos où il chiale comme un gosse nous ont remis en selle. Et voilà que ses déclarations de matamore lui redonnent l'avantage. La question n'est plus de savoir si nous devons politiser ou pas cette affaire de rapt, mais comment nous allons l'utiliser.

— Je n'en suis pas certain, répondit de son doux accent sudiste le gouverneur Helmers, le candidat d'Allison à la vice-présidence. Avec son discours d'hier au soir, poursuivit-il, Howe a condamné à mort sa propre petite-fille. Personnellement, je poursuis la campagne, et mon avis est qu'Allison devrait faire de même. Sa promesse lors de la conférence de presse de tout arrêter pour mieux se consacrer à l'enquête est une grosse erreur. Elle devrait au contraire rester le plus éloignée possible de cette affaire. Que la merde retombe sur Howe et le FBI quand ils sortiront le cadavre de la gosse des eaux du Potomac.

— Mais on ne peut non plus rester à l'écart et attendre le dénouement, intervint un autre homme qui était son conseiller médiatique. Après tout, la gosse peut très bien s'en tirer saine et sauve. »

Allison, frémissant d'indignation, attendait que l'un des ces messieurs réplique : « Allons, ne nous parle pas de malheur ! » Ce qui suivit ne valait pas mieux.

« Non, les ravisseurs la tueront, protesta un autre. Je suis même sûr que c'est déjà fait.

— D'accord, admit Wilcox, supposons le pire. La petite est morte, mais on ne le découvre qu'après l'élection. Que se passe-t-il ?

— Quoi, que se passe-t-il ? dit le gouverneur Helmers. Ce sera trop tard. L'élection sera terminée.

— C'est bien ce que je veux dire, reprit Wilcox. Il sera trop tard. Aussi, on a intérêt à se remuer dare-dare.

— Qu'avez-vous en tête, David ? » demanda Helmers.

Il y eut un silence. Allison colla presque l'oreille au battant pour entendre la réponse. Finalement, la voix de Wilcox s'éleva de nouveau.

« Nous devrions parler d'Alice, la fille de l'attorney général. Dire avec quel courage Allison a affronté l'enlèvement de son bébé. Comment elle a sublimé sa détresse en entreprenant une croisade nationale pour ouvrir les yeux du public sur les dangers guettant les enfants. Rappeler avec force la législation qu'elle a mise en place dans cette intention et l'œuvre immense qu'elle a accomplie auprès des associations venant en aide aux enfants disparus et exploités, avant même qu'elle devienne attorney général.

— Je ne pense pas qu'elle accepte de faire ça, dit Helmers.

— Il n'y a pas d'autre solution, insista Wilcox.

— Je me suis mal exprimé : jamais Allison ne fera ça.

— Très bien, envisageons la question sous un autre angle, dit Wilcox. De toute façon, il ne suffirait pas de rappeler l'œuvre d'Allison pour remporter la bataille. La seule manière de neutraliser la dynamique Howe, c'est de personnaliser ce qu'a été pour Allison la disparition de la petite Alice.

— Que voulez-vous dire par "personnaliser" ?

— Exhumer cette tragédie, raconter aux gens le calvaire d'Allison.

— Allons, David, laissez tomber.

— Nous procéderons avec subtilité. Je ne sais pas... nous pourrions ressortir des archives une photo du bébé et l'imprimer de nouveau sur les bouteilles de lait. »

Helmers gloussa. « Vous parlez de subtilité ! Pendant que vous y êtes, pourquoi ne pas sortir un nouveau slogan ? "Allison Leahy, la présidente à la lettre écarlate[1]. Ne pensez pas adultère, pensez Alice." »

Un éclat de rire emplit la pièce. Allison poussa la porte et apparut sur le seuil. Le silence se fit.

« Pas mal comme slogan, Helmers, dit-elle. Mais je préfère les bouteilles de lait », ajouta-t-elle en tournant son regard vers Wilcox.

Les hommes ravalaient leur honte, immobiles et muets. Ce fut Wilcox qui parla le premier. « Allison, nous ne vou...

— Ne vous fatiguez pas, David, l'interrompit-elle. Continuez donc sans moi, et habituez-vous-y, car, que je perde ou que je gagne l'élection, vous ne serez jamais plus à mes côtés. »

Sur ces paroles, elle se détourna et s'en fut dans le couloir.

Wilcox courut après elle. « Allison, il faut que nous parlions. »

---

1. Référence à la lettre A peinte en rouge sur le front des femmes coupables d'adultère. *(N.d.T.)*

Elle s'arrêta et lui fit face, le visage rouge de colère. « Depuis le début de cette campagne, j'ai posé une seule condition, ayant valeur de loi inviolable : personne ne ferait de mon drame personnel un instrument politique. Ne l'ai-je pas dit ?

— Allison...

— Ne l'ai-je pas dit ? répéta-t-elle en forçant la voix.

— Oui, vous l'avez dit, mais...

— Mais vous vous en "branlez", comme vous disiez il y a un instant. Imaginez un peu ce que l'on peut ressentir à la vue de la photo de sa propre fille sur un carton de lait ou sur un panneau à la poste, parmi les photos d'une centaine d'autres enfants disparus depuis des années et que leurs parents ne retrouveront jamais. Imaginez ce que c'est que d'aller faire vos courses au supermarché et de regarder tous les bébés dans leurs poussettes en pensant que c'est peut-être le vôtre. Imaginez enfin ce que vous ressentez quand vous entendez votre propre directeur de campagne brandir la brillante idée d'exhumer, de "personnaliser" cette histoire à des fins politiques.

— Je n'étais pas sérieux.

— Ô que si, vous l'étiez ! N'aggravez pas les choses en me mentant. Je vous en prie, restez hors de ma vue pendant quelque temps. »

Elle le planta là et se hâta de sortir.

Un coup de vent glacial l'accueillit dehors. Elle s'engouffra dans la limousine. Son garde du corps referma la portière derrière elle, monta devant, et la voiture démarrait quand Wilcox surgit sur le trottoir et se mit à courir à côté de la limousine, cognant de l'index à la vitre et criant : « Allison, je vous en prie ! »

« Accélérez », ordonna-t-elle au chauffeur.

La limousine prit aussitôt de la vitesse, laissant Wilcox sur la chaussée, tremblant de froid sans son veston.

13

Kristen Howe n'a pas peur.

Allongée sur le dos dans une cave glacée sur un méchant matelas de mousse, Kristen ne cessait de se répéter la même pensée. Ces paroles s'imprimaient dans son esprit comme un mantra destiné à conjurer les mauvais esprits. Cela lui rappelait le temps de sa petite enfance, quand elle avait peur de dormir dans le noir. Quand les démons de la nuit se faisaient trop menaçants et que son cœur se mettait à battre follement, et qu'elle entendait la voix rassurante de sa mère.

Kristen Howe n'a pas peur. C'est seulement son imagination.

Cette fois, cependant, elle ne rêvait pas plus qu'elle n'imaginait ce qui lui arrivait. Il lui suffisait pour s'en assurer de sentir le bandeau qui la plongeait dans le noir et le bâillon qui lui scellait les lèvres, de tirer sur les anneaux de métal passés autour de ses poignets et de ses chevilles. Il y avait aussi cette douleur à la vessie, à force de retenir son envie d'uriner. Enfin, elle ne pouvait douter de la réalité de ces bruits de pas et de voix au-dessus d'elle.

Pourtant, par moments, une impression d'irréalité dominait.

Elle se rappelait être descendue du minibus pour faire à pied le reste du trajet. Agacée par Reggie qui la suivait de trop près, elle s'était arrêtée et avait ouvert la portière. Le chauffeur portait un masque à l'effigie de Lincoln Howe, mais ce n'était pas Reggie. Il l'avait saisie par le poignet et l'avait tirée à l'intérieur. Le reste, toutefois, n'était qu'une suite brumeuse de sensations : des mains lui immobilisant les jambes, un sac enfoncé sur sa tête lui masquant la lumière, une douloureuse piqûre dans la cuisse, suivie très vite d'une impression d'apesanteur et d'engourdissement, comme la fois où elle avait été opérée des amygdales.

Et puis elle s'était réveillée, ligotée, bâillonnée, les yeux bandés, prisonnière des ténèbres. Hier, ou peut-être avant-hier, on lui avait enlevé son bandeau. La lumière soudaine l'avait aveuglée, jusqu'à ce qu'elle discerne enfin un homme à côté d'elle, le visage dissimulé sous une cagoule noire ; son bâillon l'avait empêchée de hurler de peur.

Au bout de quelque temps, les visites que lui rendait l'homme étaient devenues pour elle un repère marquant le passage du temps, un rituel qui lui rappelait qu'elle était toujours en vie. Il venait, lui enlevait les menottes, puis la conduisait en haut par l'escalier en bois jusqu'à la salle de bains, où il lui ôtait le bandeau et le bâillon avant de la laisser seule avec du savon, une brosse à dents et une serviette. Ensuite, il lui donnait à manger. Elle avait un peu moins peur à chaque fois, mais la cagoule lui donnait des frissons. L'homme était gentil avec elle. Attentif à ses besoins, il lui demandait si elle avait assez mangé, si elle voulait une autre couverture.

À présent, Kristen connaissait suffisamment la voix de son gardien pour la distinguer des deux autres quand les trois hommes parlaient là-haut. Elle ne pouvait percevoir distinctement tout ce qu'ils disaient, surtout quand la chaudière fonctionnait. Mais elle en avait entendu assez pour savoir qu'il était le seul à s'occuper d'elle et à s'assurer qu'elle n'eût ni faim ni froid. Il avait même menacé l'un des deux autres, lui disant que personne ne ferait de mal à la fille. Son nom était Repo. C'était ainsi que l'autre l'avait appelé.

« Il fait jour, Kristen. »

C'était lui, Repo, et sa voix la fit frissonner malgré elle. Kristen se raidit en sentant qu'il lui enlevait son bandeau. Elle ouvrit lentement les yeux en clignant des paupières. La lampe à abat-jour sur la vieille commode éclairait la cave d'une lueur jaunâtre. Les planches qui barraient le soupirail au-dessus de l'évier l'empêchaient de savoir si ce qu'il disait était vrai, à savoir s'il faisait jour.

La veille, il était passé la voir, et il lui avait parlé pendant un bon moment. Il ne lui avait rien dit de mal et avait même cherché à la rassurer, néanmoins, elle n'avait pu s'empêcher d'être inquiète. Après tout, elle était sa prisonnière et elle pouvait difficilement le croire quand il lui disait qu'elle ne devait pas avoir peur de lui.

Elle gardait les yeux fixés sur une fissure du plafond. Lui se tenait près de la lampe, et son ombre s'étendait en travers du lit. Elle ne pouvait trouver le courage de tourner de nouveau la tête vers lui. La nuit dernière, quand il lui avait enlevé le bandeau, elle l'avait aperçu sans sa cagoule, et elle ne désirait pas en voir plus. Mais, comme le silence semblait s'éterniser, elle sentit la curiosité se mêler à sa frayeur et elle éprouva la tentation de regarder, comme les enfants apeurés dans leur lit risquant un regard par-dessus le bord de la couverture.

Kristen Howe n'a pas peur.

Elle se risqua enfin à tourner légèrement la tête, et retint son souffle, maîtrisant sa peur.

Il avait encore, comme la veille, remplacé sa cagoule par un essuie-mains ou un foulard, qui masquait la partie inférieure de son visage. Elle détourna aussitôt la tête et ferma les yeux, en proie à une grande confusion devant ce changement d'attitude.

Il voulait se montrer amical, faire la conversation. Mais elle ne parlait jamais aux étrangers, ne parlait jamais aux serpents. Et les « étrangers » n'étaient pas seulement des pervers qui maraudaient, la bave aux lèvres, près des aires de jeux des petits. « Dis non, cours et avertis quelqu'un », telle était la règle que sa mère lui avait enfoncée dans le crâne. C'était une bonne règle à suivre tant qu'on n'était pas victime d'un enlèvement. Mais que pouvait une enfant, une fois kidnappée ?

« Je vais t'enlever ton bâillon », dit-il à voix basse.

Encore un autre changement. Kristen se raidit de nouveau, tandis que Repo tirait doucement sur l'adhésif, libérant les lèvres. Elle reprit son mantra pour conjurer sa peur. En vain. Elle avait envie de crier, mais elle savait que seuls les deux autres, là-haut, ceux qui étaient méchants, entendraient ses cris.

Non, hurler était une mauvaise idée. Même Repo, qui avait l'air gentil, pourrait paniquer et la frapper. Il garderait son calme tant qu'elle-même resterait tranquille ou ferait semblant de l'être. Oui, faire semblant et aussi se servir de son charme. Les gens disaient que charmeuse comme elle l'était, elle aurait pu vendre des parasols à des Esquimaux. C'était même grâce à ce fameux charme qu'elle avait su convaincre Reggie Miles de la laisser arriver à pied au collège.

Reggie ? Que lui était-il arrivé ? Il était tellement bon avec elle. Il remplaçait le grand-père qu'elle n'avait jamais eu. Le vieil homme simple mais intelligent qui lui avait prédit qu'elle aurait déjà brisé plus d'un cœur quand elle aurait vingt ans et que rien ni personne ne lui résisterait jamais.

Peut-être que c'était vrai. Peut-être qu'elle pourrait charmer le serpent et le convaincre de la laisser partir. Pour ce faire, il faudrait qu'elle lui parle, qu'elle soit aimable avec lui, qu'elle le flatte même.

Kristen était trop terrifiée pour articuler un seul mot. Pour le moment, elle était paralysée de peur. Son mantra ! *Kristen Howe n'a pas peur. Kristen Howe n'a pas peur...*, dit la voix dans sa tête.

Étrangement, ce n'était pas la sienne, ni même celle de sa mère. Non, c'était un timbre plus grave, plus rassurant, un son qui évoquait une étreinte amicale en un lieu lointain, où tout n'était que paix et sécurité. C'était la voix de Reggie. Bien sûr, ce n'était que son imagination, mais elle n'en éprouvait pas moins une chaleur dans son corps. Elle avait moins peur. Elle se sentait même le courage de passer à l'action.

« C'est l'heure du p'tit dèje », dit Repo.

Une boule semblait obstruer la gorge de Kristen. Écoute la voix, se dit-elle. Écoute Reggie. Elle remua les lèvres et dit la première chose qui lui vint à l'esprit.

« Est-ce que... est-ce que je pourrais avoir des céréales, aujourd'hui ?

— Bien sûr. Lesquelles tu veux ?

— Des Fruit Loops ? » Elle se mordit la lèvre. Elle n'aimait même pas ça, les Fruit Loops.

« D'accord, j'irai t'en acheter. »

Il y eut un bruit de pas au-dessus. Une porte grinça sur ses gonds. L'un des deux autres hommes était réveillé.

« Faut que j'y aille, dit Repo. Quoi qu'il arrive, ne dis pas aux autres qu'on a parlé tous les deux. D'accord ? »

Elle hocha timidement la tête puis retint son souffle alors qu'il lui remettait, toujours avec douceur, le bandeau et le bâillon. Elle l'entendit s'éloigner et compta les pas sur les marches en bois. La porte d'en haut s'ouvrit, se referma ; le silence retomba.

Kristen n'était pas mécontente d'elle. Elle avait fait le premier pas, amorcé un dialogue. Peut-être se sortirait-elle de là grâce à Repo. Après tout, il ne faisait pas semblant d'être gentil avec elle, comme elle l'avait d'abord pensé. Elle l'avait entendu prendre sa défense et dire que personne ne toucherait à la « petite ».

La panique l'étreignit soudain, alors qu'elle prenait conscience de son erreur.

Kristen Howe n'a pas peur, se dit-elle en frissonnant à la pensée de ce que les deux autres pourraient lui faire pendant que Repo était sorti lui acheter ces cochonneries de Fruit Loops.

La limousine s'arrêta à un feu de croisement dans Pennsylvania Avenue. Allison considéra d'un regard distrait le mélange d'immeubles d'habitations, de commerces et de restaurants qui rajeunissaient l'avenue, voie obligée des grands défilés.

Cette scène au quartier général de sa campagne lui nouait encore le ventre, et elle se demandait si elle avait eu un accès de colère aussi légitime que passager ou bien si elle avait réellement renvoyé son directeur de campagne à cinq jours de l'élection.

Son emportement n'avait pas eu pour seule raison les propos qu'elle avait surpris. Il y avait d'abord cette histoire de photographies. Elle était sûre que Wilcox n'avait rien à voir avec cet énergumène qui l'avait mitraillée sur les berges de la rivière, à Nashville. Cependant, elle doutait que cette photo du général en pleurs eût été communiquée à la presse sans l'aide de David.

Elle aurait aimé ne plus penser à ce pénible incident, mais il y avait une chose, toutefois, qu'elle ne pouvait chasser de son esprit, c'était la mauvaise plaisanterie de son compagnon candidat : « Allison Leahy, la présidente à la lettre écarlate. Ne pensez pas adultère, pensez Alice. » Avec le kidnapping de Kristen, les événements s'étaient précipités au point qu'elle avait presque oublié que sa chute dans les sondages avait commencé par ces accusations mensongères d'adultère. Or, plus elle y réfléchissait, plus il lui semblait que les deux faits – les soupçons sur sa prétendue immoralité et l'enlèvement – étaient trop proches pour ne pas être liés. Et le gouverneur Helmers avait, à son insu, apporté avec sa blague un élément de réponse sur ce point.

Elle décrocha le téléphone et composa le numéro de portable de Harley Abrams.

« Harley, il y a quelque chose que je dois vous montrer. Pourriez-vous passer me voir au ministère ?

— Je ne serai pas de retour de Nashville avant deux heures ou plus. Que voulez-vous me montrer ?

— C'est... je ne peux pas vous le décrire. Vous devez le voir.

— Faxez-le-moi.

— Non, seul l'original est intéressant et, de toute façon, il n'est pas question d'en faire des copies qui pourraient s'égarer. La chose est trop confidentielle.

— J'ai la réputation de respecter tout ce qui est confidentiel.

— Je le sais bien, mais il ne s'agit pas d'un document officiel. C'est... personnel. »

Il y eut un silence à l'autre bout de la ligne. « Ça peut attendre jusqu'à mon retour ?

— Oui, mais tout juste », dit-elle, réfrénant son impatience.

14

Le bureau de l'attorney général était situé au cinquième étage du ministère de la Justice, dans Pennsylvania Avenue. Allison avait résisté à la tentation de transformer ses quartiers en un temple dédié à l'autosatisfaction. Sur les murs lambrissés de noyer, point de distinctions ou de courrier personnel signé du président ni de photos aux côtés des grands de ce monde. Seulement un lumineux tableau d'un paysagiste impressionniste et un portrait photographique de l'ancien attorney général Robert Kennedy se promenant sur une plage de la Nouvelle-Angleterre. Le mobilier était de l'époque coloniale américaine, solide et simple. Des ouvrages de droit mais également de littérature remplissaient les rayonnages derrière le bureau. Accroché au-dessus de la porte, dans un cadre en bois, un ouvrage au point de croix réalisé par sa propre mère reprenait l'inscription gravée dans la pierre sur le fronton du ministère de la Justice, avec une parenthèse personnelle, dictée par la fierté maternelle : « La justice est la plus grande préoccupation de l'homme sur terre (et aussi d'une certaine femme). » Une photo de son mari ornait un coin de sa table de travail, tandis qu'une autre, sur une console, représentait une Allison plus jeune de huit ans avec un bébé dans ses bras.

L'interphone sonna. « M. Abrams est ici, annonça sa secrétaire.

— Faites-le entrer, je vous prie. »

Allison accueillit Harley et l'invita à s'asseoir sur le canapé. Elle prit place en face de lui dans un fauteuil.

« Voici ce que je voulais vous montrer », dit-elle en posant une chemise cartonnée sur la table basse.

Harley se pencha pour s'en saisir, mais Allison le retint d'un geste de la main.

« Un peu d'histoire, d'abord, dit-elle. D'histoire personnelle, pour être précise. Ce que je vais vous apprendre, même mon mari l'ignore. Depuis notre conversation de la nuit dernière, j'ai le sentiment qu'il y a entre nous un lien de compréhension et de confiance. J'espère ne pas me tromper. »

Harley la regarda dans les yeux. « Vous ne vous trompez pas. »

Elle le remercia d'un sourire, visiblement soulagée, puis consacra les dix minutes suivantes à lui parler de Mitch O'Brien, de leur rencontre fortuite à Miami Beach en août dernier, de l'apparition désastreuse du même Mitch, fin soûl, une semaine plus tard au gala, à Washington, de la querelle qui s'ensuivit, du bruit de pas dans le couloir, et de sa peur que quelqu'un n'eût surpris leur conversation.

« C'est environ deux semaines après que j'ai trouvé ça dans mon courrier. » Allison sortit une grande enveloppe en papier kraft de la chemise. « Vous pouvez voir que ça m'a été adressé à mon domicile, avec la mention "Personnel". En l'absence d'adresse d'expéditeur, je l'ai fait examiner ici même aux rayons X, avant de l'ouvrir. Voici ce qu'elle contenait. »

Sa main tremblait, comme elle avait tremblé la première fois, il y avait plus d'un mois, en sortant une grande photo en noir et blanc qu'elle posa sur la table.

« C'est moi, sans l'ombre d'un doute. »

Harley se pencha en avant. Le bas du visage était barré à gros traits rouges, tandis que le front était marqué de la lettre A.

« Il y a un message au verso », reprit-elle. Elle retourna la photographie, exposant un message écrit à la main du même trait rouge.

A ne veut pas dire attorney général, salope.

Harley leva les yeux. « Qu'est-ce que vous avez fait de ça, après l'avoir reçu ?

— Rien, je l'ai gardé.

— Pourquoi ne pas l'avoir confié au FBI ?

— Je vous l'ai dit, je reçois de nombreuses menaces. Ça fait partie de ma fonction. Mais surtout, je ne voulais pas d'un scandale. Imaginez le FBI allant frapper à la porte de mon ex-fiancé, car j'avais dans l'idée que cela venait de lui. Mais je connais Mitch, il est inoffensif, alors j'ai laissé tomber.

— Alors, pourquoi ressortir cette lettre, maintenant ?

— Parce que l'histoire est plus complexe que je ne le supposais.

— Que voulez-vous dire ? demanda Harley en s'adossant au canapé.

— Vous devez sûrement savoir que mes ennuis politiques n'ont pas commencé avec l'enlèvement de Kristen, mais avec ces soupçons d'adultère qui ont suivi le dernier débat télévisé, à Atlanta.
— Oui, et alors ?
— J'ai pensé que cette photo, expédiée un mois avant ce même débat, était pour le moins annonciatrice de cette question piège touchant à mon intimité et qui m'a valu, par mon refus d'y répondre, l'infamie que vous savez. Or, ce matin, j'ai surpris mon candidat à la vice-présidence faire une mauvaise plaisanterie : "Allison Leahy, la présidente à la lettre écarlate. Ne pensez pas adultère, pensez Alice."
Harley jeta de nouveau un regard à la photo. « Alice ? Votre enfant ?
— Oui.
— Vous pensez donc que votre admirateur secret, quand il a écrit : *A ne veut pas dire attorney*, ne voulait pas dire A comme adultère.
— Non, mais plutôt A comme Alice, dit Allison. Peut-être était-ce un avertissement ou l'annonce du prochain kidnapping.
— Hum ! c'est aller chercher loin, non ?
— À première vue, peut-être. Mais cela devient plausible si, d'après votre hypothèse, il y a un lien entre l'enlèvement de Kristen et celui d'Alice. »
Harley se caressa le menton d'un air songeur. « Laissez-moi emporter cette photo au laboratoire pour en faire une analyse. Je pense aussi que nous devrions prendre contact avec Mitch O'Brien et essayer de découvrir si c'est bien lui l'expéditeur. Il est toujours à Miami ?
— Oui, pour autant que je sache.
— J'enverrai deux de nos agents du bureau de Miami.
— J'aimerais d'abord le joindre par téléphone, avant que vous n'envoyiez la troupe. Ce n'est pas une histoire simple.
— Je comprends bien, mais je préférerais le cueillir à froid. Après tout, il est avocat. Donnez à un homme de loi le temps de réfléchir, et vous n'en tirerez jamais rien. Tombez-leur dessus à l'improviste, et ils sont comme tout le monde, ils causent. Nous n'avons pas le temps de jouer au plus fin avec lui. Car le temps joue contre nous, vous le savez bien.
— Oui, trop bien, dit-elle en pensant à l'élection présidentielle qui se tiendrait dans cinq jours.
— Évidemment, reprit Harley, je ferai de mon mieux pour garder secrète votre histoire avec O'Brien mais, j'aurai beau faire, je ne peux vous garantir une étanchéité absolue. Je vous dis ça parce que votre mari ignore vos récentes rencontres avec O'Brien, et il n'apprécierait certainement pas d'apprendre que votre ex-fiancé vous poursuivait de

ses assiduités, vous avouant son amour un soir, vous insultant un autre, et allant même jusqu'à vous envoyer une lettre de menace. Il pourrait penser qu'il y a vraiment anguille sous roche.

— J'en ai conscience, dit Allison en éprouvant un sombre pressentiment. Et je pense qu'il est temps que Peter apprenne tout cela. De ma bouche. »

Le général Howe entra dans la Maison-Blanche par le portail est, afin d'éviter les journalistes stationnant devant l'aile ouest du bâtiment, près du Bureau ovale. La secrétaire personnelle du président guida le général jusqu'à la salle des cartes, un chemin qu'il connaissait.

La dernière fois que Lincoln Howe avait visité le sanctuaire de la Maison-Blanche, le président Sires, à mi-parcours d'un premier mandat tumultueux, avait pressé son hôte de retirer sa démission du poste de sous-secrétaire à la Défense. Sires avait assuré au général qu'avec le départ imminent de l'actuel secrétaire[1] le ministère de la Défense serait à lui dans moins de six mois. Mais, bien que les présidents puisent parfois à l'extérieur de leur propre parti pour former leur cabinet ministériel, Howe avait choisi de ne pas rester dans une administration démocrate, après s'être découvert non seulement une âme de républicain mais encore des ambitions présidentielles.

Howe prit place dans l'un des fauteuils devant la cheminée, sur le manteau de laquelle était accrochée une petite carte d'Europe marquée de cercles rouges et bleus. Au bas de l'encadrement, une petite plaque de cuivre disait que telle était la situation des armées alliées et des forces de l'Axe, quelques semaines avant la reddition des nazis. Le général ne pouvait s'empêcher de penser avec une sourde satisfaction que tous les grands présidents avaient servi lors des conflits armés ou avaient été eux-mêmes des héros de guerre. Washington, Lincoln, les deux Roosevelt. Lui aussi appartenait à cette glorieuse tradition. Sires, lui, n'en était pas.

« J'ai suivi votre discours, hier, à la télé », dit le président sans préambule. Complet sombre, chemise blanche et cravate à rayures, il avait revêtu la tenue du dignitaire. Il prit l'autre siège, faisant face en partie à Howe et en partie au feu crépitant doucement dans l'âtre. « Un discours bien dramatique.

— Ce n'était pas dans mon intention de dramatiser, répondit Howe

1. Équivalent de ministre (de la Défense). *[N.d.T.]*

avec hauteur. Vous ne savez jamais comment vous allez réagir dans ce genre de situation. Jusqu'à ce que cela vous arrive.

— Il n'empêche, cela m'a étonné. J'ai toujours entendu dire que Lincoln Howe était un général qui avait tiré la leçon de la guerre du Vietnam, à savoir ne jamais déclarer la guerre sans un objectif précis et ne jamais s'engager dans un conflit dont on ne pourra jamais sortir vainqueur.

— Mais mon objectif est précis. Il est temps que le pays protège ses enfants.

— Je ne parle pas de votre déclaration de guerre contre les ravisseurs d'enfants. Je parle de votre déclaration de guerre contre mon gouvernement. »

Howe tressaillit. « Je ne vous suis pas très bien, monsieur.

— Lincoln, je n'ai eu de cesse durant ces huit dernières années de redresser l'enseignement. J'en ai fait une priorité, et je crois avoir réussi. Je suis peut-être le canard boiteux parmi mes prédécesseurs, mais je partirai en laissant au pays un système éducatif dont tout le monde se félicite.

— Avec tout le respect que je vous dois, l'emploi de l'armée pour combattre les violences dont les enfants sont victimes n'a rien à voir avec l'éducation nationale.

— Non, mais le défi que vous avez lancé hier soir à ce gouvernement est une attaque directe contre cet héritage. Vous m'avez placé sur la sellette en me mandant de signer un ordre exécutoire donnant à l'armée le pouvoir d'appréhender les ravisseurs d'enfants, les pédophiles et tous les autres pervers maraudant dans les rues, selon vos propres paroles. Oh, je suis sûr que des tas de gens doivent se dire : très bien, qu'on le fasse. Ils oublient les camps de concentration nazis, oublient comment, pendant la Seconde Guerre mondiale, nous avons traité, ici même dans ce pays, les Américains qui avaient le malheur d'être d'origine japonaise. Ils ont besoin qu'on leur rafraîchisse la mémoire en leur rappelant que l'emploi des militaires contre les civils a toujours été un désastre et une monstruosité dans l'histoire de l'humanité. Or, votre discours me place dans une position intenable. Si je signais cet ordre imbécile, la dernière mesure prise sous ma présidence me ferait passer aux yeux des générations à venir pour un vil réactionnaire ayant cédé à l'hystérie collective et tenté de transformer les États-Unis en une dictature militaire de type fasciste. Et vous savez que jamais je ne ferai une chose pareille, même si, par ailleurs, je ne veux pas non plus qu'on se souvienne de moi comme le démocrate laxiste qui n'osait pas frapper les tueurs d'enfants.

— Je suis désolé que vous considériez les choses sous cet angle.

— Non, vous n'êtes pas désolé, répliqua sèchement Sires. Quand on a toujours défendu les libertés de son pays, comme vous l'avez fait, on ne peut être sincère en envisageant l'emploi de l'armée contre ses propres concitoyens.

— Vous pensez que je bluffais ?

— Absolument. De toute façon, je doute que d'un simple point de vue légal cet usage particulier de la force militaire soit possible, mais laissons cela. Il n'y a que deux façons de manœuvrer, en l'occurrence. Soit vous décidez de remettre ça à la télé et de me dénigrer pour avoir refusé de faire appel à l'armée pour lutter contre le crime le plus odieux qui soit...

— C'est là une perspective alléchante.

— Oui, mais qui n'est pas sans conséquences, car je serais alors contraint de vous répondre.

— Sans vouloir vous offenser, dit Howe en esquissant un sourire, comment pourriez-vous atteindre un homme dont la petite-fille a été enlevée ?

— Ce que je vais vous dire est hautement confidentiel, mais je sais de bonne source que le FBI étudie en ce moment même la possibilité que l'enlèvement de Kristen Howe ait été préparé et accompli par vos propres partisans. Peut-être même avec votre bénédiction.

— C'est de la diffamation, protesta Howe d'une voix grinçante.

— Ça n'en est plus dès l'instant où l'information émane de la Maison-Blanche.

— Monsieur le Président, vous savez fort bien que ce n'est pas la vérité. »

Sires eut un sourire désabusé. « La vérité ? Voilà un concept difficile à cerner. L'un des mes conseillers en avait une assez bonne définition : la vérité, disait-il, c'est ce qui ne peut être prouvé comme étant faux. »

Le général se raidit, tandis que le président Sires se calait confortablement sur son fauteuil. « L'élection a lieu dans quatre jours, général. Pensez-vous être capable de prouver que ni vous ni vos partisans n'êtes en aucune façon responsables d'un enlèvement qui pourrait bien vous propulser à la présidence des États-Unis d'Amérique ?

— Que me proposez-vous ? demanda Howe d'une voix que la colère assourdissait.

— Pour ma part, je préfère la seconde solution : ni vous ni moi n'évoquerons plus jamais le sujet. Je ne ferai plus aucun commentaire sur le rapt de Kristen. Et vous ne direz plus un mot sur le salut de nos enfants par la gent militaire.

— La presse ne laissera pas tomber le sujet.

— Et votre réponse sera ferme mais sage : afin que Kristen nous revienne saine et sauve, je m'abstiendrai désormais de tout commentaire sur l'enquête. Pensez-vous que vous pourriez dire cela, Lincoln ? Ou bien voulez-vous vérifier que la plomberie de la Maison-Blanche a parfois des fuites catastrophiques ?

— Vous attachez donc tant d'importance à votre... héritage ? demanda Howe, incrédule.

— Certainement autant que vous en accordez à votre... présidence. »

Howe pinça les lèvres d'un air de dépit. Il se leva et jeta un regard vers la fenêtre avant de se tourner vers le président et de le regarder droit dans les yeux.

« Afin que Kristen nous revienne saine et sauve, je m'abstiendrai désormais de tout commentaire sur l'enquête. »

Repo arriva essoufflé après sa course dans le froid. Il claqua la porte de la cuisine derrière lui et s'adossa au battant, son sac de provisions serré contre lui. Soucieux de laisser Kristen seule en compagnie des deux autres le moins longtemps possible, il avait fait en courant l'aller et retour entre l'épicerie du coin de la rue et la maison. Il jeta un coup d'œil à la pendule au mur : il n'avait pas mis plus d'un quart d'heure.

Dix fois plus de temps qu'il n'en avait fallu à Tony et à Johnny pour tuer Reggie Miles.

La gorge serrée par l'inquiétude, il posa les provisions sur la table et enleva son blouson, son chapeau et ses gants.

« Qu'est-ce que tu nous as apportés ? demanda Tony en entrant dans la cuisine.

— Rien que deux ou trois trucs, répondit Repo.

— Fais voir. » Tony regarda à l'intérieur du sac et fit la grimace. « Des Fruit Loops ! Hé, Johnny, amène-toi. Repo est allé nous chercher des Fruit Loops. »

Johnny apparut, vêtu d'un jean et d'un débardeur. « Ouah ! j'adore ça !

— C'est pour la gosse, connard, dit Repo.

— Pour la gosse ? T'es sorti dans ce putain de froid pour lui acheter cette merde ? Tu comptes peut-être qu'elle va te sucer après ça ou quoi ?

— Plaisante pas avec ça.

— Hé ! t'aurais pas peur des fois que Tony et moi on se la farcisse les premiers ? »

Repo l'empoigna et le poussa contre le frigo. « Ferme-la avec ça !

— Ohé, vous deux ! » gueula Tony en s'interposant.

Johnny se dégagea, tandis que Repo reculait lentement, le regard mauvais.

Tony jeta le paquet de céréales sur la table et fixa Repo d'un regard dur. « T'es allé la voir, cette nuit. J't'ai entendu descendre.

— Et alors ?

— Et maintenant tu sors lui acheter les céréales qu'elle aime, hein ?

— Ouais, faut bien qu'elle mange, non ? »

Tony posa sa main sur l'épaule de Repo. « Tu me déçois, Repo, dit-il d'une voix paternelle et menaçante à la fois, comme celle du Parrain. J'ai toujours dit autour de moi que le gars Repo, c'était de la bonne graine. Un type jeune mais sûr. Qui promettait. Je t'ai mis sur ce coup parce que je me disais : il est comme Johnny, un frère, la famille, quoi. Et c'est ce qu'on est, non, tous les trois, une petite famille ? Sauf qu'on est deux seulement à avoir commis un meurtre. Conséquence, on a beaucoup plus à perdre que toi. Et voilà que tu tournes mou avec la fille. Ça me rend nerveux. J'me dis même que le gars Repo, il veut peut-être balancer le reste de la famille à la flotte...

— C'est pas mon genre, Tony. »

Tony secoua la tête en feignant la tristesse. « T'as perdu notre confiance, Repo.

— Qu'est-ce que tu racontes ? dit Repo que le tour de la conversation commençait d'inquiéter.

— Alors faut que tu la regagnes, reprit Tony.

— Et comment ? »

L'expression de Tony changea. Ses mâchoires se durcirent. Une lueur de menace s'alluma dans ses yeux. « Dès qu'on aura touché l'argent de la rançon, la fille mourra. Et c'est toi qui la tueras. »

15

Le gris du ciel au-dessus de Washington répondait au gris de la pierre des immeubles et du marbre des monuments. Les arbres dénudés dressaient leurs silhouettes au fusain dans le parc Lafayette, dont l'austère dessin s'étendait au nord de la Maison-Blanche, juste de l'autre côté de Pennsylvania Avenue. Comme la limousine quittait la résidence présidentielle, Lincoln Howe regarda le cercle de manifestants tournant inlassablement devant les grilles. Leurs pancartes et leurs slogans dénonçaient l'exploitation par les États-Unis du travail des enfants dans les pays du tiers monde. Il pensa à la volonté farouche du président Sires de laisser sa marque, son « héritage », selon ses propres termes. Il pensa aussi à son propre discours de la veille, et son regard s'éclaira. Certes, il lui restait à se faire élire, mais il tenait la matière de l'œuvre qu'à son tour il léguerait : Lincoln Howe, le président des enfants.

Cette pensée lui plaisait.

« Comment s'est passé l'entretien ? demanda LaBelle, assis à l'autre bout de la banquette arrière.

— Très bien », répondit le général, signifiant d'un ton sec qu'il n'avait pas envie d'en dire plus.

La limousine ralentit en tournant dans Pennsylvania Avenue, et Lincoln Howe porta son regard vers le parc Lafayette, au milieu duquel se dressait la statue équestre d'Andrew Jackson. « La bataille de La Nouvelle-Orléans, murmura-t-il d'une voix grave.

— Je vous demande pardon ? dit LaBelle.

— L'une des grandes victoires du général Jackson. » Il considéra son directeur de campagne d'un air réprobateur. « Vous ne savez donc rien de la guerre de 1812 ?

— Seulement l'année où elle s'est déroulée, monsieur. » Il jeta un coup d'œil à sa montre, attentif à l'emploi du temps chargé du général.

« Savez-vous, reprit celui-ci, que des soldats noirs ont combattu à la bataille de La Nouvelle-Orléans ?

— Non, monsieur.

— Le général Andrew Jackson promit en personne de donner un lopin de terre à tout homme noir qui rejoindrait son armée de mercenaires pour combattre les Anglais. Ils signèrent en masse et se battirent avec bravoure. Beaucoup moururent. Et que leur donna-t-on en récompense de leur sacrifice ?

— Un lopin de terre, n'est-ce pas ce que vous avez dit ?

— Rien. On ne leur donna rien. Ces courageux soldats furent payés de mensonges et de promesses vides, sorties de la bouche même d'un distingué général de l'armée des États-Unis, qui devint un peu plus tard l'un des présidents les plus respectés de notre histoire. » De colère, Lincoln secoua la tête en repensant à Sires qui s'autoproclamait le rénovateur de l'enseignement. « Les héritages, c'est de la merde ! » conclut-il abruptement.

Pour une fois, LaBelle n'eut aucun commentaire à faire.

Le téléphone sonna. C'était la ligne personnelle du général Howe, limitée à une poignée d'intimes. Il ravala son amertume et répondit à la deuxième sonnerie.

« C'est moi, mon chéri », dit sa femme.

Le général leva les yeux, LaBelle était déjà plongé dans des paperasses, feignant de ne rien entendre. « Où es-tu, Nat ? demanda à voix basse le général.

— À Nashville. Nous avons parlé, Tanya et moi. Elle est très agitée.

— Le médecin ne pourrait pas lui prescrire des calmants ? »

Un soupir d'agacement et de frustration parasita la communication. « Ce n'est pas ça le problème.

— Excuse-moi. Parle.

— Eh bien... il semble que Tanya veuille payer la rançon. » Natalie Howe marqua une pause, avant d'ajouter : « Et je suis d'accord avec elle. »

Le général serra plus fort le combiné dans sa main. « Laisse-moi te poser une question toute simple : est-ce que Tanya a un million de dollars ?

— Bien sûr que non.

— Et nous, avons-nous un million de dollars en banque ?

— Non, mais tu peux réunir la somme si tu lances un appel.
— Non, il n'en est pas question.
— Lincoln, je t'en prie.
— Nat, j'ai dit hier à la télé, devant le pays tout entier, que je ne paierais jamais la rançon, même si je disposais de l'argent. Je ne vais tout de même pas revenir sur ma décision vingt-quatre heures plus tard.
— Je vois que tu songes avant tout à tes électeurs, dit Natalie d'une voix tremblante.
— Ça n'a rien à voir avec l'élection. C'est une question de stratégie. Nous devons être fermes. J'ai dit aux ravisseurs que je ne traiterais pas avec eux, et je m'y tiendrai. Fais-moi confiance, je sais ce que je fais.
— J'ai peur, Lincoln. Je suis sûre qu'ils tueront Kristen si nous ne les payons pas. » Sa voix se brisa. Elle sanglotait, à présent.
« Allons, Natalie, reprends-toi. J'ai dit non, et pour de bonnes raisons, alors ne me cherche pas querelle. »
Il y eut un silence, et ce fut d'une voix résignée que Natalie demanda : « Que veux-tu que je dise à Tanya ?
— Dis-lui... » Il se tut, incapable de trouver ses mots.
« Que tu fais cela pour Kristen ? suggéra-t-elle d'un ton amer.
— Oui, dis-lui ça. »

Allison avait été tellement occupée qu'elle en avait oublié de déjeuner. L'une de ses premières dispositions, quand elle avait pris ses fonctions d'attorney général, avait été de fermer la salle à manger privée, qui faisait partie de ses prérogatives, estimant qu'elle pouvait se contenter de l'excellente cafétéria sise dans l'immeuble même du ministère de la Justice. Elle commanda par téléphone une soupe et une salade et, à trois heures de l'après-midi, sa secrétaire déposa le plateau sur un coin du bureau, ainsi qu'un Coca light. Elle allait commencer par la salade quand le téléphone sonna. Sa secrétaire passa la tête par la porte entrebâillée. « C'est Harley Abrams, sur le poste 3. »
Allison décrocha aussitôt. « Quoi de neuf ?
— Je viens juste de recevoir des nouvelles de notre antenne à Miami. Mitch O'Brien est introuvable.
— Comment cela, introuvable ? Ce mot ne devrait pas faire partie du vocabulaire du FBI.
— Il est absent de chez lui. Ils sont allés à la marina, où apparemment il tient une agence de location de bateaux.
— Oui. Mitch a été longtemps avocat pénal à Chicago, puis, il y a

quelques années, il a pris une année sabbatique et fait un tour du monde à la voile, en solitaire. Quand il est revenu, il a abandonné le barreau et s'est installé à Miami, où il a pris cette agence de location.

— Il n'a pas loué un seul bateau depuis deux semaines. Il est assez difficile de récolter des informations sur quelqu'un qui vit seul, travaille seul, et tout ce qu'on a pu apprendre à la marina, c'est qu'on l'avait aperçu pour la dernière fois quelques jours avant Halloween.

— Il est peut-être reparti en mer.

— C'est possible, mais c'est tout de même bizarre qu'il ait disparu de cette façon.

— Que suggérez-vous ?

— Je ne sais pas. Il y a une chose que j'aimerais que vous fassiez. Je sais qu'il y a au moins une grosse différence entre l'enlèvement de votre fille et celui de Kristen Howe : vous n'avez jamais reçu de demande de rançon. Cette histoire d'O'Brien m'intrigue. Je pourrais charger quelqu'un de faire cette recherche, mais vous en savez plus que quiconque sur le kidnapping d'Alice, et le temps presse.

— Qu'attendez-vous de moi ?

— Que vous retrouviez tout ce que vous avez sur l'enlèvement d'Alice – coupures de presse, dossier d'enquête, etc. – et que vous cherchiez les parallèles possibles avec le rapt de Kristen.

— D'accord. On me presse de toutes parts de reprendre la campagne, mais je trouverai le temps de faire ce que vous me demandez, si toutefois vous pensez que... oh, rien !

— Dites. Si je pense quoi ? »

Allison sentit son cœur se serrer, elle avait presque peur de parler. « Harley, faisons comme s'il y avait un lien entre les deux. Nous connaissons, vous et moi, les statistiques et combien le facteur temps détermine l'issue d'un enlèvement. Mais oubliez les chiffres et écoutez votre instinct. Après toutes ces années, croyez-vous qu'il y ait une chance que je retrouve Alice ? »

Il y eut un bref silence, puis ce fut d'une voix posée que Harley Abrams répondit : « N'allons pas trop vite. Faisons un pas à la fois, d'accord ? »

Allison hocha la tête en regardant la photo d'Alice et elle sur la desserte. « D'accord, un pas à la fois. »

Tanya et sa mère étaient assises en silence dans le living. Les rideaux étaient tirés, le poste de télé éteint. Une seule lampe éclairait la pièce. La pendule égrenait les secondes sur le manteau de la cheminée de briques rouges. Tanya contemplait ses mains. Les aboiements d'un chien dans la rue la firent tressauter.

Sa mère la regarda d'un air inquiet. « Ma chérie, pourquoi n'essaies-tu pas de dormir ? »

Elle leva vers sa mère un regard perdu et se contenta de secouer la tête.

Le téléphone sur la table basse sonna soudain, faisant tressaillir les deux femmes. Tanya se leva et décrocha.

« Allô ?

— Le général Howe ne respecte pas la règle du jeu. » La voix était altérée par une vibration, comme celle de ces témoins anonymes à la télé dont on ne distinguait que les silhouettes.

« Qui est à l'appareil ?

— Le président de l'association "Sauvez Kristen". Nous sollicitons des dons.

— Si c'est une plaisanterie...

— Si c'en était une, je ne vous dirais pas que la carte scolaire de Kristen était scotchée au dos de la demande de rançon. »

Tanya frissonna à la pensée qu'elle avait le ravisseur au bout du fil. Instinctivement, elle enfonça la touche enregistrement sur le répondeur. « Je vous en supplie, dit-elle, ne faites pas de mal à ma fille. Vous aurez tout ce que vous voulez, mais relâchez-la.

— Je vous ai dit ce que je voulais. Un million de dollars. D'ici à demain matin. Et pas de flics.

— J'ai vraiment l'intention de vous les donner.

— Ce n'est pas ce qu'a dit votre père à la télé hier soir. »

Tanya eut une grimace de douleur, et maudit son père. « Il ne faut pas l'écouter. C'est avec moi que vous devez traiter, d'accord ? Je vous obtiendrai votre argent, et je n'appellerai pas les flics. Je vous le jure. Tout ce que je vous demande, c'est de ne pas faire de mal à mon enfant.

— Comment ça, vous m'obtiendrez mon argent ? Vous l'avez ou vous ne l'avez pas ?

— Je peux réunir la somme. J'ai seulement besoin d'un peu de temps.

— Vous avez jusqu'à demain matin.

— Il me faut plus de temps.

— Me racontez pas d'histoires. »

La dureté du ton était presque palpable, malgré la distorsion de la voix. La main de Tanya se mit à trembler. « Je ne vous raconte pas d'histoires. Un million de dollars, ça fait beaucoup d'argent.

— J'ai dit demain matin.

— Je... je ne sais pas. » Tanya pouvait à peine parler. « D'accord. Demain matin. Je l'aurai.

— Vous mentez.

— Quoi ?

— Vous ne pourrez jamais trouver cette somme d'ici à demain. En tout cas, pas sans l'aide du vieux.

— Non, je peux y arriver. Vraiment, je le peux. » Et, comme elle n'obtenait pas de réponse, elle cria : « Vous m'avez entendue ? J'ai dit que je pourrai. Bon Dieu, j'y arriverai !

— Je ne le crois pas. » Le ton était si calme qu'il la glaça. « Et vous savez quoi, Tanya ? Je n'ai pas confiance non plus dans votre père ni dans toute votre putain de famille. Alors, gardez-le votre million de dollars, bande de nègres de merde ! Vrai, le monde se portera mieux avec une Howe en moins.

— Non, attendez ! »

Mais seul le bip lancinant de la tonalité lui répondit.

16

Lincoln Howe convoqua son état-major de campagne à une réunion stratégique dans l'après-midi, à l'aéroport de Washington. C'était là le point de rencontre le plus pratique. Le général devait s'envoler vers le sud, et la plupart de ses collaborateurs ne feraient qu'aller et venir entre la capitale et leurs différentes places fortes. Le 727 réaménagé attendait sur le tarmac, « HOWE/ENDICOTT 2000 » courant en grandes lettres rouges et bleues sur la blancheur du long fuselage.

Dwight Endicott fut le premier à accueillir Howe à sa montée à bord. Le candidat à la vice-présidence arrivait juste de Cleveland, après une tournée de deux jours dans l'État d'Ohio. Endicott n'avait jamais servi dans l'armée, mais il avait de larges épaules et une gueule de baroudeur. Il s'était distingué à la direction de la brigade des stupéfiants. Un bouquin à succès et la tournée de conférences qui avait suivi l'avaient aidé à étendre son message de combattant du fléau de la drogue au thème plus large du renouveau moral. La marque déposée de sa campagne était le V, à la manière de Winston Churchill ou de Franklin Roosevelt, mais un V pour valeurs, et non victoire. Incarnation de l'aile droite de la liste républicaine, il apaisait les fondamentalistes et ceux qui réclamaient la vie pour tous les fœtus et la mort pour les jeunes délinquants, et qu'alarmaient les positions modérées de Howe sur certains problèmes de société.

« Vous avez fait bon voyage ? demanda Howe à son compagnon candidat.

— L'Ohio est dans la poche », répondit Endicott avec un sourire.

Les deux hommes gagnèrent la partie de l'avion en avant de la cuisine, aménagée en salle de travail. Des banquettes et des fauteuils en cuir disposés autour d'une table à rabats remplaçaient les rangées de sièges. Howe et Endicott prirent place sur l'une des banquettes, le dos aux hublots, tandis que Buck LaBelle s'asseyait en face d'eux, à côté de John Eaton, statisticien brillant mais distrait, capable de miracles sur un ordinateur portable à la condition qu'il ne l'ait pas oublié dans les toilettes pour hommes de l'aéroport. À sa droite était assis Evan Fitzgerald, conseiller médiatique recommandé par Endicott. Howe reconnaissait les capacités de Fitzgerald, mais il appréciait peu les manières hautaines de cet ancien de l'Ivy League, qui ne manquait jamais une occasion de rappeler qu'il sortait de Harvard.

L'appareil ne devait pas décoller avant une heure, et l'équipage, les autres membres de l'équipe et les journalistes accompagnant les candidats ne monteraient que dans une demi-heure. Aussi l'état-major disposait-il de toute l'intimité voulue. Howe commença par raconter son entretien avec le président Sires.

« En conclusion, dit le général, le président m'interdit de reparler de l'armée pour combattre les ravisseurs d'enfants. Si je ne me tais pas, la Maison-Blanche fera courir le bruit que le FBI soupçonne mon propre entourage d'avoir orchestré l'enlèvement de Kristen, dans l'espoir de favoriser mon accession à la présidence.

— Eh bien, qu'ils le fassent courir, leur bruit. » C'était Eaton, assis devant son portable ouvert. « Mes chiffres démontrent que le public n'en croira pas un mot. Quatre-vingt-dix pour cent des hommes et des femmes, des jeunes et des vieux, Blancs et Noirs confondus, sont convaincus que votre discours d'hier soir a été dicté par l'amour que vous portez à votre petite-fille. Le simple fait qu'on puisse suggérer qu'un de vos partisans ou vous-même soit derrière le kidnapping n'aura qu'un effet, celui de sonner le glas de la carrière politique de Leahy.

— Je suis d'accord avec Eaton, dit LaBelle, mais avançons encore d'un pas. Première règle en politique : l'attaque est la meilleure des défenses. N'attendons pas que la Maison-Blanche balance la rumeur. Ouvrons nous-mêmes le débat. Convoquez une nouvelle conférence de presse et dites aux Américains que si le FBI fouine dans nos rangs, c'est qu'il en a probablement reçu l'ordre de l'attorney général.

— Attendez une minute, dit Endicott en étendant les bras, tel un prêcheur à son pupitre. Premièrement, sommes-nous certains que l'un des nôtres ne soit pas derrière l'enlèvement ? »

Un silence gêné enveloppa le groupe. Endicott attendit une réponse que personne ne pouvait lui donner. « Deuxièmement, est-il vrai que l'attorney général soit l'instigatrice de l'enquête du FBI ? »

Le silence s'épaissit, et il y eut un échange de regards perplexes autour de la table, jusqu'à ce que Howe prenne la parole.

« C'est vrai, dit-il, s'inspirant de sa conversation avec le président. C'est vrai, tant qu'on ne peut pas prouver que c'est faux. »

LaBelle eut un grand sourire. « Eh bien, général, je vois que vous avez su passer brillamment des règles de la guerre à celles de la politique.

— Mais nous sommes en guerre, Buck », répondit Howe, le visage sombre.

Allison quitta son bureau avant l'heure de pointe et arriva chez elle à Georgetown vingt minutes après le coup de fil de Harley Abrams. Avec l'aide de Peter, elle descendit du grenier plus d'une douzaine d'épaisses chemises en carton couvertes de poussière.

Feuilletant au hasard leur contenu, elle fut prise d'une violente émotion. Il y avait là des coupures de journaux jaunies par le temps, un rapport de police, des cartes et des lettres d'amis et d'étrangers, des enregistrements vidéo des diverses informations télévisées relatives à l'enlèvement, des posters et des autocollants offrant une récompense, et un tas d'autres matériaux en relation directe ou indirecte avec l'événement. Il se dégageait de ces archives dûment répertoriées une impression d'ordre, et pourtant Allison gardait un souvenir flou de toute cette période. Cela était dû au temps qui avait passé, mais surtout à l'état de choc dans lequel elle s'était alors trouvée. Elle se rappelait seulement qu'elle avait participé à des réunions de parents partageant avec elle un malheur identique, qu'elle avait remercié la multitude de volontaires qui avait ratissé le quartier. Elle avait sous les yeux tous les appels téléphoniques qu'elle avait notés : des journalistes en quête de détails pour leurs articles, des étrangers bien intentionnés et leurs témoignages erronés. Les faux aveux de malades désireux d'attirer l'attention, et les authentiques dépravés qui avaient fait du mal à un enfant et cherchaient la rédemption en avouant un crime qu'ils n'avaient pas commis. Il y avait même la carte de visite d'un médium, vers lequel elle s'était tournée par désespoir, une vieille bohémienne qui s'était fait payer très cher et avait envoyé Allison dans de vaines et frénétiques expéditions aux quatre coins des États-Unis.

Allison s'écarta de la table de la salle à manger sur laquelle elle avait étalé les documents. Cette douloureuse histoire formait dans sa vie un grand trou, dont elle pouvait mesurer les dimensions par ces chemises qui portaient chacune une date, la première étant mars 1992. Au début, elle avait rempli une chemise par semaine, puis une par mois, enfin une par an. La dernière ne contenait presque rien, et ces cartons ressemblaient à une piste qui peu à peu s'estompait à l'unisson de l'espoir.

Allison ne put réprimer un frisson en tendant la main vers la première des chemises, dans l'intention de l'examiner plus attentivement. Outre la détestable impression de rouvrir une tombe, elle savait qu'elle allait réveiller de vieilles blessures.

« Pour quelle raison fais-tu ça ? » demanda Peter.

Il se tenait entre le salon et la salle à manger. Il balaya d'un revers de main la poussière du grenier sur son pantalon. Allison, assise au bout de la longue table, leva les yeux vers lui.

« C'est une longue histoire, dit-elle d'une voix tendue, redoutant l'explication qu'elle lui devait.

— Je pourrais peut-être t'aider, dit-il en venant s'asseoir à table, à côté d'elle. J'étais avec toi à ce moment-là. Pourquoi m'écarter maintenant ?

— Mais je ne t'écarte pas. C'est seulement un peu plus compliqué qu'il y a huit ans.

— Compliqué au point que je ne puisse comprendre ou que tu ne puisses l'expliquer ? »

Elle hésita un instant, puis décida de parler. « Harley Abrams pense qu'il y a peut-être un lien entre l'enlèvement de Kristen Howe et celui d'Alice.

— Et pourquoi le pense-t-il ?

— Pour plusieurs raisons, mais il a quelques soupçons concernant mon ex-fiancé, O'Brien. »

Peter fit la grimace. « O'Brien ? Qu'est-ce qu'il vient faire là-dedans ?

— Je n'en sais rien. Mais, personnellement, je me suis souvent posé des questions au sujet de Mitch. Je me suis demandé plus d'une fois si c'était un hasard qu'il m'ait téléphoné juste au moment où quelqu'un enlevait Alice dans son berceau ou bien si c'était une diversion préméditée. »

Peter ouvrait de grands yeux, stupéfait d'entendre pareille accusation. « Quel rapport avec le rapt de Kristen Howe ?

— En apparence, aucun. Pourtant nous avons découvert que Mitch avait disparu quelques jours avant le kidnapping.

— Tu penses qu'il se cache ?

— Je ne sais pas. Mais il y a plus. Il s'est comporté de façon bizarre quelques mois avant l'enlèvement.

— Comment le sais-tu ?

— Parce que je l'ai rencontré il y a deux mois. Par deux fois, en fait. »

Peter se raidit soudain. « Qu'est-ce que tu me racontes là ? » demanda-t-il d'une voix tendue.

Le téléphone sonna. Allison regarda Peter, s'attendant à ce qu'il lui fasse signe qu'elle pouvait répondre, mais il ne bougea pas.

« Excuse-moi, dit-elle, mais c'est peut-être Abrams. »

Elle décrocha.

« Allô ?

— Howe ne paiera pas. »

Allison serra plus fort le combiné dans sa main. La voix était altérée, distordue par une vibration mécanique. « Qui est à l'appareil ?

— L'ange gardien de Kristen.

— Que voulez-vous ? demanda Allison, le cœur battant.

— Mon argent. Mais je vous l'ai dit, Howe ne veut rien savoir.

— C'est sa décision.

— Peut-être, mais quelle est la vôtre ?

— La mienne ?

— Vous avez entendu le général hier soir à la télé. Howe dit que vous êtes riches à millions, votre mari et vous. Vous avez envie que la fille meure et, avec elle, votre espoir de devenir présidente ?

— Vous avez les yeux plus gros que le ventre. Ça peut vous réserver des surprises.

— Non, c'est rien d'autre que la loi du marché. L'offre et la demande. J'offre la fille et je demande un million de dollars. En coupures de cent. D'ici à lundi. Vous payez, ou la fille meurt. Prochain coup de fil lundi, à huit heures du matin. »

La communication s'arrêta.

Allison raccrocha lentement. Sa stupeur était grande. C'était là un tournant qu'elle n'avait pas même envisagé. Elle se tourna vers Peter, mais il n'était plus là.

« Peter ? »

La porte d'entrée claqua. Elle courut dans le salon et regarda par la fenêtre. Il était déjà dans sa Jaguar. Elle fronça les sourcils, confuse, puis réalisa que le coup de fil avait interrompu les explications qu'elle allait lui donner, et qu'il avait dû traduire à l'aune cruelle de la jalousie le fait qu'elle eût par deux fois rencontré Mitch. Elle se précipita dehors.

« Peter ! » cria-t-elle, mais il était trop tard. La Jaguar venait de franchir la grille. Elle soupira, puis se hâta de rentrer et, décrochant le téléphone, composa fébrilement un numéro.

« Harley, dit-elle d'une voix essoufflée. Le ravisseur vient de m'appeler. Les règles du jeu ont changé. »

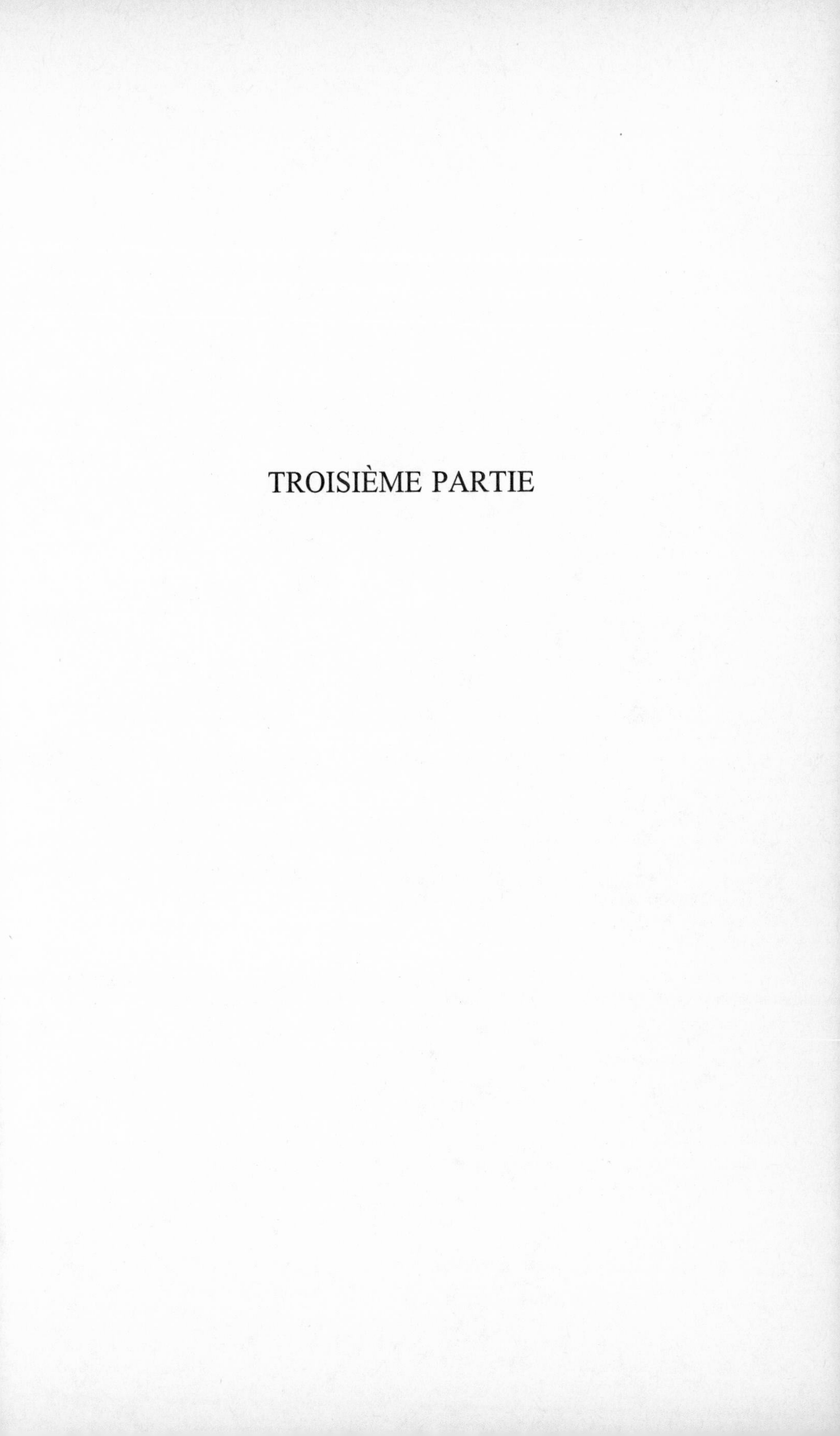

TROISIÈME PARTIE

1

La rapidité de la réponse surprit même Allison. Quatre-vingt-dix secondes après qu'elle eut appelé Harley Abrams, la première équipe du FBI était à sa porte, suivie de près par les services secrets. En quelques minutes, tout le pâté de maisons entourant sa résidence était bouclé, et un barrage mis en place à l'entrée de chaque artère menant à Georgetown. Des agents fédéraux patrouillaient le voisinage, à la recherche de toute activité suspecte ou de véhicules abandonnés, tandis que des policiers relevaient les plaques minéralogiques, dont les numéros seraient communiqués au fichier central. Enfin, des maîtres-chien faisaient renifler à leurs bêtes les buissons et les poubelles, afin de détecter d'éventuels explosifs.

La maison d'Allison se transformait en bastion. Harley Abrams arriva avec une équipe de techniciens impatients de mettre sur écoutes le moindre récepteur de communications. Adossé au réfrigérateur dans la cuisine, un crayon glissé derrière l'oreille, il vérifiait une liste sur son calepin.

« Je tiens à prendre toutes les mesures de sécurité possibles, dit-il à Allison.

— Et moi, je ne veux pas voir le FBI camper chez moi, répondit Allison avec fermeté.

— Il y a une maison vide à louer de l'autre côté de la rue. Nous allons la réquisitionner et y installer un poste de commande, où une équipe sera de service jour et nuit. Ils feront des patrouilles, mais se fondront dans le paysage. Même le sans-abri à l'arrêt d'autobus sera l'un de nos agents. S'il se passe quoi que ce soit, nous pourrons intervenir immédiatement.

— C'est très bien.

— Nous allons ajouter quelques caméras de surveillance, de manière à couvrir tous les angles autour de votre maison. Nous les dissimulerons dans les lampadaires, les buissons, les voitures garées dans la rue. Nous veillerons à ce que personne ne puisse les remarquer. Mais c'est à vous de nous dire si vous voulez aussi une surveillance à l'intérieur.

— Je regrette... j'ai cessé depuis longtemps de poser nue devant les caméras. »

Harley sourit, et réussit à garder une attitude professionnelle. « Il serait bon que nous placions votre ligne téléphonique sur écoutes.

— Non, ce n'est pas possible. J'ai confiance en vous, Abrams, mais vous n'êtes pas tout le FBI.

— Nous pouvons installer un système sélectif : vous utilisez librement votre téléphone, mais si vous recevez un appel que vous jugez bon de nous faire entendre, appuyez sur la touche étoile et le chiffre 8. L'agent qui sera de permanence déclenchera aussitôt l'enregistrement.

— Dans ce cas, c'est d'accord. »

Harley jeta un regard au combiné qui se trouvait sur le comptoir séparant la cuisine de la salle à manger. « Dommage qu'on n'ait pas pu enregistrer cette communication. Je me demande toutefois comment il a pu se procurer votre numéro personnel.

— Oh, il a beau être classé confidentiel à la compagnie du téléphone, je dois le changer à peu près tous les mois. Vous ne pouvez pas savoir le nombre d'associations qui diffusent mon adresse et mon numéro de téléphone à leurs membres. On m'appelle au sujet de l'avortement, du contrôle des armes, de la peine capitale. »

Harley hocha la tête d'un air entendu.

« Avez-vous déjà quelques informations sur l'appel ? demanda Allison.

— Il a utilisé un portable, et compte tenu du nombre de relais satellites, il aurait pu vous appeler de l'autre bout du monde. L'appareil est ce qu'on appelle un "clone", autrement dit un téléphone dont le numéro de code a été volé, en l'occurrence à un agent immobilier de New York. La compagnie du téléphone l'a immédiatement détecté. Leurs ordinateurs sont programmés pour identifier tout appel donné depuis un portable cloné et le débrancher sur-le-champ, afin de protéger le propriétaire légitime contre le piratage de son numéro. Nos ravisseurs ont ainsi trouvé le moyen de brouiller les pistes, du moins en ce qui concerne le téléphone. À mon avis, ils appelleront chaque fois avec un clone différent, chacun ayant sa propre fréquence et sa propre portée.

— Nous n'avons donc pas affaire à des crétins congénitaux.

— Pas d'un point de vue technologique. Nous sommes en train d'installer un programme informatique capable de remonter les prochains appels depuis des portables, mais il nous sera difficile de localiser avec précision le départ du signal, car celui-ci interfère avec les fréquences radio. C'est même pour cette raison qu'ils se servent de portables. »

Allison détourna le regard, l'air songeur.

« Vous pensez à quelque chose ? demanda Harley.

— Oui, cette conversation... technique... m'a rappelé le stratagème utilisé par le ravisseur d'Alice. L'interphone de bébé, comme celui que j'avais, fonctionne justement sur des fréquences radio. Nous avons alors pensé que le ravisseur avait dû préalablement enregistrer les gazouillis d'Alice avec un capteur de sons, pour faire la cassette qu'il a laissée dans le berceau.

— Allison, ce n'est pas parce qu'un type sait pirater le code d'un portable que c'est nécessairement lui qui a enregistré les bruits de votre enfant afin de mieux vous piéger. Quand je vous ai dit qu'on n'avait pas affaire à des idiots en matière d'électronique, je ne voulais pas dire qu'il n'y en avait pas plus de dix sur terre capables de faire ça. Ils sont aujourd'hui des milliers à jouer les bandits de grand chemin sur les nouvelles autoroutes de l'information.

— Je le sais bien, dit-elle, chassant l'idée qui lui était venue.

— Pour en revenir à cet appel du ravisseur, y a-t-il autre chose qui vous revienne en mémoire ?

— Non, je ne vois pas. Dès que j'ai raccroché, j'ai noté sur un papier tout ce dont je me souvenais.

— J'ai déjà faxé vos notes à Quantico afin d'établir un profil. Nous prenons cet appel au sérieux, mais rien ne prouve formellement que les ravisseurs en soient les auteurs. Vous êtes la seule à avoir entendu la voix, aussi j'aimerais vous faire écouter quelque chose. Cela nous donnera peut-être la confirmation de ce que nous cherchons.

— Vous possédez un enregistrement ?

— Oui. Un homme a appelé Tanya Howe, cet après-midi, juste avant que vous receviez l'appel.

— Ça, je le sais, mais j'ignorais que vous aviez pu l'enregistrer. Je croyais que Tanya vous avait chassés de chez elle.

— C'est elle-même qui a branché son répondeur. Je suppose qu'elle ignorait qu'il est illégal d'enregistrer une conversation sans la permission d'un juge ou le consentement du correspondant. Les fabricants des répondeurs ont obligation de le signaler sur les notices d'emploi, que jamais personne ne lit. J'espère qu'elle ne sera pas poursuivie pour ça.

— Je pense que le procureur de Nashville trouvera moyen de contourner la loi dans ce cas précis. Si jamais cette affaire va en justice, nous devrons nous attendre à ce qu'il y ait un litige sur ce point, mais nous avons le temps de nous inquiéter de ça. »

Harley sortit une cassette de sa poche. « Avez-vous un lecteur ?

— Oui, suivez-moi. »

Ils gagnèrent le salon. Harley introduisit la bande dans le lecteur de la chaîne stéréo et appuya sur le bouton de marche.

L'enregistrement commençait abruptement avec la voix de Tanya. *« Je vous en supplie, ne faites pas de mal à ma fille. Vous aurez tout ce que vous voulez, mais relâchez-la. »*

Ces paroles serrèrent le cœur d'Allison. Quelle angoisse et quel désespoir dans cette voix ! Elle ferma les yeux, tandis que résonnait le timbre tremblé de la voix de l'homme.

« Je vous ai dit ce que je voulais. Un million de dollars. D'ici à demain matin. Et pas de flics. »

Elle rouvrit les yeux et eut l'impression que la pièce tournoyait. Elle se rappelait toutes ces nuits où elle avait couru au téléphone, espérant un appel du ravisseur. Mais cela n'avait jamais été le cas. Ce n'était le plus souvent que pour entendre un témoignage qui se révélait erroné ou bien quelque farce cruelle. Elle n'avait jamais eu quelqu'un au téléphone qui savait où était Alice, quelqu'un qui avait le pouvoir de la lui redonner. Et elle ne pouvait s'empêcher de penser que, dans son malheur, Tanya avait au moins cette chance de pouvoir traiter avec celui qui détenait son enfant. Oui, Allison aurait donné son bras droit pour avoir la possibilité de négocier contre de l'argent la vie de son enfant.

« Est-ce la même voix ? » demanda Harley.

Elle sursauta, le visage couleur de cendre. « Oui, dit-elle, c'est en tout cas le même son. »

Harley soupira. « Alors, vous aviez raison. Les règles du jeu ont changé. »

Allison aperçut soudain Peter dans le vestibule. Il s'entretenait avec un agent fédéral. Il semblait agité. Elle s'excusa auprès de Harley, et entraîna Peter dans le petit salon, loin de l'agitation.

« Que se passe-t-il ici ? » demanda-t-il.

Allison ne savait par où commencer. « Ce coup de fil que j'ai pris juste avant que tu partes, c'était l'un des ravisseurs de Kristen Howe. Ils veulent que nous payions la rançon. »

Peter ouvrit la bouche, mais aucun son n'en sortit.

« Oui, moi aussi, j'ai été stupéfaite. Mais, avant de poursuivre, je voudrais te dire que ces rencontres avec Mitch ne sont pas du tout ce que tu veux bien imaginer. Elles n'avaient rien de romantique, si tu veux le savoir. Dois-je préciser qu'il n'y a jamais eu l'ombre de quelqu'un d'autre, depuis que je t'ai rencontré ? »

Il baissa les yeux. « Je suis désolé d'avoir filé comme ça avant que tu puisses t'expliquer.

— Ça va bien, mais tu dois comprendre, maintenant, pourquoi je ne t'ai pas dit que Mitch avait cherché à me revoir.

— Je sais, dit-il avec un sourire penaud. C'est une malédiction d'être marié avec une femme aussi belle que toi. Ça peut rendre fou de jalousie. »

Elle l'embrassa. Peter n'était pas à proprement parler un bel homme, et il en avait toujours conçu un complexe d'infériorité. Épouser une femme dont tout le monde louait la beauté n'avait pas contribué à dissiper ce sentiment d'insécurité.

Les hommes de Harley Abrams continuaient de s'affairer dans la maison, et Peter grimaça. « Quelle vie ! dit-il. Le FBI, les services secrets, la police, il ne manque plus qu'un bataillon de marines. » Il s'approcha de la fenêtre et secoua la tête à la vue des techniciens qui installaient les caméras de surveillance. « Il ne nous reste plus qu'à nous faire une raison, hein ? dit-il, se retournant vers Allison.

— Soyons justes, Peter. Avant que j'entre en politique, tu avais tes propres gardes du corps, et ils n'étaient pas moins envahissants que les miens.

— Je sais, mais je leur faisais confiance.

— Je ne peux pas changer ce que je suis, Peter. Et puis tout cela finira bientôt. »

Il acquiesça d'un signe de tête. « Qu'as-tu répondu aux ravisseurs au sujet de la rançon ?

— Rien.

— Combien demandent-ils ?

— Un million de dollars. D'ici à lundi. »

Il arqua les sourcils. « Ça fait un paquet d'argent.

— Je sais. Mais si nous ne payons pas, ils tueront la petite.

— Et tu perdras l'élection.

— C'est vraiment secondaire.

— Vraiment ?

— Oui, vraiment. »

Peter regarda Allison, comme s'il jaugeait sa sincérité. « Veux-tu payer la rançon ?

— C'est une décision que nous devons prendre ensemble.

— Je te repose la question : veux-tu payer ? »

Allison prit le temps de réfléchir. « Si c'était Alice à la place de Kristen, pourrions-nous réunir un million de dollars d'ici à lundi ?

— Absolument.

— Alors, ma réponse est oui. Si cela doit sauver la vie de Kristen et la ramener à sa mère, nous devrions payer.

— Je m'en occuperai. Ne t'inquiète pas pour l'argent. Fais ce que tu dois faire. »

Elle le serra contre elle, les yeux emplis de larmes. « Merci, Peter. »

Il la retint un instant contre lui puis demanda : « Que vas-tu faire maintenant ? »

Elle s'écarta et le regarda dans les yeux. « Il est temps que j'aie une conversation avec Tanya Howe. »

2

Les moteurs ronronnaient à dix mille mètres quand Allison défit sa ceinture et inclina le dossier de son siège. Elle n'empruntait plus le jet privé du ministère de la Justice, depuis son annonce, voilà un an, de sa candidature à la présidence, de peur qu'on ne lui reprochât de s'approprier des moyens fédéraux à des fins électorales. Ce matin, toutefois, avec Harley Abrams à ses côtés, elle se permettait une entorse à la règle.

Tout en sirotant un gobelet de café, Allison réfléchissait à ce qu'elle allait dire à Tanya Howe. Elle regarda par le hublot les nuages dérivant sous l'appareil. Blancs, cotonneux, avec un ciel d'un bleu profond au-dessus, qui lui rappelait le plafond de la chambre d'Alice, qu'elle avait peint elle-même pour que l'enfant se réveille chaque jour sous un azur serein.

« Est-ce que je peux vous poser une question personnelle ? » demanda Harley.

Il était assis à côté d'elle, une liasse de documents posée sur la tablette devant lui.

« Oui, à la condition d'avoir le droit de ne pas répondre.

— Accordé, dit-il en se déplaçant sur son siège pour pouvoir la regarder. Ma question n'a qu'un rapport indirect avec l'enquête. Je réfléchissais à l'enlèvement d'Alice, la nuit dernière, et je me suis demandé pourquoi une femme ambitieuse, célibataire, approchant la quarantaine, avait adopté un bébé.

— J'aimerais pouvoir vous répondre que de nobles motifs m'ont guidée, comme de donner à un enfant battu ou à un petit orphelin la chance de grandir dans un milieu favorisé. En vérité, j'ai adopté un enfant parce que j'en voulais un.

— Mais pourquoi une adoption ?

— Quand j'en ai pris la décision, j'étais encore fiancée à Mitch, et je lui ai dit que je ne pourrais jamais avoir d'enfant moi-même. La maladie polykystique du rein semble héréditaire dans la famille, mais nous ne l'avons su qu'après que mon frère l'eut développée, peu de temps après son mariage. Son fils l'a contractée, et il en est mort. Il n'y a pas de traitement préventif, et l'évolution est toujours fatale chez les petits. Aussi n'ai-je pas voulu prendre le risque de la transmettre à mon propre enfant. Je savais aussi que cela prenait du temps d'adopter un nouveau-né. Je me suis donc inscrite sur la liste avant même que Mitch et moi ayons décidé de la date du mariage.

— Et vous avez tout de même adopté un bébé, même après la rupture de vos fiançailles.

— Quand je me suis séparée de Mitch, j'étais psychologiquement prête à l'adoption. J'avais trente-neuf ans, j'étais tout excitée à l'idée d'être maman. Alors je n'ai pas hésité. Ma mère nous a élevés seule, mon frère et moi. Il n'y avait pas de raison que je ne puisse pas en faire autant.

— Je comprends mieux, maintenant, dit Harley.

— À mon tour, dit-elle, alors qu'il semblait reporter son attention sur ses documents.

— Mon tour de quoi ?

— Seriez-vous le seul à avoir le droit de poser des questions ? »

Il sourit. « Non. Que voulez-vous savoir ?

— Apparemment, vous m'aviez prise pour une femme trop occupée par sa carrière pour avoir des enfants. Et vous ? Un homme qui fait le métier de poursuivre les ravisseurs d'enfants, sans avoir lui-même de famille ? Est-ce votre profession et les détresses qu'elle vous amène à côtoyer qui vous retiennent d'être vous-même un papa ?

— J'ai pas mal de collègues à Quantico qui sont restés célibataires pour cette raison. Mais ce n'est pas cela qui m'a arrêté. » Son regard se fit lointain. « J'ai été marié. Il y a longtemps. Nous avons essayé d'avoir un enfant... ça n'a pas marché.

— Dommage.

— Oui, et c'est tout ce qu'on peut en dire. Ça m'a toujours énervé d'entendre nos amis nous débiter des statistiques dans l'espoir de nous réconforter. Après la première fausse couche de ma femme, ils nous disaient : “Savez-vous que soixante pour cent des femmes font un avortement involontaire dans leur vie ?” J'ai toujours pensé que ce devaient être les mêmes qui pouvaient dire à une veuve éplorée à l'enterrement de son mari : “Désolé pour votre époux, madame Jones, mais savez-vous que cent pour cent des gens sur cette planète finissent par mourir ?” Comme si ce genre de rappel était une consolation.

— Et vous n'avez jamais pensé à l'adoption ?

— Oui, nous y avons pensé, mais notre mariage est mort avant. J'avais vingt ans et elle dix-neuf quand nous nous sommes mariés. Elle a connu quelqu'un pendant que je pataugeais dans les rizières, au Vietnam, et j'ai mal pris la chose. On a divorcé. Ça fait plus de vingt ans.

— Vous n'avez jamais rencontré quelqu'un d'autre ?

— Voilà une question bien personnelle. »

Allison rougit. « Excusez-moi, je ne voulais pas être indiscrète. »

Harley eut un léger sourire. « Ça ne me gêne pas d'en parler. J'ai toujours pensé que je rencontrerais quelqu'un. J'en étais même sûr. Quand mon père a eu un cancer il y a quelques années, ça me faisait mal de penser que le temps que je fonde un foyer et que j'aie des enfants, leur grand-père serait déjà mort. Alors, je lui ai demandé de me raconter sa vie, et j'ai tout enregistré avec une caméra vidéo, pour ses futurs petits-enfants. Quatre-vingts ans de souvenirs.

— C'est une bien belle idée.

— Oui, mais mon vieux papa n'aimait pas trop la caméra. Je me souviens qu'à la fin de notre dernier entretien, on parlait des grands événements et des grands hommes qui avaient marqué l'histoire du monde. À un moment, je lui ai demandé quelle était pour lui la plus grande menace pour notre société technologique. Il est resté silencieux pendant un long moment, puis il a regardé l'objectif de la caméra et il a répondu : “La vidéo.”

— Votre père m'aurait plu », dit-elle en riant.

Harley lui sourit, puis son visage reprit une expression sérieuse. « À la vérité, je lui ressemble beaucoup. »

Le silence se fit entre eux, et ils se regardèrent un peu plus longtemps qu'ils n'auraient dû, mais c'était sans la moindre gêne. Bien au contraire.

Puis Allison retourna s'absorber dans sa contemplation des nuages.

L'appareil atterrit à l'aéroport international de Nashville dans la soirée. Comme convenu, une conduite intérieure banalisée attendait Allison pour la conduire dans le quartier résidentiel de Brentwood. Harley Abrams et deux autres agents montèrent avec elle, mais il n'y avait pas d'escorte qui aurait pu attirer l'attention des reporters sur la visite de l'attorney général.

Tanya Howe se rendit seule à Brentwood au volant de sa voiture. Harley l'avait informée par téléphone que les ravisseurs avaient adressé la demande de rançon à Allison. Elle accepta la rencontre, mais à la condition qu'elle soit secrète et ait lieu hors de chez elle. Personne ne pouvait prévoir la réaction des kidnappeurs s'ils apprenaient que Tanya et Allison avaient pris langue. Il fallait également éviter les médias qui campaient devant la maison de la fille du général. Enfin, Tanya redoutait la réaction de ses parents, particulièrement de son père, s'ils apprenaient qu'elle avait vu l'attorney général. Elle raconta donc à sa mère, pour expliquer sa sortie, qu'elle rendait visite à une amie.

Les feuilles mortes et les brindilles jonchant l'allée menant chez Sofia Johnson craquaient sous les roues de la voiture. Nichée derrière un bosquet d'arbres dénudés, la maison de style Tudor était modeste mais charmante, avec ses murs de briques et son toit de bardeaux. Un léger panache de fumée s'élevait de la haute cheminée de pierre, imprégnant l'air froid d'une bonne odeur de pin. La lumière du porche était allumée, et le garage ouvert. Le chauffeur y engagea la voiture et coupa le moteur, tandis que la porte basculante se refermait derrière eux. Après de brèves présentations, Sofia les invita à entrer par la porte qui communiquait avec la cuisine.

Cinq minutes plus tard, une Chrysler blanche s'arrêtait devant le perron. Tanya n'avait pas réussi à semer tous les reporters, mais cela n'avait pas d'importance. Sofia Johnson était une amie intime, et personne ne se doutait que l'attorney général pût l'attendre à l'intérieur.

Sofia l'accueillit sur le seuil, et la porte se referma sous les flashs des appareils photos. Harley présenta à Tanya les deux agents, puis Sofia l'emmena à l'étage, où Allison attendait dans un petit salon, alors que les trois hommes restaient en bas.

« Je te remercie, Sofia, dit Tanya à son amie, tandis qu'elles montaient l'escalier.

— Ce n'est rien. Après tout, ce n'est pas comme si je collaborais avec l'ennemi. Je n'ai jamais eu l'intention de voter pour ton père. »

Tanya sourit. Arrivées sur le palier, les deux femmes s'étreignirent avec chaleur, puis Tanya continua seule dans le couloir.

Allison attendait nerveusement dans un fauteuil. Quand la porte s'ouvrit, elle se leva pour saluer la jeune femme.

« Allison, dit-elle, tendant la main.

— Je l'aurais deviné », répondit Tanya, mordante.

Allison accusa le coup. « Excusez-moi, je ne voulais pas insulter votre intelligence, mais seulement vous dire que je préférais que vous m'appeliez par mon prénom plutôt que de me donner du madame

Leahy ou, pire encore, madame l'attorney général. Puis-je vous appeler Tanya ?

— Bien sûr. » Tanya prit place dans le fauteuil à bascule près de la bibliothèque, tandis qu'Allison se rasseyait sur le petit canapé qui faisait face à la fenêtre. Les volets étaient fermés et les rideaux tirés, pour décourager les photographes trop curieux.

Allison observait le visage douloureux de Tanya, les grands cernes sous les yeux enfoncés, les plis d'inquiétude barrant le front, le teint cireux. Elle se sentit soudain coupable d'avoir envié cette femme, quand elle avait écouté l'enregistrement de l'appel des ravisseurs. Certes, Tanya avait peut-être une meilleure chance de retrouver sa fille, mais comment la douleur et l'angoisse n'auraient-elles pas été les mêmes ?

« Je veux d'abord que vous sachiez que je ne suis pas venue ici en tant qu'attorney général et encore moins en tant que candidate à la présidentielle.

— Je sais. M. Abrams m'a tout expliqué. Et je remercie le Ciel qu'il y ait encore un espoir. Quand cet homme a raccroché cet après-midi, j'ai pensé que c'était la fin des négociations. Je n'aurais jamais pensé qu'ils puissent vous appeler. Je les croyais convaincus que mon père ne paierait jamais, ainsi qu'il l'a déclaré.

— Il faut dire qu'il a été assez convaincant.

— C'est parce qu'il le pensait. Vous connaissez sa réputation au Pentagone : la terreur des terroristes. Ne jamais négocier. Point final.

— La réputation est une chose. Mais on aurait pu penser qu'il se montrerait moins intransigeant quand la vie de sa propre petite-fille est en jeu.

— On pourrait le penser, comme vous dites. »

Allison sentit que Tanya avait envie d'en dire plus. Elle attendit, mais la jeune femme resta silencieuse. « Si vous voulez payer la rançon, je pourrai avec l'aide de mon mari réunir le million de dollars qu'ils réclament.

— Que se cache-t-il là-dessous ?

— Rien, je vous assure. La seule chose que je vous demanderai en échange, c'est d'autoriser deux agents du FBI à revenir chez vous, afin de vous protéger et d'enregistrer les appels téléphoniques. Je sais que les ravisseurs vous ont mise en garde : pas de flics. Mais c'est ce qu'ils disent toujours. Ils savent très bien, à moins qu'ils ne soient complètement idiots, qu'ils exécuteront leur plan en supposant que vous avez appelé la police. Je ne vous demande rien que je ne ferais moi-même, si j'étais à votre place.

— C'est tout ce que j'aurai à faire ? Je ne serai même pas tenue de voter pour vous ? »

Allison eut un léger sourire. « Non, même pas. Mais je vous demanderai en revanche le silence absolu. Personne ne doit savoir que nous fournissons l'argent. Pas même vos parents.

— Surtout pas eux, vous voulez dire.

— Très bien. Je tenais seulement à ce que vous sachiez que je ne fais pas cela pour me faire valoir et en tirer un avantage politique. »

Tanya plissa les yeux d'un air suspicieux. « Alors pourquoi le faites-vous ?

— Pour sauver Kristen. Et...

— Et quoi encore ? »

Allison poussa un soupir résigné. « C'est important pour moi qu'on retrouve Kristen saine et sauve. Mais ne vous méprenez pas sur mes sentiments. Je serai franche avec vous. Cet enlèvement est peut-être plus compliqué que vous ou votre père pouvez le penser.

— C'est-à-dire ?

— Il est possible qu'il y ait une relation entre le rapt de Kristen et celui de ma fille, il y a huit ans.

— Vous êtes donc prête à payer un million de dollars dans l'espoir que cela vous mettra sur la piste d'Alice ?

— Dans une certaine mesure, oui. Mais ce n'est pas pour cette raison que nous payons. Nous payons avant tout pour sauver une enfant, la vôtre, en l'occurrence.

— Écoutez, j'apprécie votre générosité, mais je ne tiens pas à ce que vous vous impliquiez dans cette affaire pour poursuivre un but personnel. Tout ce que je veux, c'est que Kristen me revienne en vie.

— C'est aussi mon but. Il ne s'agit pas de faire passer une enfant avant l'autre. Je vous demande de considérer cela comme une occasion de nous aider l'une l'autre. Il n'est pas impossible que Kristen ait été enlevée, comme l'a été Alice, avec la même intention : me faire du mal. M. Abrams ne pense pas que mon bébé ait été kidnappé par quelqu'un qui désirait avoir un enfant à lui ou qui voulait en tirer de l'argent. Si vous considérez l'enlèvement de Kristen, il est tentant de dire que quelqu'un essaie de faire gagner les élections à votre père. Pourquoi ne serait-ce pas le contraire ? Me les faire perdre. Et le fait que les ravisseurs exigent maintenant que ce soit moi qui paie la rançon ne fait qu'étayer l'hypothèse d'un lien entre les deux kidnappings. »

Allison remarqua que Tanya avait de nouveau cette expression fiévreuse et troublée, comme si elle avait envie de dire quelque chose, mais qu'elle se l'interdît.

« Qu'avez-vous, Tanya ? Y a-t-il dans ce que je viens de vous dire quelque chose qui vous gêne ? »

Tanya détourna un instant son regard avant de répondre. « C'est votre interprétation de l'enlèvement de Kristen. Selon vous, il n'aurait d'autre motif que celui de vous nuire, au lieu d'aider mon père.

— Oui, et vous ne le pensez pas ? »

Tanya ferma les yeux, comme sous l'effet d'une soudaine douleur. « Je n'en sais rien, à vrai dire. »

Allison se pencha en avant. « Tanya, qu'y a-t-il ? demanda-t-elle d'une voix douce.

— Je vous laisse spéculer sur les motifs mais, avant tout, vous devriez connaître les faits, répondit Tanya, les yeux embués de larmes.

— Y a-t-il quelque chose que vous aimeriez me dire ?

— Oui, et c'est au sujet du père de Kristen.

— Parlez, je vous en prie. »

Le silence se fit dans la pièce. Puis la voix de Tanya s'éleva. « J'étais encore étudiante quand j'ai eu Kristen. Je n'étais pas mariée, mais j'étais amoureuse. Il s'appelait Mark. Mark Buckley.

— Il était le père de Kristen ? »

Tanya hocha la tête. « Dès que j'ai été enceinte, Mark m'a proposé le mariage. J'ai réfléchi et puis j'en ai parlé à mes parents. Ma mère était ravie. Mon père est rentré dans une colère folle. Il a beau se poser en farouche adversaire de l'avortement quand il pérore dans les meetings, c'est tout juste s'il ne m'a pas entraînée de force à la clinique.

— Il n'aimait pas Mark ?

— Il ne le connaissait même pas. Il ne l'avait jamais vu.

— Alors, quel était le problème ? »

Les lèvres de Tanya tremblaient. « Mark était blanc. »

La pièce parut soudain plus froide à Allison. « Et cela posait un problème au général Howe ? demanda-t-elle, incrédule.

— Oui, c'est incroyable, n'est-ce pas ? Le général Howe, monsieur Opportunisme en personne, ne pouvait pas supporter que sa petite-fille soit à moitié blanche. Il ne lui a jamais offert un seul cadeau de Noël, ne lui a jamais souhaité son anniversaire. Pour lui, elle n'existait pas. Quant à moi, je n'étais plus sa fille. »

Allison secoua lentement la tête d'un air confondu. « Je ne sais que vous dire, si ce n'est vous remercier de me faire cette confidence qui pourrait changer notre vision des choses.

— La mienne est très claire. Quand j'ai vu comment il grimpait dans les sondages, je n'ai pu m'empêcher de le soupçonner d'être derrière l'enlèvement de sa propre petite-fille. Et quand il est apparu à la télévision, je l'aurais étranglé. Exploiter ainsi le malheur de sa propre famille, ça... ça n'a pas de nom. Mais je n'en suis pas étonnée. L'histoire nous enseigne qu'il n'y a rien de plus dangereux qu'un militaire dans l'arène politique. J'en ai froid dans le dos de le dire mais, dans sa cervelle de stratège, Kristen n'est que de la chair à canon, celle qu'on sacrifie sur l'autel de la victoire. Et le fait que son père soit blanc la rend encore moins précieuse, du moins aux yeux du général. »

Allison avait la gorge sèche. Elle était tentée de croire ce que lui disait Tanya, car cela confirmait ce qu'elle avait toujours pensé du général Howe. Mais voir dans l'enlèvement de Kristen une manœuvre orchestrée par les partisans de Lincoln signifiait l'abandon de la piste qui la mènerait peut-être à Alice.

« Vous avez pris contact avec Mark ? demanda-t-elle à Tanya. Je veux dire, depuis la disparition de Kristen ? »

Tanya baissa la tête. « Mark est mort.

— Je suis désolée. Quand est-ce arrivé ?

— Avant la naissance de Kristen. Juste avant qu'on se marie. Un accident de la route. »

Allison sentit de nouveau un grand froid l'envahir.

« Ces derniers jours, poursuivit Tanya, je me suis demandé cent fois si je n'étais pas injuste envers mon père. J'avais du mal à concevoir qu'il puisse se servir de l'enlèvement de Kristen pour se faire élire président. Mais chaque fois, une question vieille de douze ans resurgissait.

— Laquelle ?

— Si l'accident qui a coûté la vie à Mark a réellement été un accident. »

Allison la regarda dans les yeux. « Je ne pense pas que nous découvrions la réponse avant lundi.

— Lundi ? Vous voulez dire que vous allez quand même payer la rançon, après tout ce que je viens de vous apprendre ?

— Bien sûr que je la paierai. » Allison se pencha en avant pour poser sa main sur le bras de Tanya. Et je n'ai pas perdu tout espoir personnel, pensa-t-elle, bien que la main d'Alice lui parût en cet instant plus éloignée que jamais.

3

C'était vendredi soir. Repo, allongé sur le canapé devant la télé, zappait à la recherche d'une émission regardable. Il arrêta son choix sur une rediffusion en noir et blanc du « Dick Van Dyke Show », mais il était difficile d'entendre un seul mot. Dans la cuisine, les frères Delgado se beurraient à la tequila en écoutant volume à fond une compil des Rolling Stones pour la quatrième fois.

Repo s'était demandé pour quelle raison les Delgado étaient d'humeur aussi festive. Il avait regardé les infos à la télé, au cas où le général serait revenu sur sa décision de ne pas payer la rançon, mais, apparemment, rien n'avait changé depuis sa prestation de l'avant-veille. Le garçon avait toutefois le sentiment que ses complices lui cachaient quelque chose.

En attendant, la fiesta battait son plein dans la cuisine. Repo jeta un regard par-dessus son épaule et il vit Johnny suçoter une rondelle de citron en grimaçant et s'envoyer une rasade de tequila.

Repo détourna le regard. Il était inquiet. La fille devait être morte de peur. Elle était déjà très tendue tout à l'heure, quand il lui avait apporté à manger. À présent, elle ne risquait pas de dormir avec ce boucan.

Il reporta son regard dans la cuisine. Les Delgado dansaient. Repo se leva et gagna furtivement la porte de la cave, sans se faire voir des deux autres, trop occupés à boire et à se trémousser au rythme de *Midnight Rambler*.

Il descendit l'escalier. Il n'avait pas besoin de torche, car il avait laissé allumée la lampe sur la commode, se disant que ça donnerait toujours un peu de chaleur à la petite.

Allongée sur le matelas, Kristen tressauta à son approche.

« N'aie pas peur, c'est moi. »

Elle parut se détendre un peu. Depuis la veille, Repo lui avait enlevé le bâillon, ainsi que la paire de menottes qui lui emprisonnait la cheville, de façon qu'elle puisse au moins se retourner dans le lit. Elle restait toutefois enchaînée par les poignets et avait toujours son bandeau, dont Repo n'avait osé la débarrasser de peur d'éveiller les soupçons de Tony.

Il s'assit sur la chaise à côté d'elle. « Tu n'as presque rien mangé, dit-il en voyant qu'elle avait à peine touché à sa nourriture. Tu n'as pas faim ? »

Elle secoua la tête mais resta muette.

« Évidemment, quand tu m'as demandé des céréales, tu ne t'attendais pas à ce qu'on t'en serve trois fois par jour. »

Il n'obtint pas davantage de réponse. Il sentait qu'elle avait peur, et le vacarme des deux connards là-haut y était sûrement pour quelque chose. Il se pencha vers elle et lui dit d'une voix douce, qui se voulait rassurante : « Écoute-moi, j'ai l'impression qu'il va se passer quelque chose. »

Elle ne bougea pas, puis il la vit remuer les lèvres. « Ils ne veulent pas me relâcher, c'est ça ? demanda-t-elle d'une petite voix tremblante.

— Ne te fais pas de bile pour ça, répondit-il spontanément.

— Pour... pourquoi vous voulez m'aider ?

— Je sais pas trop. Peut-être parce que t'es rien qu'une gosse.

— Vous aimez les enfants ?

— Pas tous. Mais tu me rappelles quelqu'un.

— Naomi Campbell ? »

Repo sourit, épaté. Incroyable qu'une fille de douze ans fût capable d'humour, compte tenu de sa situation. « Ouais, un peu Naomi, mais surtout ma petite sœur. Elle avait onze ans.

— Elle avait ? Qu'est-ce qui lui est arrivé ? »

La porte de la cave s'ouvrit soudain à la volée. Un rai de lumière et un flot de musique envahirent la cave. « Repo, ramène tes fesses, tu veux ? » beugla Tony.

Repo grimaça. Tony était soûl, sinon il ne l'aurait pas appelé par son nom. Il respira un grand coup et se leva. « J'me disais bien qu'il allait se passer quelque chose », dit-il à voix basse.

Il monta l'escalier, prenant son temps. Tony s'impatientait. « Hé ! magne-toi le cul ! » grogna-t-il d'une voix brouillée.

Quand Repo ressortit dans le couloir, Tony claqua violemment la porte de la cave. Il avait les pupilles dilatées et une lueur sauvage dans le regard, et Repo pensa que les deux frères n'avaient pas seulement bu de la tequila mais aussi pris des amphétamines, de quoi les rendre plus cinglés qu'ils n'étaient déjà.

Tony fit signe à Repo de le suivre dans la cuisine. Le sol était collant de jus de citron. Il y avait du sel répandu sur la table et une bouteille vide de tequila sur le comptoir, tandis qu'une autre à moitié pleine gisait sur un tas de glaçons dans l'évier. Johnny dansait comme un sac au son de *Wild Horses* en tenant une boîte de Fruit Loops qu'il bâfrait par poignées. Un cas typique de fringale alcoolique, se dit Repo.

Johnny enfourna dans sa gueule ce qui restait de céréales et jeta la boîte vide sur le comptoir. Puis, le visage fendu d'un sourire stupide, il saisit le grand couteau de cuisine dont il s'était servi pour couper les citrons. « Hé, Tony, dit-il la voix brouillée comme un œuf, devine c'que j'suis ! »

Et, brandissant le couteau comme Anthony Perkins dans *Psychose*, il se jeta sur la boîte pour la larder de coups de lame et l'épingler d'un dernier coup sur le comptoir en bois. « J'suis un *céréales* killer. »

Les Delgado saluèrent d'un rire gras le jeu de mots foireux.

Repo fit la grimace. « C'est pour ça que vous m'avez fait remonter de la cave, dit-il. Pour me montrer vos conneries ? »

Tony rigola encore un peu, puis son visage reprit sa méchanceté naturelle. « Non, on t'a fait venir parce que Johnny dit que t'as pas les couilles de suivre les ordres. »

Le regard de Repo alla de Tony à Johnny. « Qu'est-ce que tu veux dire par là ?

— Hé ! tuer la fille, pardi ! répondit Johnny. J'crois pas que tu sois cap de le faire.

— On en reparlera lundi, d'accord ? proposa Repo.

— Ouais, peut-être, dit Tony. Mais j'crois quand même que tu manques de... motivation. » Il jeta un coup d'œil à son frère. « Va chercher la môme, Johnny. »

Repo retint Johnny par le bras. Le salaud puait l'alcool. « Déconne pas, Johnny. T'es bourré comme un coing.

— Enlève ta putain de main ! » Johnny se dégagea et sortit de la cuisine. Repo voulut courir après lui, mais Tony bloqua la porte. « Tu attends là », dit-il, menaçant.

Repo préféra ne pas insister. Seul contre Tony, il avait peut-être une chance, mais il valait mieux attendre. Il baissa le volume de la musique pour pouvoir entendre ce qui se passait dans la cave. Il y eut un bruit de pas lourds dans l'escalier puis un juron étouffé. L'abruti avait raté la dernière marche et s'était affalé. Il s'ensuivit un silence qui dura une longue minute, avant qu'un bruit de pas retentisse de nouveau dans l'escalier, le lourd tapement des bottes de Johnny mêlé à celui plus léger des tennis de Kristen.

Elle émergea la première, les yeux bandés, les mains menottées derrière le dos. Johnny la guidait par le bras. Il la poussa dans les bras de Tony et gagna l'évier pour s'envoyer une nouvelle rasade de tequila.

Tony resta sur le seuil, derrière Kristen qui semblait pétrifiée. Repo se tenait à côté d'elle.

« Enlève-lui son bandeau, dit Johnny qui les regardait, appuyé de dos à l'évier.

— Mais elle verra ton visage, ordonna Repo, alarmé.

— Ben ouais, dit-il. Pourquoi, j'suis pas beau ?

— Fais pas ça, Tony. Ton frère est soûl. Ce serait une connerie.

— Enlève-le ! » cria Johnny.

Par-derrière, Tony tenait le visage de Kristen orienté bien en face de son frère. Il dénoua le bandeau.

Kristen cligna des yeux, éblouie par la lumière du plafonnier.

« Ne tourne pas la tête, lui dit Tony. Regarde bien en face. »

Johnny Delgado était à moins de quatre mètres devant elle. Il se rapprocha en grimaçant, collant presque son visage contre celui de la fillette, qui gardait les yeux désespérément baissés. « Regarde-moi, p'tite salope. Regarde-moi bien.

— Ne fais pas ce qu'il te dit ! cria Repo.

— Trop tard, dit Johnny. Elle m'a vu. »

Tony, apparemment satisfait, remit le bandeau sur les yeux de Kristen.

« Vous êtes vraiment des cons ! hurla Repo. Elle a vu Johnny.

— C'est vrai, dit Tony. Elle l'a vu. Et tu sais ce que ça a coûté à Reggie Miles. »

Kristen tressaillit. Elle ne comprenait pas ce qui se passait. Était-ce un jeu cruel ou bien était-elle l'enjeu d'une lutte entre celui qui s'appelait Repo et les deux autres ?

« C'est le point de non-retour, Repo. Maintenant, tu sais que si tu ne fais pas ton job, c'est Johnny qui s'en chargera à ta place.

— Ouais, dit Johnny. Et si c'est moi, tu sais que j'suis pas salaud. J'la laisserai pas mourir vierge. »

Repo avança sur Johnny, et lui donna une poussée qui l'envoya contre le réfrigérateur. Les deux hommes s'immobilisèrent, le souffle court, leurs regards rivés l'un à l'autre. Repo jeta un coup d'œil au grand couteau de cuisine planté dans le bois du comptoir.

Johnny grimaça un sourire de défi. « Vas-y, Repo. Tente ta chance si tu veux me découper. »

Un silence tendu tomba dans la pièce. Repo était prêt à plonger sur le couteau. Johnny avait le pied en appui contre le bas du réfrigérateur, comme un sprinteur dans ses starting-blocks. Tony fit reculer Kristen dans le couloir. Il y avait sur son visage cette lueur d'impatience de l'amateur de boxe, juste avant que le combat commence. Finalement, il rompit le silence. « Vas-y, Johnny. Plante-le ! »

Johnny se détendit. Il refermait sa main sur le manche du couteau quand Repo lui sauta dessus. Ils roulèrent à terre ensemble, luttant pour la possession de la lame étincelante.

« Tue-le ! » cria Tony.

Johnny parvint à immobiliser Repo sur le dos. Il n'avait pas lâché le couteau, mais Repo lui tenait le poignet. Johnny réussit à se libérer, et il allait abattre la lame quand Repo le frappa d'un coup de genou dans l'entrejambe. Sous la douleur, Johnny chuta en avant, donna du crâne contre le frigo et lâcha le couteau. Repo s'empressa de le ramasser et de le pointer sur Johnny.

« Johnny ! s'écria Tony.

— Arrête, maintenant », dit Repo en se relevant.

Mais Johnny se jeta sur lui. Déséquilibré, Repo tomba à la renverse, encaissant le poids de son adversaire. Celui-ci poussa un grognement sourd, hoqueta deux ou trois fois comme s'il cherchait son souffle, et puis ne bougea plus. Repo resta un instant immobile, surpris par cette sensation de tiédeur mouillée sur ses mains et son ventre. Il repoussa Johnny, qui roula sur le dos. Sa chemise était trempée de sang, et seul le manche du couteau saillait de sa poitrine.

Tony se précipita, laissant Kristen dans le couloir. « Johnny ! Oh, merde ! »

Repo en profita pour se remettre debout et foncer sur Tony, avant que celui-ci ne se retourne contre lui. Il percuta Tony, le projetant contre la porte du placard. Puis, s'emparant du premier objet qui lui tombait sous la main, il lui brisa le grille-pain électrique sur le crâne. Tony, à moitié assommé, s'écroula à côté de son frère. Sans perdre de temps, Repo courut chercher Kristen dans le couloir.

« Vite, il faut se sauver ! »

Il lui enleva son bandeau pour qu'elle puisse courir avec lui et, la tirant par le bras, se précipita dehors. Il sortit de sa poche les clés de la voiture, ouvrit la portière arrière, et poussa Kristen à l'intérieur.

« Couche-toi par terre ! » lui cria-t-il. Il s'engouffra derrière le volant et démarra. Il reculait quand il vit dans le rétroviseur Tony sortir sur le seuil. Écrasant l'accélérateur, il démarra sur les chapeaux de roues, chassa de l'arrière sur une plaque de glace, et tourna dans la rue.

Il eut encore le temps de voir Tony rentrer précipitamment dans la maison, probablement pour passer le coup de fil qui déclencherait la traque.

Repo haletait au point d'embuer le pare-brise. Il mit le chauffage à fond. Heureusement, les feux aux croisements étaient avec lui. Plus qu'un vert à passer, et il prendrait la bretelle d'accès à la voie express. Il poussa un soupir de soulagement quand il déboucha sur la route à quatre voies. Puis il entendit Kristen sangloter derrière lui, et il fut pris de panique.

Il avait les mains et la chemise couvertes de sang, et la petite-fille du général Howe était couchée sur la banquette arrière.

Mais le pire, ce qui l'effrayait jusqu'à la moelle, c'était de savoir qu'il avait tué le neveu de Vincent Gambrelli.

« Je suis un homme mort », murmura-t-il.

4

Allison arriva chez elle à minuit, juste à temps pour une audioconférence avec son état-major, afin de définir le programme du dernier week-end de la campagne Leahy-Helmers. Elle fourra son tailleur dans le sac destiné au pressing, enfila un peignoir et prit l'appel dans le salon pour ne pas réveiller Peter.

Eric Helmers et son conseiller appelaient de leur hôtel en Californie ; les conseillers médiatiques d'Allison, depuis New York ; David Wilcox et l'analyste des sondages, de la permanence de Washington, qui était à pied d'œuvre jour et nuit.

Allison et Wilcox n'avaient pas encore fait la paix depuis leur accrochage mais, avec l'élection si proche, tout le monde comprenait que ces deux-là continueraient de faire tandem pour quelques jours encore, que cela leur plût ou non.

La conférence suivit l'ordre du jour habituel, commençant avec les derniers sondages. Les deux candidats étaient à égalité dans le vote populaire, mais Howe commençait à se détacher dans le collège électoral[1]. Il fallait deux cent soixante-dix votes de grands électeurs pour gagner. Howe s'en était assuré cent huit. Leahy ne pouvait en compter que soixante-dix, alors qu'elle en avait cent deux semaines plus tôt. Ils pouvaient mettre une croix sur l'Ohio et la Pennsylvanie, en dépit

1. Assemblée élue réunissant les électeurs (dits « grands électeurs ») choisis par le vote populaire de chaque État pour élire le président et le vice-président des États-Unis. *(N.d.T.)*

de la campagne publicitaire de la semaine précédente. La Floride et la Californie restaient deux grands États indécis.

« Nous avons besoin d'Allison en Floride, dit Wilcox. Howe est en train d'envahir tout l'État. »

Allison se massa les tempes. Maintenant qu'elle avait parlé avec l'un des ravisseurs, elle appréciait peu la distraction que représentait la campagne électorale. Mais elle n'osait révéler à ses assistants que Peter et elle se préparaient à payer la rançon. « Pourquoi pas Eric ? » dit-elle.

L'interpellé s'éclaircit la gorge. Il avait la voix enrouée après une semaine de réunions et de meetings incessants. « Il est préférable que je ne quitte pas la côte Ouest. Nous avons besoin de la Floride mais aussi de la Californie pour gagner. Howe, lui, n'a qu'à décrocher l'un ou l'autre de ces États, et c'est la Floride qu'il a décidé de conquérir. Allison devrait l'affronter là-bas, pendant que je ferais de mon mieux pour convaincre les Californiens.

— Et la promesse que j'ai faite de consacrer tous mes efforts à retrouver Kristen Howe ? J'ai dit au peuple américain que je suspendrais mes apparitions publiques.

— Et vous les avez suspendues, intervint Wilcox. Vous avez fait votre devoir d'attorney général en vous assurant que tous les moyens étaient mis en œuvre pour retrouver la petite. À présent, il est temps que vous repreniez votre campagne électorale. C'est la présidence, le but. Pas la sainteté. »

Allison n'aima pas le ton de Wilcox, et elle allait lui en faire la remarque quand la voix d'Eric Helmers se fit de nouveau entendre. « Allison, pensez à tous ces gens qui croient en vous. Des milliers de militants se sont échinés jour après jour, nombre d'entre eux depuis le début dans le New Hampshire. Certains n'ont pas été payés depuis un mois, mais ils continuent de travailler. Tous ces efforts n'auront servi à rien si vous ne remontez pas en selle. Je vous en prie, je ne peux pas tout faire moi-même. »

Ces derniers mots, Helmers les avait prononcés d'une voix brisée qui n'échappa à personne sur la ligne. Il s'ensuivit un étrange silence, tandis que chacun attendait la réponse d'Allison. Ce calme ressemblait à celui qu'on rencontre dans l'œil de l'ouragan.

« Ne trichez pas avec votre destinée, dit soudain Wilcox. Ce n'est pas un hasard si vous avez fait tout ce chemin. Rien n'arrive sans raison. »

Cette dernière remarque troubla profondément Allison, et elle dut faire un effort pour donner la réponse que tous attendaient. « Très bien, messieurs. J'irai en Floride. »

La ligne chuinta d'un chœur de soupirs de soulagement. Ses collaborateurs prirent rapidement congé d'elle, comme s'ils redoutaient qu'elle ne change d'avis si la réunion se poursuivait. Allison retint Wilcox, juste avant qu'il ne raccroche. « David, restez en ligne.

— Qu'y a-t-il, patronne ? demanda-t-il d'un ton léger, comme au bon vieux temps, quand tout allait bien entre eux.

— J'ai été troublée par votre commentaire sur ma destinée. Vous avez dit que ce n'était pas un hasard si j'avais fait tout ce chemin, et que rien n'arrivait sans raison. À quoi pensiez-vous, exactement ?

— À rien de précis.

— Oh, vous deviez bien avoir quelque chose en tête, non ? »

Il eut un rire qui semblait un rien nerveux. « Pas vraiment.

— David, si vous ne me dites pas le fond de votre pensée, je ne vais pas en Floride.

— Allons, gardez votre calme, je vous en prie. Il n'y a aucun mystère. Je n'ai fait que répéter ce que vous m'avez vous-même confié un soir où nous bavardions. "Rien n'arrive jamais sans raison", disait votre mère. Vous appeliez ça le credo des Leahy. Je n'ai fait que vous citer. »

Oui, elle se souvenait vaguement de cette conversation devant un verre de whisky, un soir qu'ils attendaient leur avion à l'aéroport de O'Hare.

« D'accord, David.

— À quoi avez-vous pensé vous-même ?

— À rien, David.

— Fort bien. Je vous faxerai demain matin votre programme en Floride.

— Il me tarde de voir ça », dit-elle avant de raccrocher.

Les longues carrosseries noires des limousines étincelaient sous l'ardent soleil de la Floride, alors que le cortège pénétrait dans le campus de l'université de Miami. Dans l'intention de rafler les vingt-cinq votes du collège électoral du troisième plus grand État, le général Howe avait prévu deux arrêts en Floride du Sud le samedi matin, et deux meetings dans l'après-midi, l'un à Orlando, l'autre à Jacksonville.

Les voitures s'arrêtèrent en bordure de McLamore Square, espace de tous les rassemblements estudiantins. Une fontaine circulaire projetait de minces colonnes d'eau qui culminaient dans un bouillonnement d'écume, les faisait ressembler à de gigantesques chandelles romaines. Des cocotiers hauts de vingt mètres offraient, à défaut d'ombre, la grâce ondulante de leurs palmes.

Il y avait là une foule plus nombreuse que prévu, environ cinq mille personnes qui, massées devant l'estrade montée sur la place, accueillirent par un tonnerre d'acclamations l'arrivée du général, tandis qu'une fanfare faisait vibrer l'air du timbre martial de ses cuivres et tambours. La foule se pressa vers son favori, obligeant les hommes des services secrets à faire barrage.

« On t'aime, Lincoln ! » beugla une matrone par-dessus le brouhaha. Le général sourit, toucha quelques mains tendues au passage. Il s'arrêta un instant devant la phalange de photographes et de cameramen, puis rejoignit Buck LaBelle, qui l'attendait derrière l'estrade pour un briefing de dernière minute.

« Il y a du monde, dit le général.

— Oui, et aussi une bonne couverture médiatique, approuva LaBelle, tout excité par l'ambiance. Je crois que le temps est venu de larguer la bombe.

— Il était convenu qu'on attende demain.

— Ce sera peut-être trop tard. À mon avis, on ne peut pas souhaiter meilleur moment.

— Je veux bien. Plus vite nous en aurons fini avec cette histoire, mieux ça vaudra. »

LaBelle opina du chef avec vigueur. « Le ton de la voix est très important, général. Commencez calmement. "J'ai appris que le FBI soupçonnerait mes propres partisans d'avoir organisé l'enlèvement de ma petite-fille, et cela afin de susciter la compassion et de renforcer mes chances d'être élu." Puis vous poursuivez sur le ton de la colère et de l'indignation. "Or, jusqu'à preuve du contraire, la politisation du kidnapping est à rechercher dans l'enquête elle-même, menée par mon adversaire, l'attorney général Leahy." »

Howe fit la grimace. « Je n'aime pas la deuxième partie.

— C'est pourtant la clé.

— Tout le monde sait que Leahy a veillé à ne rien faire ni dire qui puisse politiser l'enquête. J'aurai l'air de quoi si je lance de fausses accusations ?

— Nous avons déjà parlé de ça, général. Tôt ou tard, la presse apprendra que le FBI n'exclut pas l'hypothèse que les coupables se cachent peut-être dans nos rangs. On ne peut pas laisser Leahy ou la Maison-Blanche être les premières à déclencher la rumeur. Il faut les devancer. Si jamais nous n'intervenons pas, vous pouvez être sûr que les Américains douteront de nos dénégations. Mais si nous prenons l'offensive, comme je vous le conseille vivement, la colère populaire se retournera contre nos adversaires. Faites-moi confiance.

— Allons, Buck, je ne peux pas prétendre que l'enquête fait l'objet d'une manipulation, alors que ce n'est pas le cas. Harley Abrams n'a pas du tout ce profil. Sa neutralité saute aux yeux de tous. Nous avons besoin d'un fait concret si nous voulons atteindre Leahy. »

La fanfare continuait de jouer, accompagnée par une foule enthousiaste qui tapait dans ses mains. Howe et LaBelle, indifférents au bruit, réfléchissaient.

« J'ai une idée, dit soudain le Texan, le visage illuminé. Nous dénoncerons cette controverse sur nos dépenses de campagne.

— De quoi parlez-vous ?

— Comment, vous ne savez pas ? dit LaBelle, feignant la surprise. Leahy et sa bande de malhonnêtes ont demandé à la famille Howe d'enlever tous les panneaux "Retrouvez Kristen" que nous avons placés dans tout le pays. Ils veulent aussi que nous cessions de diffuser les spots publicitaires pour le numéro vert. D'après ces cyniques, ce ne serait qu'une manière détournée de promouvoir le nom du candidat Lincoln Howe. Ils crient à l'utilisation illégale des fonds de campagne.

— Ils ne doivent pas crier très fort, je n'ai encore rien entendu, fit observer le général.

— Ma foi, ce n'est pour le moment qu'une rumeur, mais qui pourrait faire du bruit.

— Quand a-t-elle commencé ?

— Quand ? dit LaBelle avec un sourire. Mais à l'instant, général. Vous venez juste de la lancer. »

Howe était confondu. Sur l'estrade, le présentateur réclamait le silence pour annoncer l'homme que tous attendaient. « Et maintenant, mesdames et messieurs, j'ai l'honneur de vous présenter un héros, un homme qui ramènera la sincérité et l'intégrité à Washington. Mesdames et messieurs, voici le prochain président des États-Unis d'Amérique... le général Lincoln Howe ! »

La fanfare rejoua. Un essaim de ballons rouges, blancs et bleus monta vers le ciel, tandis que cinq mille gosiers ajoutaient au vacarme.

Howe et LaBelle échangèrent un long regard. Finalement, le général eut un hochement à la fois sec et solennel. LaBelle sourit et donna une tape dans le dos de son patron.

« Allez-y, général. Vous les tenez. »

Howe, arborant son sourire de candidat, monta les marches et déboucha sur l'estrade en saluant des deux mains la foule partisane.

5

La chambre était faiblement éclairée. Kristen Howe regarda un instant le crépi grisâtre du plafond puis tourna lentement la tête vers le lit jumeau à sa gauche. Il était vide, les couvertures défaites. Sur la commode, la télé était réglée sur CNN, le son coupé. Des rais de soleil animés de particules de poussière filtraient par l'entrebâillement des rideaux. Un plan du bâtiment et des issues de secours en cas d'incendie était punaisé derrière la porte fermée par une chaîne de sûreté.

Kristen ne dormait pas quand ils s'étaient arrêtés tard dans la nuit au motel Six, une enfilade de chambres dont les portes donnaient sur le parking. Avant de se rendre à la réception, l'homme qui se faisait appeler Repo lui avait demandé de s'aplatir sur le plancher de la voiture, puis il l'avait menottée au montant d'un des sièges avant. Elle n'avait pas osé appeler à l'aide, car elle ignorait où ils se trouvaient. Repo avait garé la voiture derrière, loin de la route. Il l'avait emmenée dans la chambre sans la bâillonner ni lui bander les yeux. Elle s'était bien gardée, toutefois, de le regarder et avait feint de s'endormir dès qu'elle s'était couchée dans l'un des lits. Elle ne voulait pas voir son visage, pas après ce qui s'était passé quand elle avait regardé ce garçon qui s'appelait Johnny.

Il y eut un bruit de chasse d'eau, et la porte de la salle de bains s'ouvrit. Repo entra dans la chambre. Kristen referma si fort les yeux que ses paupières tremblèrent.

« Tu n'es pas obligée de fermer les yeux, dit-il.

— Je... je n'ai pas vu votre visage, balbutia-t-elle, apeurée. Même la nuit dernière, je n'ai rien vu, rien.

— Écoute, Kristen, je ne te remettrai pas le bandeau. Alors, tu peux rouvrir les yeux. »

Elle continua de les garder clos avec une obstination qui fit sourire Repo. Il s'assit au bord du lit. « Kristen, je sais que tu as vu mon visage, hier soir.

— Non, non, je n'ai rien vu », répéta-t-elle.

Il soupira. « D'accord, mais ça n'a plus d'importance, maintenant. Tu peux me regarder.

— Et vous me tuerez, comme vous avez tué Reggie.

— Non, pourquoi dis-tu une chose pareille ?

— Reggie est mort. Je sais qu'il est mort. »

Repo resta silencieux un moment, réfléchissant à ce qu'il allait dire. « C'est vrai, Reggie est mort. »

Kristen se raidit de tout son corps.

« C'est Johnny qui l'a tué, dit Repo. Le garçon avec qui je me suis battu hier.

— Pourquoi vous vous êtes battu avec votre ami ?

— Écoute, on est dans la merde, tous les deux, aussi je serai franc avec toi. Mais il faut que tu rouvres les yeux. Je ne vais pas passer mon temps à te guider comme un chien d'aveugle. »

Elle fit ce qu'il lui demandait et tourna lentement la tête vers lui.

« Voilà, c'est pas trop difficile, non ? »

Elle secoua la tête, n'osant toujours pas croiser le regard de Repo. Il se déplaça sur le bord du lit, pour être un peu plus en face d'elle. « Je suis mouillé dans une sale affaire avec des gens très dangereux. Des gens qui font ce pour quoi on les paie. Un type se fait virer et veut foutre le feu à la baraque de son patron ? Une femme veut se venger de son ex-mari ? Pas de problème, ils s'en chargent. Et si quelqu'un veut enlever une gamine de douze ans, ça aussi ils le font.

— Et si quelqu'un veut qu'on la tue ?

— Ils la tueront. Mais pas moi. C'est pour ça qu'on s'est bagarrés, Johnny et moi. On n'était pas d'accord. Moi, je voulais qu'on te relâche, mais pas lui.

— Alors, pourquoi vous ne me laissez pas m'en aller, maintenant ?

— Parce que tu ne serais pas en sécurité. Ça peut paraître complètement fou, mais si je te ramène à Nashville, chez ta maman, ces gens-là te retrouveront.

— La police me protégera.

— Non, elle le dira, mais elle le fera pas.

— Comment le savez-vous ?

— Je le sais, c'est tout ! » Il passa une main sur son visage. « Excuse-moi, je ne voulais pas crier. Mais quand je te dis quelque chose, tu dois me croire. Je sais de quoi je parle, tu sais. » Il marqua une pause, le visage soudain empreint de tristesse. « Il y a six ans, j'ai témoigné au tribunal contre un type qui vendait de la drogue. Pas le petit revendeur du coin de la rue, mais le gros dealer qui fournissait tout le monde. Les flics m'ont garanti qu'ils me protégeraient si je le dénonçais. Alors, j'ai accepté. Mais après le procès, y'a pas eu un seul flic pour me protéger.

— Qu'est-ce qui s'est passé ? »

Repo détourna les yeux, visiblement ému par ce souvenir. « En rentrant à la maison, un soir, j'ai trouvé ma mère et ma sœur baignant dans leur sang, dans la cuisine. Ils les avaient tuées toutes les deux.

— C'est la sœur dont vous m'avez parlé ? Celle qui me ressemblait ?

— Ouais. Mais t'inquiète pas. Personne te tuera. »

Kristen le regarda. Sans peur, cette fois. Il lui paraissait soudain plus humain. « Pourquoi travaillez-vous pour des gens si méchants ?

— Je les ai pas choisis. C'était une question de survie. J'avais dix-huit ans quand tout ça est arrivé. Je me suis dit que les salauds qui avaient tué ma mère et ma sœur tarderaient pas à me tomber dessus. Je pouvais pas compter sur les flics. Mais là où j'habitais, si tu avais besoin d'aide, t'avais qu'à travailler pour... » Il se tut, préférant ne pas dire de nom. « Pour l'homme qui pouvait te protéger. C'est ce que j'ai fait. Ça fait six ans qu'il m'a pris sous son aile, et jamais personne n'a osé me toucher.

— Et c'est cet homme qui m'en veut ?

— Toi, il te cherche parce qu'il a été payé pour ça, mais c'est à moi qu'il en veut. J'ai tué son neveu, Johnny. Je sais pas pourquoi, mais Tony, le frère de Johnny, voulait qu'on se débarrasse de toi.

— Se débarrasser de moi ? Comme Reggie ? Mais pourquoi ? demanda Kristen, les larmes aux yeux.

— J'en sais rien. Il y a sûrement quelqu'un, quelque part, qui pense que c'est nécessaire. Peut-être que c'est Tony, peut-être que c'est son oncle. À moins que ce ne soit celui qui nous a engagés pour qu'on t'enlève. Bref, celui qui est derrière toute l'histoire. »

Un silence tomba. Kristen détourna les yeux. « C'est mon grand-père, dit-elle.

— Quoi ? »

Elle désigna le téléviseur d'un signe de tête. « C'est lui, à la télé. »

Repo se retourna. Pendant une seconde, il avait pensé qu'elle confirmait que Lincoln Howe l'avait fait enlever. Il se leva pour mettre le son.

Howe haranguait une grande foule sur fond de cocotiers et de lâcher de ballons. « J'ai appris que le FBI soupçonnerait mes propres partisans d'avoir organisé l'enlèvement de ma petite-fille, et cela afin de susciter la compassion et de renforcer mes chances d'être élu. Or, jusqu'à preuve du contraire, la politisation du kidnapping est à rechercher dans l'enquête elle-même, menée par mon adversaire, l'attorney général Leahy. »

L'image fut remplacée par celle du présentateur du journal de CNN. « Le général Howe a fait cette déclaration ce matin à l'université de Miami. Ni le FBI ni le ministère de la Justice n'ont confirmé ou dénié que l'enquête se portait dans les milieux proches de Lincoln Howe. L'attorney général Leahy s'est contentée de dénoncer l'inopportunité de tout commentaire à ce stade de l'enquête. »

Repo baissa le volume et regarda Kristen, dont le visage exprimait l'incrédulité. « Le FBI soupçonne mon grand-père de m'avoir fait enlever ?

— Il semblerait, dit Repo, gêné. Sincèrement, je ne sais pas qui nous a engagés. Mais je me suis quand même demandé si c'était pas l'un des partisans de ton grand-père. Tu ne dois pas le savoir, parce que tu n'as pas pu suivre les informations, mais beaucoup de gens sont désolés pour le général depuis ta disparition. Tellement désolés qu'ils sont bien décidés à voter pour lui. Il est largement en tête, dans tous les sondages.

— Mais c'est impossible que ce soit lui !

— Pas lui en personne. J'espère que non, en tout cas. Mais on va devoir être drôlement prudents en attendant que le FBI ait fait son enquête. Je ne peux pas te laisser partir. Il vaut mieux que tu restes avec moi, et qu'on se cache en attendant que l'élection ait eu lieu. Tu comprends pourquoi, maintenant ? »

Kristen hocha la tête en continuant de regarder avec stupeur l'écran. Elle renifla et se moucha. « Oui, je comprends, dit-elle en levant vers lui un regard inquiet. Je ne peux pas rentrer chez moi. »

6

Allison devait partir pour la Floride à midi. Le programme de sa tournée prévoyait un premier arrêt à Saint Petersburg, où résidait la plus grande communauté de personnes âgées du pays. Elle n'avait visité qu'une seule fois St. Pete, le temps d'une semaine de vacances. Un vieil homme de quatre-vingt-douze ans l'avait aidée avec son détecteur de métal à chercher une boucle d'oreille qu'elle avait perdue sur la célèbre plage de sable blanc. Au bout de quelques minutes, huit de ses copains à la retraite, dont trois d'entre eux étaient des anciens de la guerre 14-18, s'étaient joints aux recherches, ratissant le sable comme des démineurs.

Avant de partir pour l'aéroport, Allison se retira une heure dans le petit studio situé au-dessus de ses bureaux du ministère. C'était là que, à l'abri des interruptions de toutes sortes, elle réfléchissait le mieux.

La pièce était succinctement meublée d'un fauteuil inclinable, d'une table de travail, d'un climatiseur, et d'un canapé convertible qui permettait à l'attorney général de passer la nuit sur place dans les périodes de crise. On y accédait par un escalier dérobé, depuis le petit salon jouxtant le bureau. Le studio était également proche d'un ascenseur privé qui descendait directement au sous-sol, une configuration parfaite pour qui désirait entrer et sortir discrètement. Du temps où Robert Kennedy était attorney général, le lieu avait abrité les amours clandestines de son président de frère et de Marilyn Monroe.

Allison pensa avec amertume à ce président marié qui s'envoyait en l'air entre ces murs avec le sex-symbol le plus célèbre du monde. Apparemment, les Américains pouvaient pardonner cela à un homme, alors qu'une fausse rumeur d'adultère avait suffi pour qu'Allison voie ses chances d'être élue sérieusement compromises.

Ces dernières pensées lui rappelèrent Mitch O'Brien et cette photo à la lettre écarlate, et elle s'étonna de ne pas avoir reçu d'autres nouvelles de la part de Harley Abrams. Il devait être encore à Nashville ; elle l'appela sur son portable.

« Harley ? C'est moi. J'étais en train de penser à une chose : où en sont vos recherches au sujet de Mitch O'Brien ? »

Harley venait juste de monter dans sa voiture, garée devant le bureau fédéral de Nashville. « Nous n'avons rien trouvé de concret pour le moment. O'Brien semble avoir quitté Miami, mais sans laisser aucune trace, ce qui est pour le moins étrange. Nous n'avons relevé aucun paiement ni retrait d'argent sur sa carte de crédit et pas un seul appel téléphonique depuis deux semaines.

— Il faut poursuivre les recherches. S'il y a un lien entre les accusations d'adultère et l'enlèvement de Kristen, Mitch reste notre meilleure piste. Et il est possible qu'il puisse nous apprendre quelque chose sur l'enlèvement d'Alice. »

Harley poussa un soupir audible. « Allison, je comprends très bien que vous espériez établir une relation entre les deux kidnappings. Mais, après votre conversation avec Tanya Howe, la nuit dernière, je commence à croire que c'est dans l'entourage de Lincoln Howe qu'il faut chercher les coupables. Et si cette hypothèse s'avérait fondée, elle reléguerait au rang de spéculation la possibilité d'un lien entre les deux rapts. Dans ce cas, persister à le penser serait s'écarter de la seule piste plausible que nous ayons.

— Je ne m'en écarte pas, Harley. Je pêche seulement avec un filet plus grand. Nous ne pouvons pas éliminer Mitch de la liste des suspects pour la seule raison que Lincoln Howe est un raciste qui n'aime pas sa petite-fille parce qu'elle est métissée. Nous n'avons pas l'ombre d'une preuve incriminant Howe ou l'un de ses partisans. Nous avons le mobile, mais avec Mitch aussi nous en avons un. Pour autant que je sache, ça fait huit ans qu'il cherche à se venger de moi, après la rupture de nos fiançailles. Il était malade de jalousie quand j'ai commencé à fréquenter Peter. Et c'est lui qui m'a retenue au téléphone pendant que le ravisseur s'introduisait chez moi et enlevait Alice. Coïncidence ? Peut-être. Mais il n'est pas irrationnel de penser qu'il faisait diversion. C'est vous-même qui avez pensé que l'enlèvement d'Alice n'avait pas d'autre but que celui de me faire mal.

— Et Mitch aurait materné son dépit amoureux pendant ces huit dernières années ? demanda Harley d'un ton qui exprimait ses doutes.

— Oui, je le pense. Il s'est montré aimable et gentil la première fois que nous nous sommes rencontrés à Miami Beach. Mais, à ce gala à Washington, il était furieux. Il a très bien pu souffler à l'oreille d'un partisan de Howe que j'avais couché avec lui cette nuit-là, à Miami. Puis, voyant que cette rumeur d'adultère ne m'avait pas complètement éliminée de la course, il a peut-être engagé quelqu'un pour enlever Kristen. Mitch a été avocat pénal, à Chicago, et il a rencontré plus d'un gangster dans sa vie. »

Harley démarra le moteur et brancha le chauffage. « Comme vous dites, c'est possible. Mais pourquoi ferait-il enlever votre enfant, pour disparaître ensuite de votre vie et reparaître huit ans plus tard et tenter de vous détruire de nouveau ?

— Comme vous le disiez à l'instant, peut-être que le dépit couvait en lui, comme des braises sous la cendre. Le fait d'apprendre que je me présentais à la présidentielle a peut-être rallumé sa rage. Comme ce type qui a tué John Lennon. Comment s'appelait-il ?

— Mark David Chapman.

— Oui, Chapman. Il s'est tenu tranquille pendant tout le temps où Lennon s'est retiré de la scène. Puis, voyant son idole faire son come-back, il l'a tuée.

— Chapman avait de sérieux problèmes psychiques, ce qui ne semble pas être le cas de Mitch. Après tout, il n'a jamais fait que forcer sur la boisson un soir de gala.

— Et cette photo de moi... ce "portrait à la lettre rouge" ?

— Nous n'avons pas la preuve qu'il en soit l'expéditeur.

— Qui d'autre aurait pu l'envoyer ?

— Le laboratoire est en train de l'analyser. Nous en saurons peut-être plus. Les résultats ne tarderont pas.

— Que vous ont dit les experts de la criminologie ? »

Il eut un grognement sarcastique. « Je ne sais pas, j'ai passé la semaine à jouer au golf, et je n'ai pas eu le temps de les consulter.

— Eh bien, téléphonez-leur. C'est important. Je veux leur parler. Tout de suite.

— Allison...

— Appelez-les, Harley. Je n'ai pas le temps d'attendre qu'ils m'envoient un rapport tapé en trois exemplaires.

— Restez en ligne », dit-il avec un soupir résigné.

Allison attendit. Trente secondes plus tard, la liaison d'audioconférence était établie. « Allison Leahy, dit Harley, j'ai le Dr Gus Eversol en ligne, depuis notre laboratoire au quartier général.

— Bonjour, docteur.

— Bonjour, répondit Eversol. Abrams me dit que vous aimeriez avoir un rapport préliminaire.

— C'est exact, un rapport préliminaire. En d'autres termes, qu'avez-vous pu découvrir jusqu'ici ? »

Eversol gloussa puis parla d'une voix un rien compassée. « Nous avons fait deux découvertes. La première ne devrait pas être une surprise pour vous. L'ingrédient actif de la substance rouge utilisée pour écrire le message sur la photographie est de l'octyle méthoxycinnamate. Il se compose également dans une moindre quantité de pétrolatum, de polybutylène, de cire microcristalline, d'huile de vison, de lanoline et de carbonate de propylène. Mais, comme je vous le disais, je ne vous apprends rien.

— Si je vous suis bien, il s'agirait de rouge à lèvres, comme nous l'avons supposé dès le début ?

— Euh... oui, du rouge à lèvres.

— De quelle marque ?

— Cela, nous ne le savons pas encore. Les ingrédients sont les mêmes, seules les proportions varient, et encore, de façon infinitésimale. Aussi notre tâche est-elle plus difficile que vous ne pourriez le penser. Mais vous trouverez plus intéressante ma deuxième découverte. J'ai en effet isolé une substance étrangère.

— De quelle nature ? demanda Harley.

— De la salive humaine. »

Allison n'en revenait pas. « Docteur, êtes-vous en train de me dire qu'on a tracé ce message avec un rouge à lèvres déjà utilisé ?

— Absolument. »

Il y eut un silence sur la ligne. Finalement, Allison demanda : « Et pourriez-vous nous apprendre quelque chose sur la personne qui s'est servie de ce rouge à lèvres ?

— Pas vraiment. Dans une heure ou deux, j'aurai établi le groupe sanguin auquel cette personne appartient. Le test génétique prendra plus de temps, mais j'aurai déterminé le sexe. Bien entendu, il y a de fortes chances qu'il s'agisse d'une femme.

— J'aimerais qu'on puisse l'identifier, si c'est possible. Avez-vous assez de salive pour faire un test ADN ?

— Certainement. Apportez-moi un échantillon de comparaison. Sang, cheveu, tout ce que vous pouvez prélever sur votre suspect.

— Je vois, dit Allison. Je vous remercie, docteur. Nous resterons en contact. Harley, restez en ligne. » Elle attendit que le Dr Eversol eût raccroché pour demander : « Harley, avez-vous une suspecte ?

— Non, je n'en vois pas.

— Et cette jeune femme qui a été tuée à son domicile, à Philadelphie ?

— Oui, Diane Combs, mais c'est un cul-de-sac. J'ai d'abord pensé que la Camaro volée dans le Tennessee et découverte devant l'appartement de Combs avait servi à transporter Kristen. Mais nous avons passé le véhicule à la loupe, et nous n'avons pas trouvé un seul cheveu ou une seule fibre de vêtement ayant appartenu à la petite. Quant à l'homme qui a volé la voiture, il n'a pas de casier judiciaire, à en juger par les empreintes que nous avons relevées tant dans la Camaro que dans l'appartement. Aussi je trouve quelque peu hasardeux de supposer que votre photo ait un rapport avec l'enlèvement de Kristen, et que Combs ait un lien quelconque avec les ravisseurs.

— Peut-être, mais il faut en avoir le cœur net et appeler la morgue pour qu'ils envoient un prélèvement de tissu au labo.

— Je le ferai. Mais j'aimerais aussi élargir le champ de nos recherches et nous intéresser à d'autres suspectes.

— Vous disiez que vous n'en aviez pas.

— Oui, mais nous pourrions procéder par élimination.

— C'est-à-dire ?

— Admettons que la photo à la lettre rouge ait une relation quelconque avec l'enlèvement de Kristen. Commençons donc par écarter les femmes qui ont un lien avec Alice, Kristen et la photo.

— Harley, je ne me suis pas envoyé cette foutue photo !

— Très bien, ça élimine une mère. Il en reste une. »

Allison secoua la tête. « Non, jamais Tanya Howe ne ferait ça. Je parie tout ce que vous voulez.

— Et je suis d'accord avec vous. En réalité, je pensais plus à une grand-mère qu'à une maman. »

Allison s'adossa à son fauteuil. « Quoi, Natalie Howe ? »

Harley poussa un long soupir. « On a déjà vu des choses plus étranges.

— Peut-être, mais tout de même...

— Je suis à Nashville. Dois-je comprendre que vous ne voulez pas que je vérifie ? »

Allison se mordit la lèvre d'un air songeur. « Non, je vous recommande seulement d'être discret. »

7

Harley n'avait pas dormi plus de quatre heures depuis son arrivée la veille au soir à Nashville, et il s'était levé ce samedi matin bien avant le lever du jour. Dès huit heures, il avait tenu un briefing réunissant des représentants de la police municipale de Nashville, le shérif du comté de Davidson et d'autres forces de l'ordre mobilisées par l'affaire Kristen Howe. Il avait passé ensuite une heure avec ses propres hommes, à vérifier la coordination entre les différents services et à s'assurer que toutes les informations récoltées étaient dûment informatisées, analysées et comparées. Tout était en place, il ne restait plus qu'à retrouver... Kristen.

Le coup de fil inattendu d'Allison n'avait pas vraiment modifié ses plans, mais ce ne fut que dans l'après-midi qu'il trouva enfin le temps de se rendre chez Tanya Howe. Il était satisfait que celle-ci eût accepté, à l'issue de son entretien avec l'attorney général, de rouvrir sa porte au FBI. Les techniciens étaient arrivés tôt ce samedi et, à cette heure, ils devaient être pleinement opérationnels. La visite de Harley avait ainsi plusieurs motifs : voir si ses agents avaient fini d'installer leur système d'écoutes et de repérage, garantir une fois de plus à Tanya que tout avait été mis en œuvre pour retrouver sa fille, et enfin observer discrètement Natalie Howe.

Ce fut cette dernière qui lui ouvrit la porte. Elle était impeccablement mise, coiffée et maquillée.

« Entrez, je vous en prie. »

Harley la salua d'un signe de tête, et la remercia quand elle le débarrassa de son manteau et le conduisit dans le living.

« Désirez-vous quelque chose, monsieur Abrams ? Un thé, un café ? »

Pourquoi pas un peu de votre salive ou un de vos cheveux ? « Rien, je vous remercie. »

Les techniciens avaient transformé la pièce en un petit centre d'écoutes. Le canapé de cuir beige avait été repoussé dans un coin pour laisser la place à un établi chargé de tout un équipement électronique, derrière lequel deux jeunes agents s'affairaient en échangeant des commentaires techniques.

Tanya, assise sur un tabouret au comptoir de la cuisine, s'entretenait avec une femme noire de son âge, du nom de Pat Collins, qui avait travaillé comme conseillère familiale avant d'entrer au FBI.

« Est-ce que tout va bien ? » demanda Harley en s'approchant.

Tanya tourna vers lui deux yeux noirs qui semblaient s'être vidés de tout désir de vivre, depuis qu'elle avait perdu sa précieuse raison d'être. « Rien ne va », répondit-elle.

Harley ne broncha pas. Pendant des années, des parents affligés l'avaient pris à partie, insulté, parfois frappé. Jamais il n'avait considéré ces agressions comme une atteinte à sa personne.

« L'installation est opérationnelle, répondit l'agent Collins. J'étais en train d'expliquer à Tanya comment contrôler ses émotions au téléphone, quand ils rappelleront. »

Elle venait à peine de parler que le téléphone sonnait. Harley et ses hommes échangèrent des regards. La coïncidence était étrange. Les techniciens réagirent aussitôt, coiffant leurs casques et ajustant leurs appareils d'enregistrement et de repérage du lieu d'appel.

« C'est un portable, dit l'un d'eux d'une voix précipitée. Un clone. Il a franchi le barrage du centre de communications. Exactement comme la communication reçue par l'attorney général. »

La deuxième sonnerie vrilla la tension dans la pièce, où tout semblait s'être figé, comme dans un arrêt sur image.

Harley fit un signe de tête à Tanya, confirmant que l'appel était bien celui qu'ils attendaient. « Faites traîner la conversation. On a besoin de temps pour le localiser. »

Troisième sonnerie. Tanya respira profondément. Elle était debout à côté du téléphone. Elle jeta un regard à sa mère, puis répondit au quatrième timbre. « Allô ?

— Tanya Howe ? »

La voix lui parvint, déformée et vibrante comme celle de la veille. Mais il semblait en même temps que ce ne fût pas la même personne. Tanya frissonna. « Oui, c'est moi. »

Repo parlait à travers un modificateur de voix, qu'il appuyait sur le volet repliable du portable. « Je vous appelle pour vous dire que votre fille est saine et sauve.

— Où est-elle ?

— Du calme. Je la garde avec moi jusqu'à ce que l'élection soit terminée. Ceux qui l'ont enlevée veulent la tuer, et je ne les laisserai pas faire.

— Je vous en prie, laissez-moi lui parler. »

Repo reposa le modificateur et tendit le portable à Kristen. « Tu as vingt secondes, pas une de plus », lui dit-il d'un ton sévère.

Kristen hocha la tête et prit l'appareil d'un geste impatient. Repo se pencha vers elle pour écouter.

« Maman ?

— Kristen ! » Le cœur empli de joie et de douleur mêlées, Tanya se mit à marcher de long en large dans le living, oublieuse de tout et de tous.

« Je vais bien, maman.

— Dieu merci ! Tu n'es pas blessée ?

— Non.

— Il fait si froid dehors. Tu as de quoi te couvrir ?

— Oui, ça va.

— Ils te nourrissent ?

— Oui, des céréales, celles que j'aime.

— Sais-tu où vous êtes ? »

Repo regarda Kristen en secouant la tête.

« Je ne peux pas te le dire, maman. Mais tout va bien. Vraiment. Ne t'inquiète pas. »

Repo tapota le verre de sa montre de son index.

« Maman, il faut que je raccroche.

— Non ! » Elle ne savait plus que dire, soudain. Les yeux embués de larmes, elle observait les hommes du FBI s'affairer derrière leurs ordinateurs.

Des coordonnées clignotaient sur l'écran bleu du terminal. Elle savait vaguement qu'ils remontaient les signaux radio émanant des divers transmetteurs pour téléphones cellulaires, calculant les points d'intersection. Abrams la regardait en hochant vigoureusement la tête, pour l'encourager à tenir encore, ne fût-ce que quelques secondes de plus.

« Je t'aime, Kristen, dit-elle d'une voix brisée.

— Maman, ne pleure pas, s'il te plaît. »

Repo grimaça. Il pensait à sa mère. Il jeta un coup d'œil à sa montre. Quarante secondes. Bien trop long. « Dis au revoir, murmura-t-il.

— Moi aussi, je t'aime, maman. Je serai bientôt à la maison, c'est promis. »

La communication s'arrêta sur ces derniers mots. Abrams regarda Tanya, puis les techniciens. Sur l'écran, un seul point clignotait à présent en surimpression au plan d'une ville. Dans le coin, une fenêtre s'ouvrit soudain, et plusieurs adresses s'inscrivirent.

Les deux hommes bondirent de leurs chaises. « On l'a ! crièrent-ils à l'unisson.

— Où ça ? demanda Harley.

— Ici même, à Nashville ! »

Harley décrocha le téléphone et appela le quartier général.

8

« Je le savais, je le savais, je le savais ! » Repo ponctua ses paroles d'un coup de poing sur le volant. La voiture était garée le long du trottoir d'une artère très fréquentée, mais les vitres teintées les dissimulaient aux regards des passants.

« Jamais j'aurais dû te laisser le téléphone. Tu as parlé tellement longtemps que même le plus con des flics aurait pu remonter l'appel. »

Au bord des larmes, Kristen se rencogna sur le siège du passager. « Je suis désolée, mais ma maman pleurait, et je ne pouvais pas lui raccrocher au nez. »

Repo respira profondément pour se calmer. « Ça va, dit-il. Je t'en veux pas. C'est ma faute, pas la tienne.

— Je veux rentrer chez moi.

— Tu vas le faire. Dans trois, quatre jours.

— Non, je veux rentrer maintenant.

— C'est pas possible. D'abord, faut qu'on s'arrache d'ici, et vite.

— Non, je veux rentrer chez moi », insista Kristen.

Repo eut une grimace de dépit et déverrouilla sur la commande centrale la portière du passager. « Tu veux partir ? Pars. Mais je te garantis que tu seras morte avant le jour de l'élection. Je te l'ai dit, les flics ne pourront pas te protéger. Bien sûr, ils prétendront que oui, mais ils le feront pas. J'ai une famille morte pour le prouver. Ma mère a été égorgée, et ma sœur a pris six balles, dont deux dans la tête. Tu veux finir comme elles ? Vas-y, j'te retiens pas. »

La main sur la poignée, Kristen l'écoutait, l'air perplexe.

« Mais souviens-toi d'une chose, reprit-il. J'suis peut-être pas un saint, mais hier c'était la première fois que je tuais un homme. Et je l'ai fait pour te sauver. Ton grand-père, lui, il veut même pas payer la rançon.

— Vous pensez qu'il est dans le coup, hein ?

— J'sais pas qui est derrière ça, mais ce que je sais, c'est que tu es beaucoup moins importante que la Maison-Blanche. »

Kristen hésitait. Elle avait envie de fuir, mais une voix lui soufflait de rester. Pour la première fois, elle le regarda bien en face. Elle fut d'abord intimidée, mais il y avait dans les yeux de Repo une lueur qui la rassura. Une lueur qu'elle avait souvent vue. Dans le regard de Reggie Miles.

Elle relâcha lentement la poignée. « Vous avez raison, il vaut mieux partir d'ici. »

Il actionna le démarreur, et comme il jetait un regard dans le rétroviseur avant de déboîter, il vit une voiture de police tourner le coin de la rue, à un bloc derrière eux.

« Où est-ce qu'on va ? demanda Kristen.

— Pas loin. Dans cinq minutes, ils auront placé des barrages à toutes les sorties de la ville. Il nous faut trouver un endroit où se cacher en attendant que ça se calme. » Il passa la première et démarra, se mêlant à la circulation. « Baisse-toi, Kristen.

— Pourquoi ? Personne ne peut voir avec ces vitres teintées.

— Baisse-toi quand même. »

Elle se laissa glisser de son siège et s'accroupit sur le plancher. Repo ouvrit la boîte à gants et en sortit un chargeur supplémentaire, qu'il glissa dans la poche intérieure de son blouson, à côté de la poignée noire de son Glock 9 mm.

Il jeta un coup d'œil au compteur, veillant à rester en dessous de la vitesse limite. Le cœur battant, il regarda de nouveau dans le rétroviseur. La voiture de police gagnait sur lui, mais sans sirène ni gyrophare. Il n'y avait pas lieu de paniquer.

Pas encore, du moins.

Il ralentit à l'approche d'un croisement, priant pour que le feu passe au vert. Sa prière exaucée, il accéléra. Puis il vit la voiture de police se porter à sa hauteur sur la voie de gauche. Il tendit la main vers son pistolet.

« Non ! » cria Kristen.

Il reposa sa main sur le volant. La voiture de police le doubla lentement, poursuivant son chemin. Repo poussa un soupir de soulagement. « On dirait qu'on a de la chance. »

Il jeta de nouveau un coup d'œil par la lunette arrière et repéra derrière eux, trois véhicules plus loin, une conduite intérieure blanche, qui pouvait être une voiture de police banalisée. « Mais peut-être que non. »

Un quart d'heure après l'appel téléphonique, Harley survolait à bord d'un hélicoptère Jayhawk les environs de l'université Vanderbilt. Le plexiglas teinté du cockpit atténuait l'ardeur du soleil couchant devant eux. Le paysage en dessous présentait un contraste d'arbres dénudés et de pelouses vertes.

Il n'avait pas fallu plus de quelques minutes pour que Harley s'entretînt avec son chef d'unité et l'agent spécial en charge du groupe d'intervention rapide spécialisé dans les prises d'otages, stationné à Nashville.

De son siège à côté du pilote, Harley jeta un coup d'œil aux cinq hommes serrés dans l'étroite carlingue. En treillis noir collant, casques de kevlar et gilet pare-balles, ils étaient quatre à être armés de fusils d'assaut M-16 ; le cinquième, un tireur d'élite, avait une carabine de calibre 308.

Le soleil disparaissait rapidement à l'horizon. « Il fera nuit dans une demi-heure, dit Harley dans le microphone incorporé à son casque.

— Nous sommes équipés de lunettes infrarouges », répondit le chef du commando.

Cela ne rassura pas complètement Harley. Il savait que ces hommes étaient parfaitement entraînés et maîtres de leurs nerfs, mais il ne pouvait en attendre autant de ravisseurs paniqués, quand les balles commenceraient à siffler.

Il brancha sur son casque son téléphone portable et appela Allison, qui lui avait demandé de l'informer de tout nouveau développement.

« Allison, c'est Harley. Nous avons peut-être localisé la cache des ravisseurs. »

Allison était en coulisses, attendant que le congressiste qui jouait les présentateurs eût terminé son long discours pour monter à son tour sur scène. « Déjà ? Mais comment avez-vous fait ?

— Nous avons pu remonter l'appel téléphonique et circonscrire une zone d'un peu moins de deux kilomètres carrés. D'après nos experts, la voix altérée par un modificateur du timbre était celle d'un homme blanc. Nous avons donc lancé un appel radio à toutes les voitures de patrouille, avec mission de repérer tout homme blanc circulant en voiture avec une fillette noire.

— Et vous avez eu une réponse ?

— Un shérif adjoint du comté de Davidson a répondu, après avoir repéré un automobiliste blanc avec une fillette noire à côté de lui qui se dirigeait vers la banlieue ouest de Nashville. Il les a suivis pendant une dizaine de kilomètres jusqu'à une résidence privée.

— Qui appartient à qui ?

— La maison est louée. Nous n'avons pas réussi à joindre le propriétaire, et nous ignorons qui sont les locataires. Mais je le saurai bientôt, car nous approchons. »

L'hélicoptère amorça sa descente en direction du vaste espace vert du Centennial Park et de son imposant Parthénon, une réplique à l'échelle de l'ancienne ruine grecque.

« Nous atterrissons, dit Harley, toujours en communication avec Allison. Je dois raccrocher, maintenant.

— Rappelez-moi quand vous serez à pied d'œuvre. Faites tout votre possible pour parlementer avec les ravisseurs, et je veux être consultée avant qu'un éventuel assaut soit donné.

— Bien reçu. » Il raccrocha.

L'hélicoptère descendait lentement à la verticale, soulevant des tourbillons de feuilles mortes. Il toucha bientôt le sol et s'immobilisa, tandis que le pilote coupait le rotor. Les cinq hommes de la section d'intervention débouclèrent rapidement leurs ceintures de sécurité, poussèrent la portière et sautèrent à terre. Harley courut avec eux jusqu'au fourgon qui les attendait, moteur en marche, sur le parking. Il monta à côté du chauffeur, tandis que les cinq commandos s'engouffraient par la porte arrière.

« Allons-y ! » cria Harley.

Le véhicule démarra et, prenant par l'avenue de West End, prit rapidement de la vitesse. Au terme d'une série de tournants dans des rues calmes, ils parvinrent à un parking situé en haut d'une colline, sur lequel étaient déjà arrivés plusieurs autres véhicules fédéraux, dont un camion des transmissions au toit surmonté d'une immense antenne, qui servirait au FBI de QG de campagne. Les autres voitures appartenaient aux SWAT[1]. Un crissement de pneus attira l'attention de Harley. Un fourgon, dont les portières portaient l'écusson du shérif du comté de Davidson, venait de tourner dans le parking, et Harley dut faire un bond de côté pour ne pas se faire écraser les pieds. Une équipe d'hommes en armes en jaillit, menée par le shérif en personne. L'homme avait le cou d'un lutteur olympique et une moustache à la gauloise, un type imposant, mais plutôt gras que musclé.

Harley vint à lui. « Bonsoir, shérif. Je suis Harley Abrams, FBI. »

Le shérif lui serra la main avec un peu trop de force pour que celle-

1. Special Weapons And Tactics, unités spéciales d'intervention antiémeutes et antiterroristes. *(N.d.T.)*

ci fût naturelle. « Merci d'être venus, les gars. Un peu de soutien est toujours le bienvenu. »

Formidable, pensa Harley. *Une guéguerre de territoire.* « Nous ne sommes pas là en soutien, shérif, mais pour remplir notre mission.

— C'est bien pour ça qu'on est ici, nous aussi. Et on a notre propre brigade d'intervention, comme vous pouvez le voir.

— Qui n'a pas sa brigade, aujourd'hui ? »

Le shérif étrécit les yeux, façon Lee Van Cleef. « On sait ce qu'on fait, et on a des raisons d'être là. C'est mon adjoint qui a repéré les suspects. »

Harley hocha la tête. « C'est vrai, et c'était du bon travail, dit-il, optant pour un ton conciliant. J'aimerais toutefois lui parler, pour savoir s'il est sûr de l'identification.

— Il ne l'est pas à cent pour cent, mais j'crois bien qu'il a mis dans le mille. La voiture se trouvait dans le périmètre que vous avez signalé par radio. Il s'est contenté de la suivre.

— Sans que le suspect s'en aperçoive ?

— Vous parlez d'un de mes meilleurs hommes. Il a pas déclenché sa sirène ni son gyrophare, si c'est ça que vous voulez savoir. C'est un gars futé. Et grâce à lui, on aura l'élément de surprise pour nous. »

Harley soupira. Il avait eu son compte d'« éléments de surprise » dans sa vie. « Shérif, vos hommes nous seront d'une grande aide en bloquant la rue à ses deux extrémités. Je disposerai nos tireurs sur les toits en face de la maison, et derrière. Si jamais une équipe doit pénétrer à l'intérieur, ce sera mon commando d'intervention, et personne d'autre. Mais d'abord, nous installerons les projecteurs et les haut-parleurs. Nous ferons les sommations d'usage et essaierons de parlementer. Je ferai tout ce qui est en mon pouvoir pour éviter que le sang coule. »

Le shérif secoua la tête en grommelant. « Bon sang, ça veut dire qu'on perdra l'élément de surprise.

— Je préfère ça à perdre la fillette. Alors, patience. En attendant, assurez-vous que personne n'appuie par mégarde sur la détente. Compris ? »

Le shérif lui jeta un regard encore plus froid que la température ambiante. « Compris », marmonna-t-il.

9

Kristen était assise à même le plancher, les genoux relevés et le dos au mur. Repo était installé dans la même position, mais près de la fenêtre sans rideaux. Le living était plongé dans l'obscurité, mais il n'y avait rien à voir de toute façon. Ni tapis ni meubles. Pas de lumière non plus ; le courant était coupé. Le froid se faisait de plus en plus vif à mesure que la nuit avançait.

Kristen rapprocha ses genoux de sa poitrine dans un vain effort pour se réchauffer. « Comment saviez-vous que cette maison était inoccupée ? » demanda-t-elle, sa voix résonnant dans la pièce vide.

Repo détourna son regard de la fenêtre. « La pancarte, à l'entrée. Quand j'étais au lycée, à chaque fois que les potes et moi on cherchait un endroit pour faire une fête, on repérait en voiture les maisons avec une pancarte À VENDRE. Et quand on en trouvait une avec la mention "Prix à débattre", neuf fois sur dix, ça signifiait que les propriétaires étaient prêts à la brader parce qu'ils avaient déjà déménagé. Alors, on pouvait y aller. »

Kristen hocha la tête d'un air songeur ; sa mère la tuerait si elle apprenait que sa fille squattait des maisons pour faire la fête.

« Je voulais vous remercier de m'avoir laissée parler à ma mère, dit-elle. Et je regrette de vous avoir causé tous ces ennuis.

— C'est rien, dit Repo, reprenant son guet à la fenêtre.

— Je me suis demandé pourquoi vous étiez si... si imprudent.

— Que veux-tu dire ?

— Eh bien, par exemple, vous m'avez laissée voir votre visage. Et puis appeler ma mère et lui parler longtemps. Vous ne portez même pas une perruque ni un chapeau ni rien pour vous déguiser. J'ai des copains qui sont vachement plus malins quand ils sèchent un cours.

— Tu regardes trop de films policiers à la télé.

— Vous croyez ? Ou bien c'est vous qui êtes devenu complètement fataliste ? »

Il fronça les sourcils d'un air confus. « Complètement quoi ?

— Fataliste. Vous pensez peut-être que votre destin est scellé, et qu'un masque ou un déguisement ne changera rien au résultat. »

Il eut un sourire. « Fataliste, hein ? Drôle de mot. Si je comprends bien, pour moi la partie est jouée d'avance ?

— Oui, mais qui est l'arbitre ?

— T'as pas vraiment envie de le savoir.

— Vous n'avez surtout pas envie de me le dire. »

Il secoua la tête d'un air amusé. « Pour une gamine, t'es pas bête.

— Et vous, vous n'êtes pas trop intelligent, dit-elle en prenant une voix grave et sensuelle. C'est comme ça que j'aime les hommes.

— Quoi ?

— J'imitais Kathleen Turner. Vous n'avez pas vu *La Fièvre au Corps* ?

— Non.

— C'est le film préféré de ma mère. On a la cassette. Vous devriez la louer.

— Ouais, j'ferai ça. On pourrait même aller le voir un de ces quatre. »

Le silence retomba. Kristen jeta un regard par la fenêtre. Il faisait nuit dehors, à présent, mais sa vision avait eu le temps de s'accoutumer à l'obscurité. « J'ai un peu faim, dit-elle.

— Je te ferais bien un sandwich, mais il ne reste que du pain.

— De toute façon, je n'aime pas le salami. Il n'y a plus de céréales ?

— Je parie que Kathleen Turner ne mange pas de Fruit Loops.

— Elle ne mange pas non plus de salami. »

Ils sourirent de concert, cette fois. Soudain, il y eut un bruit dehors, dans le jardin. Kristen tressaillit. « C'était quoi ? »

Repo lui fit signe de se taire et tendit l'oreille, mais le silence était revenu. « Ne bouge pas », chuchota-t-il.

Il s'approcha de la fenêtre en se baissant et, agenouillé sur un seul genou, risqua un regard par-dessus le rebord.

Un projectile silencieux fit voler la vitre en éclats, projetant sur eux une pluie de verre. Kristen poussa un cri. Repo fut sur elle dans la seconde, la protégeant de son corps tout en lui plaquant une main sur la bouche. « Ne dis rien ! » murmura-t-il. Ils attendirent. Finalement, il s'écarta d'elle.

« Que se passe-t-il ? demanda-t-elle dans un chuchotement.

— Quelqu'un nous tire dessus. Avec un silencieux. » Il tira son pistolet et alla se poster à l'autre fenêtre. Il faisait moins sombre à l'extérieur que dans la pièce, et il pouvait voir clairement la pelouse et l'allée. Il se leva légèrement pour risquer un coup d'œil en direction du garage situé à droite de la maison.

De nouveau la vitre éclata sous l'impact, et Repo, touché à l'épaule, fut projeté en arrière.

Kristen cria en se pelotonnant dans un coin du living. Repo rampa vers elle en gémissant de douleur.

« Pourquoi nous tirent-ils dessus ? demanda-t-elle d'une voix tremblante.

— J'sais pas, la sonnette doit être cassée. »

Son humour tomba à plat. Kristen venait de voir le sang assombrir la chemise de Repo. « Vous êtes touché ! »

Il se mordit la lèvre pour ne pas crier. « Balles à pointe creuse, dit-il tout bas, comme s'il parlait tout seul. Ces salauds sont pas là pour plaisanter. »

Kristen tremblait de tout son corps. « Ils vont nous tuer. Il faut se sauver !

— Surtout, ne te relève pas. » Il réussit à se mettre à genoux et à se tourner vers la fenêtre. « Il y a dix-neuf cartouches dans le chargeur, dit-il en levant son Glock. Je vais les tirer l'une après l'autre, presque comme une mitraillette. Pendant ce temps-là, tu vas ramper jusqu'à la porte de derrière. Quoi qu'il arrive, tu t'arrêtes pas et tu regardes pas derrière toi. »

Elle leva vers lui un visage qui semblait sculpté dans la peur.

« Tu m'entends ? Tu sors par-derrière et tu cours. Tu m'attends pas. D'accord ? »

Elle hocha la tête, le souffle court. « D'accord, répéta-t-elle d'une petite voix.

— Allez, je compte jusqu'à trois. Un... deux... trois ! Va ! »

Il se releva et, franchissant les trois mètres qui le séparaient de la fenêtre, il se mit à tirer, pendant que Kristen gagnait à quatre pattes la cuisine, ne se retournant qu'une fois pour voir Repo tomber de nouveau à la renverse sous un deuxième impact, lâcher son pistolet et serrer sa main droite en sang.

« Repo ! »

Il tourna la tête vers elle. « Cours, nom de Dieu ! »

Sa main était en bouillie. Il ramassa son arme avec la main gauche, dégagea le morceau de chair resté collé à la queue de détente et se remit à tirer. Kristen avait atteint la cuisine ; elle se releva et courut à la porte.

Un autre tir précis frappa la main valide de Repo, lui arrachant son arme. Il regarda en direction de la cuisine. La porte de derrière était ouverte et Kristen semblait avoir disparu. Il regarda ses mains. Elles ne lui serviraient plus à rien. Il tenta du bout du pied de ramener le Glock vers lui, et une quatrième balle le toucha à la cheville. Deux autres suivirent, frappant le pistolet, qu'elles firent valdinguer à l'autre bout de la pièce. Repo frissonna. Le tireur connaissait son affaire.

Il rampa sur les coudes jusque dans le coin de la pièce, laissant une traînée de sang derrière lui. Les douleurs conjuguées de ses quatre blessures finissaient par le plonger dans une espèce d'engourdissement. Il roula sur le dos et ne bougea plus, fixant des yeux le plafond.

Il entendit des pas résonner sur le plancher de bois, mais n'eut ni la force ni la volonté de tourner la tête.

L'homme s'arrêta devant Repo. Sa voix grave résonna dans la pièce vide. « Croyais-tu vraiment que tu pourrais m'échapper ? »

Repo souleva sa tête de quelques centimètres ; il ne distingua qu'une haute silhouette noire dans l'obscurité, mais il connaissait cette voix.

Il ferma les yeux, s'attendant au pire.

Harley Abrams donna un signal de la main, et une rampe de projecteurs de quinze cents watts illumina la pelouse et la façade de la maison.

La lampe sous le porche s'alluma, mais il n'y eut pas d'autre signe d'une présence dans la maison.

Les tireurs étaient en position, certains dans les arbres, d'autres sur les toits voisins. Les membres des sections d'intervention attendaient derrière la haie ou dans le fossé herbeux qui longeait le jardin, à l'arrière. Harley prit le microphone et brancha le haut-parleur.

« Ici le FBI, dit-il, sa voix éclatant dans la vive lumière qui baignait la maison. Vous êtes cernés. Je vous demande de sortir les mains levées. »

Les doigts des tireurs s'immobilisèrent sur les détentes. Le groupe électrogène bourdonnait sous son capot insonorisé. L'éclat des projecteurs accrochait des lambeaux de brume. L'attente semblait se prolonger.

Harley allait lancer un nouvel appel quand la porte d'entrée s'ouvrit. « Levez les mains bien haut ! »

Un homme sortit d'un pas hésitant, les bras levés. Il était suivi d'une femme et d'une petite fille.

Les hommes des SWAT s'élancèrent à travers la pelouse. « À terre ! À terre ! » ordonnèrent-ils. Terrifiée, la famille s'agenouilla puis s'allongea à plat ventre dans l'herbe humide. Le chef des SWAT colla le canon de son fusil sur la tête de l'homme, tandis qu'un autre se saisissait de la fillette. L'équipe positionnée derrière la maison arrivait en renfort. Harley courut jusqu'au suspect maintenu en joue. De près, il était facile de voir qu'il n'était pas blanc.

« Où est le type blanc ? » lui demandait le chef des SWAT.

L'homme tremblait, et Harley se demanda si c'était de peur ou d'indignation. « Il n'y a pas de Blanc, ici !

— Allons, parle, où est-il ? »

Un autre homme des SWAT sortit de la maison. « Il n'y a personne d'autre », rapporta-t-il.

Harley regarda la fillette. Elle était afro-américaine et devait avoir douze ou treize ans, mais elle n'était certainement pas Kristen Howe. Il regarda avec plus d'attention l'homme à plat ventre dans l'herbe. Lui aussi était afro-américain, mais avait la peau plus claire que sa femme et sa fille. L'adjoint du shérif s'était trompé en le prenant pour un Blanc.

« Ce n'est pas eux, dit-il. Il y a erreur sur la personne. »

L'homme releva la tête et jeta un regard furieux au chef des SWAT et à Harley. « Un peu qu'il y a erreur sur la personne ! Et je vais vous foutre un procès au cul, bande de nazis ! »

Harley détourna les yeux et passa sa main dans ses cheveux. « Il ne manquait plus que ça », grommela-t-il.

10

Vincent Gambrelli observait Repo qui grimaçait de douleur. « Ça fait mal, hein ? C'est le prix à payer pour avoir tué mon neveu préféré. »

Repo gisait dans son sang. « Johnny Delgado était un con, dit-il entre ses dents.

— Vraiment ? C'est marrant d'entendre ça de la bouche d'un type assez stupide pour laisser la fille parler à sa mère. Ça t'est pas venu à l'esprit que la police pourrait remonter l'appel ? »

Repo gardait le silence.

« Non, bien sûr, reprit Gambrelli. Mais qu'est-ce qu'on peut attendre d'un abruti qui m'a conduit tout droit à sa cachette ? T'as pas pensé non plus que la voiture était équipée de ces petits émetteurs en vente dans le commerce ? La première des choses que t'aurais dû faire, c'est te débarrasser de cette caisse.

— Si les flics ont remonté l'appel, ils seront là dans une minute.

— Ça risque pas. Le portable était programmé pour leur faire croire que le coup de fil venait de Nashville. Alors, n'espère pas que la cavalerie arrivera pour te sauver. »

Tony Delgado surgit soudain dans la pièce, le souffle court comme s'il avait couru. Son ventre ballonnait au-dessus du ceinturon de son jean. Il tenait un pistolet à la main. « Elle est pas ici. J'ai cherché partout. »

Gambrelli rechargea tranquillement son automatique équipé d'un viseur à point lumineux. « Tiens, voilà qui nous pose un petit problème, Repo. Mais il n'y a que deux solutions pour toi : soit j'abrège tes souffrances soit je les prolonge. À toi de voir. Alors, dis-moi : où est la fille ? »

Repo haletait sous la douleur de ses blessures.

Gambrelli pointa son arme sur le genou de Repo. « Trois secondes », dit-il calmement.

Un mélange de sang et de salive sourdait des lèvres de Repo. « Elle est allée pisser sur la tombe de Johnny », dit-il d'une voix faible.

Gambrelli pressa la détente. La balle brisa le genou de Repo. La douleur fulgurante le plia en deux, puis il retomba sur le dos, à demi inconscient.

« Avec toutes ces cartouches que tu as grillées, je ne peux pas m'éterniser ici, prévint Gambrelli, mais les minutes vont te sembler longues comme des années, je te le promets.

— Tu la retrouveras pas, Gambrelli, dit Repo. Je l'ai renvoyée chez sa mère.

— Foutaises ! Tu oublies que j'ai écouté l'appel. Tu as dit à Tanya Howe que tu attendrais la fin des élections pour libérer sa fille. » Il fit un pas en avant et, pesant de tout son poids sur la main blessée de Repo, il lui brisa les os.

Repo se mordit la lèvre pour priver Gambrelli du hurlement que ce salaud attendait.

Soudain, il y eut un grand bruit de poubelle renversée dans l'allée, derrière la maison.

Gambrelli leva les yeux. Il souriait. Tony était déjà à la fenêtre. « C'est la gosse ! »

Gambrelli essuya sa chaussure sur la chemise de Repo, qui était désolé à l'idée que la petite retombe dans les mains de ces salauds. « Tu me fais de la peine, Repo. Tu seras mort pour rien. » Et il lui logea une balle en plein front.

« Allons-y », dit-il à son neveu.

Kristen traversa en courant le jardin de derrière et escalada la clôture. Elle se laissa retomber de l'autre côté, mais la manche de son blouson s'accrocha à l'un des piquets et la déséquilibra. Elle atterrit gauchement dans la ruelle plongée dans l'obscurité et se tordit la cheville. Elle se releva aussitôt, repartit au pas de course et, serrant les dents, parcourut une quinzaine de mètres avant que la douleur l'oblige à ralentir et à marcher.

Elle jeta un regard par-dessus son épaule. Repo ne venait pas. Malgré l'ordre qu'il lui avait donné, elle l'avait attendu, cachée derrière le garage. À présent, il lui fallait fuir.

La clôture fut soudain ébranlée derrière elle. *Repo ?* La vue de deux silhouettes noires la cisailla de peur. Elle comprit que Repo était mort. Et ses assassins venaient maintenant la chercher.

La ruelle donnait dans la rue, une vingtaine de mètres plus loin, mais elle n'y arriverait jamais avec sa jambe. Elle se cacha derrière de grandes poubelles débordantes d'ordures. Elle s'efforça de ne pas bouger, mais elle ne pouvait s'empêcher de trembler et étouffait presque, tant elle était oppressée. Elle redoutait l'obscurité, mais celle-ci était peut-être sa meilleure alliée. Peut-être passeraient-ils sans la voir.

À travers une fente dans l'empilement de cartons et de cageots, derrière lesquels elle se pelotonnait, Kristen pouvait voir les deux hommes venir dans sa direction. Ils étaient vêtus de noir. Si elle n'avait jamais vu le plus grand, l'autre lui était vaguement familier.

« Allez, sors de ta cachette, Kristen, dit-il. On ne te veut pas de mal. On travaille avec la police. »

Elle frissonna. C'était la voix du frère de Johnny. Elle n'avait jamais vu son visage, mais elle n'oublierait jamais cette voix, et elle savait qu'il n'était pas avec la police. Elle les regarda approcher, le cœur battant. Le grand se pencha par-dessus la clôture de la maison voisine, pendant que l'autre vérifiait les poubelles de l'autre côté de l'allée, piquant les sacs avec une tige métallique qu'il avait trouvée dans les ordures. Il se tourna et vint vers le tas derrière lequel elle était cachée. Il donna un coup de pied dans l'un des conteneurs, et commença à enfoncer sa tige parmi les déchets. Elle ne pouvait plus rester.

Elle repoussa les cageots de toutes ses forces. Surpris, il trébucha en reculant et tomba à la renverse. Elle s'élança et courut, mue par une panique qui était plus forte que la douleur.

« Rattrape-la ! » cria le frère de Johnny à l'autre homme.

Elle essaya de crier, d'appeler au secours, mais elle pouvait à peine respirer. Elle fixait des yeux le lampadaire qui marquait la fin de la ruelle et la... liberté. Mais l'homme lancé à sa poursuite se rapprochait rapidement. Elle jeta un bref regard par-dessus son épaule. Le grand type avait de longues jambes et courait avec aisance. Elle tenta d'accélérer, mais elle n'avait plus de force. Sa cheville céda soudain et elle chuta durement sur le goudron.

Il fut sur elle en un instant, la clouant au sol d'un genou dans le dos. Il la bâillonna d'une main gantée et lui appuya sur la nuque le canon de son pistolet. Elle essaya en vain de se libérer.

« Ne bouge pas, lui dit-il d'une voix basse qui la glaça. Personne ne m'a jamais échappé. »

QUATRIÈME PARTIE

1

Harley Abrams informa aussitôt Allison du cuisant échec de leur intervention. Quelques minutes plus tard, la nouvelle, transmise aux médias par un shérif prompt à se défausser du ratage sur le FBI, faisait grand bruit sur toutes les chaînes de télé et de radio.

Allison annula sa réunion du samedi soir à l'université de Floride et prit la direction de l'aéroport, après avoir convoqué en réunion à Washington le directeur du FBI et les principaux agents en charge de l'affaire Kristen Howe. Elle aurait préféré atteindre Washington sans s'adresser aux médias, mais un barrage de reporters avides l'attendait à la porte de départ.

Ses gardes du corps des services secrets entreprirent de lui ouvrir un chemin à travers l'essaim bourdonnant d'hommes et de femmes armés d'appareils photos et de micros. Les éclairs des flashs l'aveuglaient, et les questions fusaient de tous les côtés. Un grand gaillard, jouant des coudes, parvint à se planter devant elle et à lui coller un micro sous le nez.

« Madame Leahy ! » beugla-t-il.

Allison continua d'avancer, mais il était difficile d'ignorer l'importun. Le type était bâti comme un rugbyman reconverti dans le journalisme sportif.

« Allez-vous retirer la direction de l'enquête à M. Abrams ? » cria-t-il.

Allison allait répondre d'un « Pas de commentaire », quand elle se rappela que la dernière fois qu'elle avait refusé de répondre à une question, elle avait été accusée d'adultère. Par ailleurs, elle ne voulait pas donner l'impression que Harley Abrams était sur la sellette. « À ma connaissance, M. Abrams n'a nullement agi de manière irresponsable », répondit-elle.

Sa réponse ralluma l'ardeur des reporters. Un journaliste de télévision parvint à se faire entendre par-dessus le brouhaha des questions. « Madame Leahy, estimez-vous que le FBI agisse de manière responsable quand il colle le canon d'un fusil d'assaut sur la tête d'un honorable père de famille ? »

Allison s'arrêta et lui jeta un regard de colère. « Les forces de l'ordre font correctement leur devoir quand les circonstances exigent une intervention rapide pour sauver la vie d'une fillette innocente, quand elles s'appuient sur une information jugée fiable, et qu'elles agissent de telle manière qu'elles puissent constater leur erreur avant qu'un seul coup de feu soit tiré et qu'une seule personne ne soit blessée. Et c'est ce qui s'est passé à Nashville. »

Sur ce, elle reprit son chemin à travers la foule.

« La famille qui a subi l'assaut a menacé le FBI de poursuites judiciaires, dit le correspondant d'une des chaînes nationales de télévision.

— C'est leur droit.

— Est-ce pour cette raison que vous défendez l'action du FBI... parce que vous avez peur d'être poursuivie ? »

Allison s'arrêta de nouveau, une flamme indignée dans le regard.

« Jamais je n'ai laissé une quelconque menace d'action en justice influencer mon jugement sur telle ou telle action du gouvernement.

— Est-ce que cela veut dire que vous n'avez pas peur d'être poursuivie ?

— Cela veut dire que l'attorney général assume toute la responsabilité de ce qui s'est passé aujourd'hui. Maintenant, si vous voulez bien me laisser passer, j'ai un avion à prendre. »

Une jeune femme à la coiffure dérangée et avec un talon de chaussure cassé surgit de la foule, comme si elle avait rampé pour se dresser devant Allison. Un agent des services secrets la poussa sur le côté, tandis que la forcenée posait sa question : « Qu'avez-vous fait de votre promesse de suspendre votre campagne électorale pour vous consacrer exclusivement à l'enquête ?

— Je crois avoir tenu cette promesse. »

La foule emporta la journaliste, mais la question suivante résonna avec une force particulière aux oreilles d'Allison. « Alors, pourquoi faisiez-vous une tournée électorale en Floride, alors que l'enquête connaissait un important rebondissement à Nashville ? »

Allison ne répondit pas. Elle approchait de l'entrée du tunnel menant à son avion, et les hommes de la sécurité formaient autour d'elle un cordon infranchissable.

« Pourquoi étiez-vous en Floride ? » cria une dernière fois la femme.

L'instant d'après, Allison monta à bord. L'hôtesse referma la portière derrière elle. L'appareil s'ébranla lentement dans le vrombissement de ses moteurs. *Oui, que faisait-elle en Floride ?*

Elle jeta un regard par le hublot. Elle n'avait pas de réponse à cette question.

Le général Howe était en costume bleu dans une mer de smokings, alors qu'il quittait le Biltmore, le prestigieux hôtel de Coral Gables, en Floride. Buck LaBelle s'inquiétait quelque peu de la réaction de l'électeur des classes moyennes à la vue d'un candidat au milieu d'un tel parterre de nantis, à deux jours de l'élection.

Dehors, sous la toile rouge de la marquise soutenue par des montants de cuivre, les médias attendaient la sortie du général. « Le voilà ! » s'écria le chœur des journalistes, sitôt qu'il apparut.

Lincoln Howe arborait un visage grave, un rien contrarié, comme il se devait après la nouvelle navrante de la déconfiture du FBI.

« Général Howe, êtes-vous en colère après ce qui s'est passé à Nashville ?

— Bien sûr que je suis en colère. Le pays entier devrait être en colère, répondit-il tout en se dirigeant vers sa voiture.

— En colère contre qui, monsieur ? »

Howe s'arrêta devant la portière ouverte. « J'ai appris que cette opération, qui s'est soldée par la bavure que l'on sait, avait eu le feu vert de Mme Leahy. L'attorney général a depuis le début insisté pour contrôler l'enquête, et ce à des fins personnelles. Il en résulte aujourd'hui le ratage le plus lamentable depuis l'invasion de la baie des Cochons, à Cuba. Il semblerait que Mme Leahy n'ait d'autre but que de chercher à cette tragédie une issue spectaculaire qui lui ouvrirait les portes de la Maison-Blanche.

— Nous venons juste de recevoir l'information qu'elle assumait l'entière responsabilité de cette opération, dit un autre journaliste. Qu'en pensez-vous, monsieur ?

— Tout ce que je peux vous dire, c'est qu'il ne suffit pas de déclarer qu'on assume. Ce n'est pas avec des mots qu'on prend ses responsabilités, mais avec des actes.

— Général, demanderez-vous la démission de Mme Leahy ? »

Lincoln Howe observa un silence avant de répondre : « Si Mme Leahy persiste à vouloir diriger l'enquête, je ferai appel au président pour qu'il invite son attorney général à démissionner. »

D'autres questions fusèrent, mais le général salua de la main et s'engouffra dans la voiture. La portière claqua et la limousine démarra, prenant la direction de l'aéroport.

Allison arriva à l'aéroport de Washington peu après dix heures du soir. Une limousine l'attendait, mais ce n'était pas son chauffeur habituel. Le président Sires lui avait téléphoné en vol, pour la convoquer à un entretien urgent. Précédée par deux motards, elle fit le trajet entre l'aéroport et Pennsylvania Avenue en un temps record. Un agent des services secrets la conduisit immédiatement au Bureau ovale, ce qui ne manqua pas de l'étonner. À cette heure tardive, elle s'attendait à être reçue dans la partie résidentielle de la Maison-Blanche. Elle en déduisit que la rencontre serait des plus formelles.

Le président Sires regardait par la fenêtre, le dos tourné à la porte, quand elle fut introduite dans le bureau. Sa posture, les épaules voûtées sous le poids du monde, rappela à Allison la célèbre photo de John Kennedy à cette même fenêtre du Bureau ovale, au plus fort de la crise cubaine. Mais le chandail de l'actuel président évoquait plus facilement Jimmy Carter et ses causeries au coin du feu.

Allison prit place dans le fauteuil en face du bureau. Le président regardait toujours par la fenêtre. Finalement il se retourna et, sans préambule, lui dit : « Je veux que vous vous retiriez de l'enquête sur Kristen Howe.

— Puis-je vous demander pourquoi ? »

Il battit des paupières, l'air surpris par la question. « Parce qu'il n'y a pas d'autre solution. Vous avez réagi de manière fort louable, ce soir, en déclarant à la presse que vous assumiez l'entière responsabilité de cette lamentable foirade. Mais Lincoln Howe a raison sur un point : cela ne reste qu'un discours si vous n'assumez pas également les conséquences.

— Dois-je comprendre que vous me démettez de mes fonctions d'attorney général ?

— Bien sûr que non.

— Alors, vous me suspendez ?

— Tout ce que je vous demande, c'est de vous retirer de l'enquête... de votre plein gré. »

Allison détourna un instant les yeux avant de regarder le président de nouveau. « Avec tous mes respects, monsieur, je ne me retirerai pas.

— Allison, ce n'est rien d'autre qu'une enquête. Vous n'en mourrez pas en l'abandonnant.

— Et si je ne veux pas ? »

Il gagna son bureau et se cala dans son fauteuil, les mains sur les accoudoirs. « Je vous en prie, j'aimerais vous convaincre, pas vous forcer à le faire. »

Elle hocha la tête. La colère bouillonnait en elle, mais elle n'en laissait rien paraître. « Comment projetez-vous d'annoncer la chose ?

— Dans la plus grande discrétion possible. Un simple communiqué de presse. Pas de conférence. Je ne veux ni vague ni bruit. Le moment tombe bien. Si nous faisons l'annonce cette nuit même, en plein week-end, l'impact sera moindre.

— Ce communiqué de presse viendrait de la Maison-Blanche ou du ministère de la Justice ?

— Des deux. Je les ai déjà fait préparer. Désirez-vous prendre connaissance de celui du ministère ? dit-il en glissant vers elle le texte écrit.

— Je suis sûre qu'il n'y manque pas une virgule, dit-elle, sarcastique, sans prendre le document. Et puis y a-t-il une meilleure façon de diriger le ministère de la Justice que de charger la Maison-Blanche de rédiger les communiqués dudit ministère ? Comme je l'ai toujours dit, un président n'a pas besoin qu'un emmerdeur d'attorney général vienne regarder par-dessus son épaule. En vérité, vous n'avez rien à faire d'un ministre de la Justice. Dommage que je n'aie pas de glaive – hormis celui tout symbolique de la Justice – pour me transpercer avec sur-le-champ. Mais nous pourrions appeler Lincoln Howe. Je suis sûre qu'il pourrait nous en prêter un.

— Vous faites une grosse erreur en ne prenant pas cette affaire au sérieux.

— Je la prends très au sérieux. Et c'est même la raison pour laquelle je refuse d'abandonner l'enquête. Aussi, à moins que vous ne me suspendiez, je vais devoir prendre congé de vous. J'ai une réunion au quartier général du FBI. »

Sur ces paroles, elle se leva et se dirigea vers la porte.

« Allison », dit-il avec une rudesse qui la fit s'arrêter et se retourner.

« Annulez cette réunion, dit-il. J'ai pris ma décision. L'enquête vous est retirée.

— Vous me suspendez ?

— Vous ne me laissez pas le choix. Vous savez combien cela me déplaît de prendre une telle mesure à deux jours de l'élection, mais voyez les sondages. Vous perdez du terrain d'heure en heure. Politiquement, vous êtes fichue. Si je ne vous écarte pas de l'enquête maintenant, Howe continuera d'attaquer, jusqu'à ce que vos résultats négatifs affectent toutes nos positions. C'est déjà assez moche de perdre la Maison-Blanche, je ne tiens pas à ce que le Sénat aussi nous échappe. »

Allison le regarda d'un air incrédule. « Que je suis bête, monsieur le Président, je croyais que l'important était de retrouver saine et sauve une fillette de douze ans. »

Le président, gêné, détourna les yeux. Allison quitta la pièce et enfila le long couloir sans se retourner, sachant qu'elle venait de rendre la dernière visite de sa vie au Bureau ovale.

2

Vincent Gambrelli se réveilla avec le jour, cinq minutes avant que retentisse la sonnerie. Voilà plus de trente ans qu'il se levait chaque matin à la même heure, depuis sa première nuit dans les jungles du Vietnam, où il avait servi dans les Bérets verts. Il n'avait jamais eu besoin d'un réveil, et cela faisait seulement quelques mois, alors qu'il allait vers ses cinquante ans, qu'il en avait un. Il cesserait de faire confiance à son corps le jour où celui-ci ne saurait plus qu'il était l'heure de se lever.

Il était vêtu de son habituelle tenue de nuit, un pantalon de survêtement vert et un T-shirt camouflage. Il se leva pour s'allonger par terre sur le dos, les pieds coincés sous le cadre du sommier et les mains croisées derrière la nuque. Puis, la respiration profonde et régulière, il se redressa deux cents fois à la force de ses abdominaux. Il roula ensuite sur le ventre et, en appui tendu sur les mains et le corps aussi inflexible qu'une barre d'acier, entama sa première série de cinquante pompes, enchaîna par cinquante autres sur les doigts, et termina par deux fois vingt-cinq, d'abord sur le bras droit seul, puis sur le gauche.

Il se releva, plein d'énergie, et tout en moulinant des épaules et des bras pour activer la circulation il entra dans la salle de bains. Il ôta son T-shirt et s'examina dans le miroir. La lueur rouge de la lampe chauffante lui donnait un air diabolique qui n'était pas fait pour lui déplaire. D'épaisses veines saillaient sur ses biceps et ses avant-bras. Son crâne rasé luisait de sueur. Il se tourna de côté, pour jauger son profil. Le ventre plat, pas un seul gramme de graisse. Pas un seul cheveu superflu sur la tête, pas une trace de compassion dans le regard noir et glacial.

Il se doucha et s'habilla rapidement. Il avait faim, mais cela pouvait attendre.

Il sortit un sac marin du placard, le posa par terre et en défit la fermeture Éclair. Il lissa du plat de la main le dessus-de-lit et enfila une paire de gants en latex. Quand on maniait le matériel, les gants étaient une nécessité. Pas d'empreintes.

Soigneusement, presque amoureusement, il sortit du sac un fusil AR-7, arme robuste et légère, et le posa sur le lit. Le canon était déjà replié entre les deux joues métalliques de la crosse. Le numéro de série au-dessus du boîtier du chargeur avait été complètement effacé à la meule. Il rangea de côté la lunette de tir à amplificateur lumineux, qui permettait un tir précis à soixante mètres dans des conditions nocturnes. À moins de trente mètres, la nuit dernière, Repo avait été une cible facile.

Il démonta le fusil à l'aide d'un tournevis, nettoya à l'écouvillon l'âme du canon, puis, à l'aide d'une lime queue-de-rat, se mit en devoir d'altérer la culasse, le percuteur et toutes les pièces susceptibles de fournir une indication balistique. Cela pouvait passer pour une précaution inutile, dans la mesure où la police aurait le plus grand mal à établir une relation entre les balles tirées sur Repo et l'AR-7 de Gambrelli. Repo avait cramé dans l'incendie de la maison et, avec lui, les plombs dont il était truffé. Il avait suffi pour cela d'un bidon de méthanol et d'une seule allumette. La police penserait qu'un crackeur en quête d'un abri pour fumer sa came avait pénétré dans la maison vide et oublié d'ouvrir le conduit de la cheminée en faisant du feu, provoquant un incendie et sa propre mort.

Mais Gambrelli avait pour principe et habitude de se débarrasser de toute arme ayant servi à un meurtre ou bien d'en altérer les caractéristiques. Avec la petite-fille du général Howe dans la pièce voisine, il était hors de question d'aller acheter un nouveau fusil. Il n'avait donc pas le choix.

Un coup frappé à la porte l'arracha à sa concentration. Instinctivement, il tira un pistolet du sac.

« C'est moi. Tony.

— Entre », dit Gambrelli, posant sa lime sur le lit.

La porte s'ouvrit. Tony Delgado se tenait sur le seuil, plissant ses yeux encore endormis. « Tu veux que je fasse manger la gosse ? »

Gambrelli le regarda d'un air impavide. « Je t'ai dit de lui donner à manger ?

— Non.

— Alors, tu ne lui donnes pas à manger. Tu ne te mouches pas, tu ne t'essuies pas le cul. À partir de maintenant, tu ne fais rien sans que je te le dise. »

Delgado baissa la tête, comme un enfant grondé. « Tu sais, s'il y a quelqu'un qui regrette Johnny, c'est bien moi. »

Gambrelli secoua la tête, l'air réprobateur et paternaliste à la fois. « Assieds-toi », dit-il, désignant une chaise dans le coin de la chambre.

Tony fit ce que son oncle lui ordonnait.

« Johnny était de la famille, mais c'était un tordu. Trop sûr de lui pour le peu de moyens qu'il avait. Il était normal qu'un jour ou l'autre il tombe sur un bec. »

Delgado fit la grimace. « Alors, c'est la vie, hein ? dit-il avec amertume.

— Ta gueule, Tony. C'est moi qui parle. »

Tony Delgado ravala sa salive et se tint coi.

« Laisse-moi t'expliquer quelque chose, Tony, reprit Gambrelli. Quel âge avait ton frère, vingt ans ?

— Vingt et un.

— À son âge, je n'avais qu'un souci : tuer les Viêt-cong avant qu'ils ne me tuent. Une erreur, et tu étais mort. Tu peux le voir dans mes yeux... j'ai vécu parce que j'ai tué. Alors, regarde-moi bien, et pense à quelqu'un comme ton petit frère. Johnny et tous les gosses nés après lui font partie d'une génération de branleurs qui pensent que le monde est un putain de jeu vidéo. Tu déconnes ? T'as qu'à mettre une autre pièce de monnaie dans l'appareil. Et maman veille à ce que t'en manques jamais, de pièces. C'est comme ça que des gosses comme Johnny ne grandissent jamais. Leur idée du combat pour la vie, c'est d'aller à un talk-show à la télé et de râler parce qu'ils doivent mettre une capote avant d'enfiler leur petite amie de quinze ans. Minable. Toute une génération de minables et d'inutiles.

— Alors, d'après toi, Johnny méritait de mourir ?

— D'après moi, qu'il y ait un Johnny, un Repo ou une Kristen Howe de moins, le monde ne s'en portera pas plus mal. Il s'en portera mieux, même.

— Et moi ?

— Tu es plus vieux, dit Gambrelli avec un haussement d'épaules. J'ai pensé que tu étais différent. Je t'ai fait confiance en te refilant ce boulot. C'est pas de chance pour moi si, après vingt ans dans le métier, mon plus gros contrat arrive quand je suis marié et retiré des affaires. Ma femme n'a pas l'esprit large, si tu vois ce que je veux dire. Pas question de lui dire que je m'absente une semaine pour enlever la fille du général Howe. Mais ce kidnapping était trop juteux pour que je le laisse passer. Alors, je me suis dit que Tony pourrait s'en charger. Il a des couilles, et il est pas con. Je me suis vu un peu comme un général, peinard dans mon QG, à donner des ordres. J'ai donc fait affaire et tout organisé. Tout ce que tu avais à faire, c'était de suivre mon plan. Et qu'est-ce que j'apprends ? Johnny se fait suriner par Repo, toi, tu es imbibé de tequila, et la fille s'est sauvée avec ce petit con de Repo, une nouvelle version merdique de Bonnie et Clyde.

— Je suis désolé, je...

— Ta gueule, Tony ! rugit-il d'une voix sourde en jetant à son neveu un regard de colère. Ça me plaît pas du tout d'avoir à me retrousser les manches. Dans une affaire comme ça, le tueur ne devrait jamais connaître son client, et le client ne devrait jamais connaître le tueur. Quand trop de gens se connaissent, ils parlent, et quand ils parlent, c'est pour se dénoncer. C'est pour ça que j'ai pris le rôle d'intermédiaire. Si l'intermédiaire fait bien son boulot, le client et le tueur ne se connaissent pas et, donc, ne peuvent pas s'accuser mutuellement. Ce qui empêche les flics d'aller bien loin dans leur enquête. Mais grâce à toi, tête de con, je ne suis plus l'intermédiaire. Grâce à toi, je suis aussi le tueur, et ça brouille tout. C'est pourquoi je suis vraiment en colère contre toi, Tony. »

Tony était avachi sur sa chaise. « J'sais pas quoi dire.

— Dis rien, surtout. Arrête de déconner. Et pour de bon, cette fois. »

Tony baissa la tête. « Je te le promets », dit-il d'une petite voix.

Gambrelli respira profondément pour se calmer. Ce jeune crétin semblait avoir compris. S'il n'avait pas été de la famille, il aurait déjà été mort. Mais voilà, il faisait partie du clan, et si Gambrelli voulait l'utiliser encore, il fallait redonner confiance à ce nul. Rien n'était plus dangereux qu'un associé pas sûr de lui. Il se pencha au-dessus du lit pour prendre un bouquin sur la tablette de nuit. « Tiens », dit-il en le lançant à Tony.

Tony l'attrapa au vol et lut le titre : *L'Enfant kidnappé. Guide à l'usage des forces de police chargées d'élucider les rapts d'enfants.*

« C'est publié par le Centre national pour les enfants battus et enlevés, expliqua Gambrelli. C'est la bible de tous les flics qui traquent les ravisseurs. C'est donc aussi la nôtre, si on veut leur échapper.

— Tu veux que je lise tout ça ?

— Ouais, tout ça. Et je veux que tu l'absorbes, je veux que tu commences à penser comme le FBI. C'est un agent fédéral, un certain Harley Abrams, qui l'a écrit. Quand tu l'auras lu, tu sauras comment il pense. Cette nuit, j'ai relu les pages où il explore tous les motifs qu'on peut avoir d'enlever un enfant. Perversité sexuelle, rançon, revente de l'enfant, vengeance et autres. Il arrive à un total de sept motifs, et puis il en imagine un huitième, qui serait dicté par des intérêts politiques. Et ce qu'il dit à ce sujet est très intéressant. Dans toute l'histoire des États-Unis, il n'y a jamais eu une seule affaire d'enlèvement pour un motif politique. À quoi ça te fait penser, Tony ? »

Tony écarquilla les yeux, tel un cancre détestant qu'on le mette sur la sellette. « J'en sais rien. J'suppose qu'il y a d'autres moyens que le rapt d'un gosse quand on veut saboter une élection.

— C'est très juste, Tony. Et je suppose que le FBI doit penser la même chose. Mais que vois-tu d'autre ? »

Tony plissa le front. Les efforts intellectuels n'étaient pas son fort. « J'pense qu'il faut un commencement à tout », finit-il par dire.

Gambrelli sourit. « Des fois, je me dis que t'es bien trop laid pour être l'enfant de ma sœur, mais j'dois reconnaître que t'as peut-être hérité l'intelligence de ta mère. »

Tony sourit pour la première fois de la matinée.

Gambrelli lui fit un clin d'œil. Mission accomplie. La confiance en soi revenait, le garçon pouvait réintégrer l'équipe. Il sortit un appareil polaroïd de son sac et le chargea d'un nouveau boîtier de pellicule. « Va et lis bien ce bouquin, d'accord ? Moi, j'ai quelques photos à prendre.

— Des photos ? Quel genre de photos ? »

Gambrelli leva la tête. Il n'y avait plus aucune trace de sourire sur son visage. « Tu verras. Le genre de photos qui ravage le cœur des mamans et le compte en banque des familles. »

3

Allison entrebâilla légèrement les rideaux de la chambre, et regarda dans la rue. Le quartier était calme et silencieux, comme chaque dimanche matin. De sa fenêtre au premier étage, toutefois, elle pouvait voir les reporters camper devant la porte de sa maison. Certains dormaient dans leur véhicule, où ils étaient au chaud. D'autres formaient de petits cercles bavards sur le trottoir de briques, leurs visages indiscernables sous la lueur opalescente à cette heure matinale des antiques réverbères jalonnant la rue Georgetown. Coiffés de bonnets de laine et chaudement vêtus, ils se balançaient d'un pied sur l'autre, pour combattre la froideur du jour naissant. De temps à autre, ils partaient à rire, la tête renversée en arrière, un gobelet de café fumant à la main.

Allison se demanda ce qu'ils pouvaient se raconter pour tuer le temps ? Parlaient-ils de foot, de basket ? Ou bien du sport en vogue à Washington en cette période électorale : la chute annoncée d'une certaine candidate à la présidence des États-Unis ?

Elle quitta la fenêtre et retourna au lit. Peter, adossé aux oreillers, parcourait le *Washington Post*. D'ordinaire, il se réveillait moins tôt le dimanche, mais ils ne dormaient ni l'un ni l'autre quand le journal avait atterri avec un bruit mat sur le pas de leur porte. Le titre à la une avait de quoi décourager toute envie de se rendormir : L'ATTORNEY GÉNÉRAL EST SUSPENDU DE SES FONCTIONS !

Le président Sires avait maintenu sa décision et émis son communiqué de presse. Son secrétaire général devait apparaître plus tard dans la matinée à *Rencontre avec la presse*, pour expliquer les raisons de cette suspension. Le candidat à la vice-présidence, le gouverneur Helmers, tentait en ce moment même sur une chaîne nationale de limiter les dégâts. Tard dans la nuit, les stratèges de la campagne Leahy/Helmers avaient décidé que ce serait à Helmers, plutôt qu'à Allison, de paraître aux émissions matinales, où il essuierait les premiers assauts, avant que sa coéquipière prenne le relais et affronte les journalistes chevronnés des shows de prime time entre neuf heures du matin et midi.

Allison regardait Helmers sans le voir ni l'entendre. Elle avait peur. « Il faut que je me prépare », dit-elle sans bouger.

Peter leva les yeux de son journal. « On dirait que tu dois aller à un enterrement.

— C'est un peu ça. Le président Sires me l'a dit la nuit dernière, et mes conseillers me le confirment : je suis une cause perdue. »

Il écarta son journal. « Helmers, Wilcox et les autres ne se démèneraient pas tant s'ils pensaient que tu n'as plus aucune chance. »

Allison secoua la tête. « Oh, ils continuent de courir, non pas pour gagner mais pour ne pas tout perdre. Ils ne peuvent plus s'attendre à un miracle de ma part à moins de deux jours de l'élection. Et s'ils se démènent, c'est pour empêcher ma propre déconfiture d'ôter à Helmers une chance d'être le prochain candidat démocrate à la présidence, dans quatre ans.

— Est-ce que Wilcox et Helmers savent que tu as décidé de payer la rançon de Kristen Howe ?

— Non.

— Et le président ? Tu ne le lui as pas dit ?

— Non, je ne le pouvais pas. Si jamais tous ceux que tu viens de citer le savaient, ils s'empresseraient de l'exploiter. Ils le diraient à la presse et feraient de moi une héroïne, afin de renverser les sondages en ma faveur.

— Et après ? demanda Peter, étonné. Tu n'as plus envie de gagner ?

— J'en ai toujours envie, mais pas à n'importe quel prix. Si le bruit courait que nous avons, toi et moi, accepté de payer la rançon que le général a refusé de rassembler, ce pourrait être un désastre. Howe serait capable d'aller contre la volonté même de sa fille et de nous interdire de payer. Le tapage que ferait l'affaire provoquerait la colère des ravisseurs, et Kristen risquerait bien d'en faire les frais. Il pourrait se passer un tas de choses, toutes négatives.

— Attends, je ne comprends plus très bien... on paie ou on ne paie pas la rançon ?

— Oui, nous la payons. Si les ravisseurs en veulent encore.

— Que veux-tu dire ?

— Leurs messages sont contradictoires. Vendredi, ils réclamaient l'argent, mais hier l'un d'eux a appelé pour dire que Kristen allait bien mais qu'elle ne serait pas libérée avant la fin de l'élection. On dirait qu'ils ne sont pas d'accord entre eux. Cela ne nous empêche pas d'être prêts à leur remettre la rançon s'ils rappellent lundi matin, comme ils l'ont annoncé.

— Crois-tu vraiment que tu pourras garder notre intervention secrète ?

— Il le faut. Je sais que cela doit te paraître incompréhensible, surtout au regard des titres de la presse dominicale. Mais j'ai promis à Tanya Howe de garder le silence, parce que c'est notre meilleur atout. Penses-y quand tu réuniras l'argent. Tu pourrais faire des retraits dans plusieurs banques, ce qui permettrait de fractionner la somme en parts plus petites et de ne pas éveiller les soupçons. En tout cas, fais ce que tu peux de manière à occulter le fait que nous payons la rançon. »

Peter fit la grimace. « Si je comprends bien, tu me demandes de ne rien faire qui puisse te permettre de remporter l'élection ?

— C'est un peu ça. » Allison secoua la tête en riant, frappée par l'absurdité de sa propre démarche. « C'est fou, je le sais bien. Il y a un an dans cette même chambre, tu me suppliais de ne pas me présenter. Tu disais que cela détruirait notre couple. Et maintenant, regarde où nous en sommes. Quelle ironie, n'est-ce pas ?

— Oui, une ironie amère, tout de même.

— Je t'en prie, Peter. Je ne veux pas que le paiement de cette rançon se transforme en une partie de football politique. Alors, garde-toi de donner le coup d'envoi. Tu me le promets ? »

Peter la regarda, une lueur lointaine dans le regard. Puis il tendit la main et lui caressa la joue en souriant d'un air tendre et rassurant. « C'est promis, chérie. »

Tanya Howe reconnut la limousine noire de son père, qui venait de s'arrêter dans l'allée. Elle se détourna de la fenêtre et regarda sa mère avec colère.

« Que vient-il faire ici ? »

Natalie, assise à la table de la cuisine, remuait son café matinal. Elle reposa d'une main tremblante la cuiller dans la soucoupe. « Ton père m'a demandé s'il pouvait passer. Je lui ai répondu que oui, dit-elle d'une voix conciliante.

— Mais pourquoi lui as-tu dit ça ?

— Tanya, les gens parlent. La presse commence à répandre des bruits. Que penser d'un père qui ne rend jamais visite à sa fille, alors que celle-ci est dans le malheur ?

— Alors, tu lui as dit qu'il pouvait venir, histoire de se faire prendre en photo et de s'offrir un peu de publicité sur mon dos ?

— Allons, ma chérie. J'ai seulement pensé que si vous pouviez vous réunir dans la même pièce, il en sortirait peut-être quelque chose de bon.

— Eh bien, oublie ça. Il n'entrera pas ici ! »

Le timbre sonna dans l'entrée. Tanya ne broncha pas. Natalie regardait sa fille avec inquiétude. « Tanya, je t'en prie. Fais-le pour moi. »

Un agent du FBI passa la tête dans la cuisine. « Mademoiselle Howe, c'est votre père. Voulez-vous que je le fasse entrer ? »

Tanya allait répondre non, mais l'expression douloureuse de sa mère l'en empêcha. Elle poussa un soupir exaspéré. « Très bien. Qu'il entre donc. »

Natalie se leva. « Merci », dit-elle, et elle s'empressa de passer dans le salon.

Tanya attendit en regardant par la fenêtre. Il y avait toujours cette vieille balançoire dans le petit jardin de derrière. Elle se rappela toutes ces heures à pousser Kristen, quand celle-ci était trop petite pour se balancer, et puis sa peur après que la petite eut trouvé le coup de reins pour monter de plus en plus haut. Kristen avait joué à d'autres jeux, ces dernières années, mais Tanya avait gardé la balançoire, qui lui rappelait les jours insouciants de la petite enfance de Kristen.

« Bonjour, Tanya », dit le général Howe. La voix grave et profonde l'arracha à ses souvenirs. Il se tenait dans l'entrée de la cuisine, son pardessus plié sur le bras.

Le visage de Tanya ne trahit nulle émotion. « Bonjour. »

Le général fit un pas dans la pièce et referma la petite porte de séparation derrière lui. « Je peux m'asseoir ? » demanda-t-il en tirant une chaise à lui.

Elle ne formula aucune objection. Il posa son pardessus sur le dossier de la chaise voisine et leva les yeux vers Tanya, restée debout. « Tanya, tu sais peut-être pourquoi je suis venu.

— Oui, répliqua-t-elle d'un ton sec, maman m'a expliqué. »

Il hocha la tête, apparemment satisfait que le terrain eût été préparé. « Bien. Je n'ignore pas que c'est un sujet douloureux pour toi, mais j'aimerais que tu me dises tout ce que tu sais. »

Tanya le regarda d'un air confus. « De quoi parles-tu ?

— De cette histoire d'accident. »

Elle parut encore plus déconcertée.

« Quoi, tu n'as pas dit que ta mère t'avait expliqué ? » demanda-t-il.

Elle secoua lentement la tête, comprenant que cette rencontre avait été arrangée sous de faux prétextes. Elle sentit la colère monter en elle, et pas seulement envers son père mais aussi à l'égard de sa mère qui l'avait trompée. « Expliqué quoi ? interrogea-t-elle, haussant le ton.

— Comme je l'ai dit à ta mère, le FBI s'intéresserait à l'accident de la route dans lequel Mark Buckley a trouvé la mort. »

Tanya frissonna. Cela faisait douze ans qu'elle n'avait pas entendu le nom du père de Kristen dans la bouche de Lincoln Howe. « Et alors ?

— Alors, j'ai pensé que tu savais peut-être quelque chose sur ce soudain renouveau d'intérêt du FBI.

— Pourquoi le saurais-je ?

— Je ne t'accuse de rien. Je me demandais seulement si quelqu'un n'était pas venu ici te poser des questions.

— Peut-être bien.

— Tanya, je te prie de ne pas tourner autour du pot.

— Qu'attends-tu de moi ? De l'obéissance ? De la soumission ?

— De la sincérité, c'est tout.

— Très bien. Il y a quelque chose que je peux te dire en toute sincérité : je veux savoir la vérité sur la mort de Mark.

— Mais tu la connais. Nous la connaissons tous. J'espère que tu ne cherches pas à réécrire l'histoire.

— Non, je pense seulement qu'une partie très importante de cette histoire n'a jamais été écrite. »

Il la regarda avec sévérité. « Mark Buckley a percuté un platane à plus de cent quarante à l'heure. Il était ivre mort. Voilà toute l'histoire. Et il n'y en a pas d'autre. »

Tanya se leva et le regarda dans les yeux, pour bien lui montrer qu'il ne l'intimidait pas. « Cette nuit-là... la nuit de sa mort... Mark m'a appelée. Nous avons eu une très brève conversation. Il avait bu. Il n'était pas lui-même. Il m'a dit : "Tanya, je pense que tu devrais avorter."

— Que lui as-tu répondu ?

— Qu'il n'en était pas question, bien sûr. Mais l'important n'est pas ce que je lui ai dit, mais ce que lui a dit. C'était très étrange. Mark n'avait jamais évoqué une seule fois l'éventualité d'un avortement. Il désirait autant que moi cet enfant.

— Ça, c'est ton sentiment, mais est-ce qu'un garçon de vingt ans sait vraiment ce qu'il veut ?

— Mark le savait. Nous le savions tous les deux.

— D'accord, il était donc soûl et il a dit quelque chose qu'il ne pensait pas.

— C'est ce que je me suis dit alors, mais je n'oublierai jamais le ton de sa voix. Il avait peur.

— Des tas de garçons ont peur quand ils ont mis en cloque leur copine.

— Mark ne m'a pas mise en cloque, comme tu dis. Nous voulions cet enfant. C'est volontairement que nous n'avons pas pris de précautions. Et puis ce n'était pas cette peur-là. C'était une peur profonde, proche du désespoir. Comme la peur d'un homme qui vient d'apprendre par son médecin qu'il est atteint d'un cancer et qu'il n'a pas plus de quelques mois à vivre. »

La soudaine raideur du général n'échappa point à Tanya. Elle se pencha en avant et plongea dans les yeux de son père son regard brûlant. « En fait, je crois que Mark savait ce qui allait lui arriver.

— C'est ridicule. Il s'est soûlé. Il a pris le volant et s'est écrasé contre un arbre, point final.

— Alors, pourquoi n'a-t-on pas relevé de traces de freinage ni de dérapage ? »

Le général marqua une pause, avant de répondre d'un ton voulu ferme : « Parce qu'il était soûl jusqu'à l'inconscience.

— Ça, c'est ta théorie.

— C'est celle du médecin légiste.

— Le médecin légiste n'était pas sur le lieu de l'accident.

— Alors, pourquoi n'a-t-il pas freiné ?

— À toi de me le dire.

— Comment le saurais-je, je n'en ai pas la moindre idée.

— Je pense au contraire que tu en as une, dit-elle d'une voix sourde.

— Je t'interdis de me parler sur ce ton.

— Je sais que Mark ne voulait pas que j'avorte, poursuivit-elle d'un ton de défi.

— Tanya...

— Et s'il m'a dit le contraire, c'est parce qu'on l'a forcé.

— Arrête !

— Ce n'est pas l'ivresse qui l'a fait parler contre lui-même. Il a bu parce qu'il avait peur.

— Arrête tout de suite !

— Et il avait peur parce qu'on l'avait menacé.

— Tais-toi !

— Il n'y a pas eu de traces sur la route parce qu'il s'est suicidé. Parce qu'il n'avait pas d'autre choix.

— Tanya !

— Et que tu ne lui as pas laissé d'autre choix.

— Va au diable !

— Parce que tu l'as menacé !

— Et après ! » cria-t-il en se levant brusquement.

Tanya se rassit, épuisée et tremblante. Un silence glacial envahit la pièce. « Et après ? » répéta-t-elle, incrédule.

Le général s'efforçait de maîtriser sa colère. Il s'écarta de la table et se tourna vers la fenêtre. Finalement, il fit face de nouveau à sa fille et dit d'un ton égal mais ferme : « Je lui ai dit de s'éloigner de ma fille. C'est tout. Si tu appelles ça une menace, libre à toi. Mais je ne me considère pas comme responsable d'un idiot qui se soûle, prend le volant et se tue.

— Moi oui, dit-elle avec mépris. Moi, je te tiens pour responsable. »

Sa colère et son dégoût étaient tels soudain que Tanya ne put supporter de rester une seconde de plus dans la même pièce que son père. Elle se leva et elle allait ouvrir la porte de séparation avec le living quand elle se ravisa. Elle n'avait pas envie de tomber sur sa mère, qui avait arrangé cette entrevue détestable. Elle prit par l'autre porte et le couloir menant à sa chambre.

Un tourbillon d'émotions lui brouillait la vue. En quête d'un mouchoir, elle prit la direction de la salle de bains mais, au lieu d'y entrer par la porte donnant dans le couloir, elle passa par celle de sa chambre. Tanya était bien trop bouleversée pour penser à frapper avant d'entrer. Elle poussa la porte et se figea.

L'un des agents du FBI se tenait devant la coiffeuse. Il ouvrit la bouche de stupeur, comme s'il n'avait pas soupçonné l'existence de cet accès par la chambre. Le loquet de l'autre porte était tiré. L'homme avait retroussé ses manches jusqu'aux coudes et portait des gants de latex. Il tenait dans une main une de ces poches en plastique utilisées pour recueillir des indices et dans laquelle Tanya remarqua une touffe de cheveux qui devait provenir de la brosse que l'homme tenait dans son autre main, une brosse qui appartenait à sa mère, Natalie.

« Qu'est-ce que vous êtes en train de faire ? » demanda-t-elle sèchement.

L'agent rougit de confusion. « Je... je n'ai pas la liberté de vous répondre.

— Parfait, dit-elle. Alors nous allons, vous et moi, poser la question à quelqu'un d'autre. »

4

Tandis qu'il roulait en direction de Georgetown, Harley Abrams examinait les diverses possibilités d'atteindre l'hôtel particulier d'Allison sans être repéré par les médias. Il était évident qu'un rendez-vous matinal entre l'enquêteur en chef et l'attorney général qui venait juste d'être suspendu soulèverait des questions. Mais s'il se faisait surprendre en tentant de lui rendre visite en catimini, ce serait pire. Il écarta le rendez-vous secret et décida d'y aller à découvert.

Il gara sa voiture à deux blocs de la maison, et fit le chemin d'un pas vif en passant par le trottoir situé à l'ombre. La plupart des reporters étaient massés au soleil, de l'autre côté de la rue, une preuve qu'ils n'étaient pas totalement stupides. Harley n'était plus qu'à une trentaine de mètres de la grille de l'hôtel quand il fut reconnu.

« Monsieur Abrams ! » cria quelqu'un depuis le trottoir d'en face.

Harley poursuivit son chemin sans même tourner la tête. Les équipes de photographes et de cameramen s'ébranlèrent et fondirent sur lui et il se retrouva encerclé en quelques secondes. La première question le frappa comme un éclat d'obus. « Approuvez-vous la mise à pied de Mme Leahy ? »

Harley continua du même pas, pendant que les journalistes se bousculaient les uns les autres, piétinaient les plates-bandes bordant les maisons, telle une meute de carnivores sans crocs mais aux langues acérées, et tentaient d'arracher à leur proie les mots dont ils se repaîtraient.

Harley s'arrêta au portail de la maison d'Allison. Il sonna et attendit.

« Est-ce une visite officielle ou personnelle ? » lança un reporter, question aussitôt dupliquée par dix voix beuglantes.

L'interphone bourdonna et le portail s'ouvrit automatiquement. Harley poussa le battant et entra dans la petite cour pavée. La foule des médias se porta en avant. Il se retourna et dit d'une voix ferme mais courtoise : « Vous êtes sur une propriété privée. Reculez, je vous prie. »

Ils s'exécutèrent sans cesser de photographier et de filmer. Harley referma le portail et gagna la porte d'entrée, qui s'ouvrit avant même qu'il sonne. L'intendante le fit pénétrer à l'intérieur.

« Par ici. » Elle le débarrassa de son manteau et le conduisit dans le salon situé à l'arrière. Allison était vêtue d'un strict tailleur bleu marine, prête pour sa conférence de presse.

Harley ne put réprimer sa surprise. « Vous avez l'air... en forme. »

Allison eut un mince sourire. « Vous vous attendiez à quoi ? Un peignoir chiffonné, des mules roses à pompons et une poignée de barbituriques dans la main ? »

Il rougit d'embarras. « Je ne sais pas à quoi je m'attendais exactement. Je tenais seulement à vous exprimer mon désaccord avec la façon dont ils vous traitent.

— Oh, j'ai connu pire. »

Il cligna les yeux, sachant combien elle disait vrai. « Je voulais aussi vous remercier.

— Me remercier ? Et de quoi ?

— D'avoir pris ma défense, la nuit dernière. J'ai lu aussi la déclaration que vous avez faite à la presse, à l'aéroport. Il vous aurait été facile de me désigner comme le seul fautif de cette bavure. Au lieu de cela, vous en avez assumé toute la responsabilité.

— Je n'aime pas voir les médias salir les honnêtes gens. Il y a une grande différence entre l'incompétence et un agent du FBI talentueux à qui ceux qui continuent de manipuler cette enquête à des fins politiques ne cessent de mettre des bâtons dans les roues.

— Il n'empêche, il fallait du courage pour faire ce que vous avez fait. »

Elle sourit. « Il vous en a fallu pour venir chez moi. J'apprécie votre geste. Mais si vous vous attardez ici trop longtemps, nous ne ferons qu'aggraver nos situations respectives.

— C'est vrai, mais il y a un problème que j'aimerais résoudre avant de repartir. Comment allons-nous rester en contact, vous et moi ?

— Que voulez-vous dire ?

— Comment faire pour vous tenir informée de l'enquête ?

— Harley, j'ai été suspendue de mes fonctions.

— Oui, et cela signifie que vous n'êtes plus mon patron. Mais moi, j'ai toujours la responsabilité de l'enquête, et je n'ai pas encore écarté la possibilité d'un lien entre l'enlèvement de Kristen et celui de votre fille. Pour cela seulement, j'ai besoin de votre concours. Par ailleurs, vous avez accepté, avec votre mari, de payer la rançon, et vous êtes donc un partenaire indispensable de l'enquête, suspendue ou pas.

— Harley, ma mise à pied a été ordonnée par le président en personne. Vous êtes en train de jouer votre carrière.

— Ce ne serait pas une jolie carrière si je laissais quelqu'un d'autre payer l'erreur dont je suis l'auteur. Il m'est impossible de faire revenir le président sur sa décision, mais je peux m'assurer que l'enquête se poursuivra comme il se doit.

— Vous me surprenez, monsieur Abrams. Je n'aurais jamais soupçonné chez vous de telles capacités de manipulateur... dans le meilleur sens du terme. »

Il rougit de nouveau, une réaction qu'Allison semblait avoir le don de déclencher chez lui. « Moi aussi, dit-il, et pourtant ça fait vingt-deux ans que je travaille pour le FBI. »

Le sourire d'Allison fit place à une expression sérieuse. « Avant que vous veniez, je parlais de la rançon avec Peter. Pensez-vous que les ravisseurs exigent toujours d'être payés ?

— Difficile à dire. Nos analystes ont la certitude que l'individu qui a appelé Tanya, hier, et l'a laissée parler avec sa fille n'est pas celui qui a téléphoné vendredi, à Tanya et à vous-même. Celui d'hier nous est apparu comme désireux de protéger Kristen et de ne la libérer qu'après les élections. Mais après tout ce tapage médiatique consécutif à l'arrestation d'hier, il se pourrait qu'il se montre moins bienveillant.

— Quels sont vos pronostics, quant aux chances de Kristen ?

— La situation présente, confuse et incertaine, augmente les risques encourus par la fillette. Je vois deux scénarios possibles, tous deux sombres. Soit Kristen est déjà morte, et nous n'aurons plus jamais de nouvelles des ravisseurs. Soit ils la gardent en vie jusqu'à demain matin huit heures, quand le type qui vous a appelée vendredi vous rappellera pour vous indiquer où, quand et comment délivrer l'argent. Nous espérons que la seconde hypothèse est la bonne. S'ils reprennent langue pour la rançon, alors nous avons peut-être une chance d'intervenir avant qu'ils ne la tuent. S'ils ne se manifestent pas... c'est que tout est fini.

— Vous ne croyez pas trop, n'est-ce pas, qu'ils la relâcheront même si nous payons ? »

Harley secoua la tête d'un air d'incertitude. « Le paiement de la rançon nous fera gagner un peu de temps. Je dirai que la période de vingt-quatre heures entre lundi matin huit heures et l'ouverture des bureaux de vote le mardi matin est une zone de danger extrême pour

Kristen. S'ils la tuent, ils voudront en tirer le plus grand impact possible sur l'élection. J'imagine qu'ils pourraient très bien, par exemple, balancer son cadavre sur les marches du ministère de la Justice, bref, choisir le moyen le plus morbide et le plus spectaculaire pour vous porter tort. En écourtant encore cette période critique, je dirai lundi entre huit heures du matin et six heures du soir, de façon que le meurtre fasse la une de tous les journaux télévisés du soir et les titres du lendemain dans toute la presse écrite.

— Si je comprends bien, même en payant, nous n'aurons jamais que trente-six heures pour la retrouver.

— Oui, en gros.

— Et si nous ne payons pas ?

— Elle sera morte dans les vingt-quatre heures. »

Allison détourna les yeux, pensant soudain qu'elle n'avait jamais rien pu apprendre au sujet d'Alice en huit années de recherches. « Trente-six heures, dit-elle à voix basse en regardant de nouveau Harley. Que Dieu nous aide. »

Allison ne regarda pas Harley partir. Elle savait qu'il devrait affronter un barrage de questions, sitôt poussé le portail. Elle entendit les cris, imagina la cohue, visualisa Harley se frayant un passage pour regagner sa voiture. Elle se versa une nouvelle tasse de café au comptoir de la cuisine, redoutant le moment où, à son tour, elle devrait s'aventurer dehors.

La sonnerie du téléphone la fit tressaillir. C'était sa ligne privée, un numéro que bien peu de gens connaissaient. Elle décrocha avec un mélange de curiosité et d'inquiétude.

« Allô ?

— Madame Leahy ? C'est Tanya Howe. »

Allison eut un soupir de soulagement, avant de ressentir de l'embarras, car elle aurait dû appeler Tanya, après ce qui s'était passé, la veille. « Je suis heureuse que vous appeliez. J'allais le faire moi-même.

— Vous m'avez dit de ne pas hésiter à vous téléphoner si jamais j'avais besoin de quoi que ce soit. Eh bien, j'ai justement besoin de quelques éclaircissements. »

Allison se jucha sur l'un des tabourets du comptoir. Le ton de voix de Tanya n'avait rien de rassurant. « Vous voulez dire au sujet de la nuit dernière ?

— Non, je parle de ce matin. Je suis tombée sur un agent du FBI dans ma salle de bains. Figurez-vous qu'il était en train de prélever des cheveux sur la brosse appartenant à ma mère. »

Bravo pour la discrétion de vos hommes, Harley, pensa-t-elle en fermant les yeux, comme prise de migraine. « Je vais vous expliquer pourquoi, Tanya », dit-elle.

En quelques minutes, elle lui parla du portrait photographique avec la lettre A tracée au rouge à lèvres, des traces de salive découvertes par le laboratoire de criminologie et de la nécessité d'avoir un échantillon d'ADN pour établir une comparaison. Elle ne lui dit rien de Mitch O'Brien, mais mentionna les deux femmes suspectées, l'une d'elles se trouvant être Natalie Howe.

Après quoi, Allison s'apprêta à faire face à la fureur de Tanya. Il y eut un long silence au téléphone, et Allison imagina le pire, jusqu'à ce qu'elle entende Tanya lui dire simplement et d'une voix calme : « Vous auriez dû m'avertir de vos intentions.

— Je suis désolée, répondit Allison. En vérité, j'estimais si infimes les probabilités d'une implication de votre mère que je n'ai pas voulu vous inquiéter.

— Vous avez raison, ma mère ne ferait jamais une chose pareille. Et même si l'analyse d'ADN apportait la preuve que le rouge à lèvres utilisé soit bien le sien, cela ne voudrait pas dire qu'elle soit impliquée.

— Les tests ADN sont très fiables, vous savez.

— Je n'en doute pas. Mais ça n'exclut pas le fait que quelqu'un ait pu à l'insu de ma mère utiliser son rouge à lèvres. Quelqu'un comme mon père.

— Oui, cela me semble plus plausible.

— À moins, reprit Tanya, qu'on ne se soit servi du rouge avec son consentement. »

Allison fronça les sourcils. « Qu'est-ce qui vous fait supposer ça ?

— Mon père est venu à la maison ce matin, et m'a demandé si je savais quelque chose au sujet de l'enquête qu'aurait ouverte le FBI sur la mort du père de Kristen. C'est ma mère qui avait arrangé ce rendez-vous, ce qui pourrait sembler innocent si elle ne l'avait fait de façon subreptice. Elle savait fort bien pour quelle raison mon père voulait me voir, et non seulement elle ne m'en a rien dit, mais encore elle m'a laissée croire qu'il s'agissait d'une nouvelle tentative de réconciliation. Je n'aurais jamais soupçonné qu'elle puisse agir de la sorte envers moi, surtout après ce qui est arrivé à Kristen. J'en déduis que mon père a beaucoup plus d'autorité sur elle que je ne le pensais. »

Allison secouait la tête d'un air songeur. « Tanya, cela ne me plaît pas de vous faire jouer les espionnes, mais vous serait-il possible de réunir votre père et votre mère, et de voir comment ils se comportent l'un avec l'autre, d'écouter ce qu'ils se disent à propos de l'enlèvement de Kristen ?

— Je ne vois pas comment cela serait possible. La campagne électorale bat son plein, et mon père tente de se montrer partout à la fois.

— Il faudra bien qu'il dorme quelque part, cette nuit. Ne pourrait-il passer la nuit avec votre mère dans votre chambre d'amis ? Dites à votre maman que vous aimeriez voir votre famille réunie en cette période difficile.

— Nous avons eu des mots, lui et moi, ce matin. Je ne sais pas s'il consentirait à revenir, même si ma mère et moi l'en priions.

— Oh, je suis sûr qu'il viendra ! Une famille réunie dans la tourmente est une image qui lui plaira d'autant plus qu'il prendra soin de la faire relayer par tous les médias. Et puis, pour être tout à fait franche avec vous, il serait préférable que les ravisseurs aient l'impression que les Howe resserrent le lien familial. Ils penseront qu'ils auront ainsi une meilleure chance de ramasser une rançon.

— Est-ce vraiment nécessaire ?

— Nous avons atteint le point où nous devons tout tenter, et le plus vite possible. Et si vous avez le sentiment que votre père puisse être réellement impliqué dans cette lettre anonyme que j'ai reçue ainsi que dans l'enlèvement de votre fille, alors il faut que vous l'attiriez là où vous pourrez le surveiller, ne serait-ce que le temps d'une nuit. Je ne veux pas vous alarmer, Tanya, mais Harley et moi, nous craignons que le temps ne joue contre nous.

— Vous savez, je suis au-delà de la peur.

— Je m'en doute, et c'est une raison de plus pour agir. »

Tanya soupira. « Je me débrouillerai pour que le général dorme à la maison cette nuit. »

5

Kristen n'était pas sûre d'être réveillée. Ses derniers souvenirs s'arrêtaient à la voix de cet homme qui l'avait rattrapée dans la ruelle et lui avait dit que jamais personne ne lui échappait, et aussi à cette piqûre dans la jambe, semblable à celle qui lui avait fait perdre connaissance pendant son enlèvement. Cette fois, cependant, son sommeil semblait plus profond, plus difficile à chasser. Peut-être reprenait-elle confusément conscience alors que la drogue agissait encore. Peut-être n'avait-elle plus envie de se réveiller.

Kristen Howe n'a pas peur. Les mots se formèrent dans son esprit, et elle aurait presque pu voir son mantra préféré inscrit en grosses lettres blanches et cotonneuses comme des nuages dans un grand ciel bleu. Mais elle n'y croyait plus. La magie avait disparu, et il ne restait que des mots sans écho, rien que des lambeaux de brume emportés par le vent.

Elle avait l'impression d'être engluée dans une matière poisseuse, malodorante. Un éclair l'aveugla soudain, bien qu'elle eût les yeux fermés. Un autre suivit, d'une violence électrique, comme la foudre zébrant la nuit. Mais il ne pleuvait pas plus que le tonnerre ne grondait.

Elle essaya d'ouvrir les yeux, mais ses paupières étaient de plomb. Ce fut en vain qu'elle essaya encore ; la vue était un sens qu'elle semblait avoir perdu. Les autres revenaient lentement. Le goût, salé. L'odeur, familière, lui rappelant la viande, la viande rouge, sanglante.

La panique lui serra le ventre. Saignait-elle ?

Non. Elle n'éprouvait aucune douleur. Et le sang était froid, presque glacé, comme s'il sortait d'une chambre froide. Mais oui ! Elle se souvint soudain du bocal de sang de porc en classe de biologie. Le professeur l'avait sorti du réfrigérateur, et avait disposé une goutte de sang sur les lamelles de verre que les élèves avaient ensuite étudiées au microscope. Ce même sang qu'elle avait goûté, après le défi que lui avaient lancé ses camarades. Ce sang encore dont l'odeur écœurante avait envahi la classe quand l'un des garçons avait fait tomber le bocal.

Du sang de porc. Sur tout son corps.

Nouvel éclair, plus brillant encore cette fois. Elle flottait. Mentalement et physiquement. Elle entrouvrit à peine les yeux, telles deux étroites meurtrières dans un mur de guet.

Et soudain il se mit à pleuvoir. De l'eau chaude criblant sa peau, la lavant de cette poisse rouge à l'odeur douceâtre. Un nuage de vapeur montait dans l'air. La chaleur de cette pluie lui donnait de nouveau sommeil ; ses yeux se refermaient. Kristen eut toutefois un dernier moment de lucidité, juste le temps de voir les parois de carreaux blancs qui l'entouraient, le rideau de plastique bleu qui ondulait, le tourbillon d'eau rougie à ses pieds.

Puis ce fut de nouveau la morsure d'une aiguille dans sa cuisse. L'obscurité se referma sur elle, et le néant l'accueillit.

La douleur survint à la fin de la journée. Depuis son entretien avec le président Sires, la nuit précédente, Allison s'était contentée d'agir machinalement, sans mesurer tout l'impact de sa mise à pied. Et c'était maintenant, en ce dimanche soir, qu'elle commençait à avoir mal. Les amis l'appelaient pour lui exprimer leur soutien. Les ennemis souriaient et aiguisaient leurs couteaux dans l'attente de la mise à mort.

La foule des reporters assiégeant sa porte lui avait porté le premier coup. La limousine qui l'attendait n'était qu'à une dizaine de mètres du portail, mais la distance lui avait paru infinie. Et, sans ses gardes du corps, elle n'aurait jamais atteint la voiture. Le trajet jusqu'au studio de télévision lui avait procuré un moment de paix, mais la foire d'empoigne avait recommencé pendant le talk-show politique, *Cette semaine à Washington,* de la chaîne ABC. L'un des invités à la langue acérée semblait être venu là dans la seule intention de l'agresser.

« Pourquoi n'avoir pas pris vos distances vis-à-vis de l'enquête dès le début ? demanda-t-il. Vous auriez ainsi évité ce conflit d'intérêts qui vous vaut aujourd'hui d'être suspendue de vos fonctions.

— Je suis étonnée d'entendre cela de votre bouche, répliqua-t-elle, vous qui avez été le premier dans votre éditorial de la semaine dernière à me reprocher de ne pas tout entreprendre pour retrouver Kristen Howe. »

Cela avait empiré au fil des heures, et Allison avait eu l'impression de dégringoler d'une falaise.

Elle mesurait la versatilité des opinions. Quatre ans plus tôt, sa première apparition à une émission télévisée avait été une véritable célébration – Allison Leahy, l'envoyée de la Providence ! Même le président lui faisait les yeux doux, à l'époque. Elle se souvenait de leur première entrevue dans son propre bureau au ministère de la Justice, le lendemain de sa confirmation par le Sénat. Un photographe les avait immortalisés devant la cheminée, alors qu'ils levaient des regards admiratifs vers le portrait de Robert Kennedy. Plus tard, le président avait tenu à signer la photo et à y écrire : « Un jour, un nouvel attorney général admirera votre portrait. »

Il y avait peu de chances, désormais. Allison avait le sentiment que son effigie dans la petite histoire de ce siècle naissant venait de rejoindre la petite bande de John Mitchell, l'ancien attorney de Nixon, et ses complices du Watergate.

À dix heures du soir, sa limousine l'attendait à l'aéroport pour la ramener à Georgetown. Elle avait passé l'après-midi à faire de brèves apparitions à Philadelphie et à New Jersey, suivies d'une réunion dans l'avion avec ses conseillers électoraux. Elle avait tout de même trouvé le temps de téléphoner à Harley et de lui rapporter sa conversation avec Tanya Howe. L'idée d'attirer le général chez Tanya lui avait beaucoup plu, et il avait aussitôt développé une conception beaucoup plus audacieuse du rôle d'espionne que devait jouer la fille Howe. Allison s'était gardée de tempérer son enthousiasme, sachant que Tanya n'était pas du genre à entreprendre une action que sa morale réprouverait.

« Voulez-vous que je les écrase ? » demanda le chauffeur du FBI.

Allison, tirée de ses pensées, se pencha en avant pour regarder à travers le pare-brise. Les reporters étaient toujours là, plantés devant le portail, à attendre le retour de leur proie. Elle fut tentée de répondre oui.

« Inutile. Je vais appeler Peter pour qu'il leur balance un chaudron d'huile bouillante depuis la terrasse. »

L'agent sourit, mais serra un peu plus fort le volant, tandis que les plus audacieux de la meute se jetaient littéralement sur la voiture. Des visages grotesques se pressaient aux vitres teintées. Ils étaient là, à l'appeler, leurs voix étouffées par l'épaisse vitre blindée et le ronronnement du moteur, si bien qu'elle n'avait que l'image de leurs bouches ouvertes. Cela lui rappela la fois où elle avait visité l'aquarium de Los

Angeles, où l'on pouvait observer, protégé par le verre des bassins, de grands requins passer en silence sous ses yeux.

La limousine s'arrêta devant sa maison. Les deux agents fédéraux descendirent et, flanquant Allison, lui ouvrirent un chemin jusqu'au portail sous une mitraille de flashs. L'un d'eux l'accompagna jusqu'à sa porte, tandis que l'autre attendait dehors devant l'entrée.

« Merci », dit-elle, essoufflée. Ce fut alors qu'elle remarqua le paquet que son ange gardien tenait sous le bras.

« Tenez. Un ami commun m'a demandé de vous remettre ceci. »

Allison le regarda avec curiosité et prit le paquet de la dimension d'une boîte à chaussures et enveloppé d'un papier marron. « C'est quoi ? » demanda-t-elle avec une curiosité teintée d'inquiétude.

« Quelque chose pour vous, mais rassurez-vous, j'ai vérifié le contenu », répondit l'homme avec un sourire, avant de la saluer et de rebrousser chemin. Le bruit monta d'un cran quand il rouvrit le portail, pour s'achever aussitôt sur des exclamations de déception. Ce n'était que le garde du corps qui s'en revenait.

Allison se rendit tout droit à la cuisine, et se versa un verre d'eau qu'elle avala d'un trait tout en considérant d'un œil vaguement méfiant ce paquet d'un « ami commun ». Elle connaissait les agents du FBI qui assuraient sa sécurité, et elle ne doutait pas que l'homme eût vérifié le contenu.

Elle défit l'emballage. C'était bien un carton à chaussures. Elle souleva le couvercle, écarta le papier pelure et en sortit en pouffant de rire une paire de mules roses à pompons.

La carte était au fond de la boîte. « Impossible de trouver un peignoir défraîchi. Je vous déconseille fortement les pilules de cyanure. Tenez bon. Harley. »

Elle eut soudain chaud au cœur et en oublia ses peines et son amertume. « Merci, Harley », dit-elle avec un grand sourire.

À dix heures et demie du soir, Tanya s'attendait à ce que son père arrivât à tout moment. Allison avait eu raison. Il lui avait suffi de le demander pour que son père accepte de venir passer la nuit chez elle.

Et non seulement il venait, mais il s'était empressé de le faire savoir à tout le monde, à chaque étape de sa balade électorale en ce beau dimanche. Une famille unie dans l'adversité collait parfaitement à l'image que le général voulait donner au pays.

Tanya éteignit la télé. Elle allait vomir si elle entendait encore un seul des commentaires sirupeux à propos de cet homme qui savait prendre le temps d'être auprès des siens, alors que s'ouvrait la dernière ligne droite de sa campagne.

Elle entendit soudain un brouhaha de voix à l'extérieur de la maison. Elle connaissait ce bruit, maintenant, comme d'autres sont avertis d'une visite par les aboiements de leur chien. Les reporters sortaient de leur guet oisif à l'approche d'un visiteur. Elle gagna la fenêtre donnant sur le devant et regarda de derrière les rideaux. C'était bien la brigade des limousines noires.

Tanya frémit en sentant sur son épaule une main que sa mère s'empressa de retirer. « Je suis fière de toi, Tanya. Il est bien que vous vous raccommodiez, ton père et toi, en un moment pareil. C'est un homme merveilleux. Il sait être une véritable source de force, quand il le faut. »

Tanya regardait la « source de force » adresser de grands signes de la main à la foule des journalistes et des photographes, tandis qu'il traversait la pelouse. Elle ressentait une certaine culpabilité à tromper ainsi sa mère, en lui laissant croire que seul l'amour filial avait dicté son geste. Mais Kristen passait avant toutes choses.

« Tu as fait ce qu'il fallait, Tanya », reprit Natalie Howe.

Tanya se retourna et regarda sa mère dans les yeux. « Oui, je le sais. »

6

Le coup de sonnette tira Tanya de ses rêves. Elle se redressa dans le lit. Les chiffres luminescents du réveil digital sur la table de nuit indiquaient qu'il était deux heures du matin. Son cœur battait fort, tandis que ses pensées allaient à sa fille. En plein milieu de la nuit, ce ne pouvait être qu'une mauvaise nouvelle. Si mauvaise qu'un coup de fil ne suffisait pas. Il fallait qu'on la délivre de vive voix.

Elle enfila une robe de chambre et se précipita dans le living. L'agent du FBI qui était de garde était déjà à la porte. Tanya, qui se demandait qui cela pouvait être, ne put dissimuler sa surprise en découvrant l'homme à qui l'on venait d'ouvrir. Elle ne l'avait jamais rencontré, mais elle n'eut aucun mal à reconnaître le directeur de campagne du général, pour l'avoir vu maintes fois à la télé ou en photo dans les magazines.

« Monsieur LaBelle ? » demanda-t-elle d'un ton qui sous-entendait : *Qu'est-ce que vous venez foutre ici ?*

LaBelle entra dans le vestibule et s'adressa à Tanya avec toute la légendaire courtoisie du Sud. « Je suis vraiment désolé de vous déranger à une heure aussi tardive, mademoiselle Tanya, mais il est urgent que je parle à votre père.

— Il dort.

— Plus maintenant », grommela le général depuis le couloir.

LaBelle referma la porte d'entrée derrière lui et son regard alla de Tanya à l'agent du FBI. « Veuillez me pardonner cette intrusion, mais pourrais-je m'entretenir un instant avec le général ?

— Faites donc, je vous en prie », répondit Tanya d'un ton sarcastique. Puis elle s'en retourna dans sa chambre, tandis que l'agent fédéral regagnait la cuisine.

Le général s'approcha de LaBelle et lui demanda à voix basse : « Que se passe-t-il ?

— Quelque chose d'important. Je n'ai pas voulu prendre le risque de vous joindre par téléphone, car la ligne est sur écoutes. Mais ne restons pas là. Allons plutôt dans ma voiture. »

Howe ne bougea pas. « Buck, il fait froid dehors. Et il y a toute une bande de reporters. Que penseraient-ils s'ils me voyaient sortir de chez ma fille en pyjama à plus de deux heures du matin, pour aller m'enfermer dans une voiture avec mon directeur de campagne. Ça la fout déjà assez mal que vous débarquiez ici en pleine nuit.

— Mais, monsieur, c'est extrêmement important. »

Le général regarda autour de lui d'un air contrarié. L'agent du FBI se préparait une tasse de café dans la cuisine. Les médias campaient dans la rue. « Suivez-moi », dit-il.

LaBelle emboîta le pas au général, qui prit le couloir menant à la chambre d'amis, voisine de celle de Tanya. Essayant de faire le moins de bruit possible, Lincoln poussa la porte, dont le grincement des gonds lui arracha une grimace. La pièce servait de bureau à Tanya, et le général s'installa dans le fauteuil pivotant devant l'ordinateur, tandis que LaBelle, après avoir refermé derrière lui, se posait sur le canapé-lit.

« Vous pouvez parler, dit Lincoln.

— Ils recherchent Mitch O'Brien, commença Buck, le front barré d'un pli d'inquiétude.

— Qui recherche O'Brien ?

— Le FBI. Ils sont à Miami. Ils sont allés à la marina et à son appartement, ils ont interrogé les voisins, mais personne ne semble savoir où il est. »

Le général s'était raidi et donnait l'impression d'être sur le point d'exploser. Il respira profondément pour se calmer et se leva de son siège, comme s'il se sentait plus à l'aise en dominant LaBelle pour l'interroger. « Pourquoi le FBI s'intéresse-t-il à O'Brien ?

— Je l'ignore.

— Et que pourraient-ils bien savoir, à moins de l'avoir déjà approché ?

— C'est bien la question que je me pose.

— On ferait peut-être mieux de les devancer. Ébruiter nous-mêmes l'histoire, comme je l'ai fait en propageant la rumeur que l'enquête se portait sur mon entourage. »

LaBelle secoua la tête. « Je ne crois pas que le procédé puisse s'appliquer ici.

— Et pourquoi pas ? »

LaBelle soupira. « Cela pourrait marcher si la vérité ne risquait pas d'éclater à la fin. Bien sûr, ce serait très bien si nous pouvions dire que l'ex-fiancé de Leahy est venu nous voir avant le débat d'Atlanta, pour nous déclarer qu'il était la preuve vivante qu'Allison Leahy avait été infidèle à son mari. Le fait qu'il soit passé sur sa propre initiative au détecteur de mensonges serait même un atout, si le test, hélas, ne s'était révélé négatif.

— Nous ne dirons rien des résultats du test. Nous dirons qu'il s'est proposé de passer au détecteur de mensonges, point final.

— Trop risqué. Sitôt que le FBI et les médias mettront la main sur O'Brien, ils découvriront vite qu'il a échoué à l'épreuve et, pire encore, que nous avons accusé Leahy d'adultère après avoir eu connaissance du mensonge d'O'Brien.

— Je ne comprends toujours pas pourquoi ce crétin a prétendu qu'il avait eu des rapports avec Leahy.

— O'Brien a été un excellent avocat pénal. Il a probablement vu une centaine de ses clients tromper le détecteur de mensonges. Il a pensé qu'il pourrait en faire autant. »

Le général posa sur LaBelle un regard lointain et resta silencieux un moment. « Vous avez parlé avec O'Brien ? demanda-t-il enfin.

— Non, pas depuis le test.

— Vous ne savez pas où il pourrait être ?

— Je n'en ai aucune idée.

— Alors, il n'y a qu'une chose à faire, Buck.

— Laquelle, monsieur ?

— Le retrouver. Avant que le FBI ne le fasse. »

Natalie ne dormait pas. Elle attendait que Lincoln retourne se coucher. Le rapprochement qu'elle avait espéré entre le père et la fille ne s'était pas produit. Ils s'étaient à peine regardés et n'avaient pas échangé un seul mot. Natalie n'en avait pas moins espéré qu'il passerait la nuit sans être interrompu par sa campagne électorale.

Elle aurait dû se douter que rien de tel ne se produirait.

La porte de la chambre s'ouvrit. Lincoln entra sans bruit et referma derrière lui. Natalie ne bougea pas, l'observant traverser la chambre sans allumer la lumière et se recoucher dans le lit jumeau. Elle le vit vérifier l'heure au réveil et l'entendit pousser un soupir de fatigue.

« Pas de politique dans la maison de Tanya, c'est ce que tu m'avais promis, dit-elle.

— Je sais, mais c'était un problème urgent. »

Elle se souleva sur un coude et le regarda dans la pénombre. « Quel problème ? »

Il se retourna pour lui faire face. « Un problème qui touche à ma campagne.

— Lincoln, tu as brisé ta promesse. Je veux savoir pourquoi.

— LaBelle a pensé que c'était important. Mais ce n'était rien d'autre que cette histoire d'adultère dont est soupçonnée Leahy.

— Bon Dieu ! Quelle importance peuvent avoir ces sordides rumeurs aujourd'hui ? »

Il roula sur le dos et croisa les mains derrière la nuque. « Tu as raison, Nat. Dans moins de deux jours, ton Lincoln sera élu président des États-Unis d'Amérique. »

Il tendit la main vers elle à travers l'espace entre les deux lits, mais elle s'écarta de lui. « Je parlais de l'enlèvement de Kristen, dit-elle d'un ton réprobateur. Ces accusations d'adultère ne sont rien, comparées à la disparition de notre petite-fille. Je ne parlais pas de ton élection. »

Il retira sa main. « Je... j'ai compris ce que tu voulais dire. J'essayais seulement de voir les choses du bon côté. »

Natalie se leva de son lit, enfila rapidement un peignoir et chaussa ses pantoufles pour se rendre à la salle de bains. Elle s'arrêta à la porte et se tourna vers lui. « Il serait peut-être temps que tu cesses de voir les choses du bon côté, comme tu dis, et que tu entreprennes quelque chose pour Kristen. »

Elle attendit qu'il parle, mais il garda le silence. Elle trouva soudain la chambre plus sombre. Elle sortit et disparut dans le couloir.

Tanya resta agenouillée sans bouger à côté de la bouche de chaleur encastrée dans le mur séparant sa chambre de la pièce voisine. Celle-ci, qui lui servait aujourd'hui de bureau, avait été la chambre de Kristen, jusqu'à ce que la fillette devenue plus grande insiste pour déménager, après s'être aperçue que cette bouche de chaleur était une véritable oreille, permettant de tout entendre de ce qui se passait à côté. Kristen était une fille intelligente, et bien plus futée que son grand-père.

Tanya fut tentée d'appeler Allison ou Harley, qui pourraient peut-être l'éclairer sur ce qu'elle venait d'apprendre, mais elle préféra d'abord réfléchir et mettre un peu d'ordre dans ses pensées.

Retrouver O'Brien. L'ordre de son père résonnait encore dans sa tête. Le retrouver pour lui faire quoi ? Lui parler ? Le faire taire ? Et comment ? En le tuant ?

Elle frissonna à cette pensée qui la ramenait à Mark Buckley. Mark, jeune, beau, vertueux, et mort sur la route après avoir été menacé par Lincoln Howe. À présent, c'était Mitch O'Brien, un homme qui se cachait du FBI, et peut-être aussi du général ou des hommes travaillant pour lui, et qui étaient peut-être les mêmes qui avaient enlevé Kristen.

Les hypothèses, toutes horribles, assaillaient son esprit. Bien que cela n'eût guère de sens pour elle, il lui semblait que ce Mitch O'Brien fût lié de quelque façon aux rumeurs d'adultère courant sur l'attorney général et à ce portrait à la lettre rouge dont Allison lui avait parlé brièvement au téléphone.

Dans sa confusion, seule était claire la dernière recommandation que lui avait faite Harley Abrams. Il l'avait poussée à espionner son père. Il était possible, lui avait-il dit, qu'au cas où Kristen aurait été enlevée pour des raisons politiques les ravisseurs pourraient maintenant se contenter de laisser l'élection suivre son cours et ne pas donner suite à leur demande de rançon. Or, c'était là le pire des scénarios pour Kristen, car on pouvait craindre qu'ils ne la tuent, afin d'effacer toute trace. Il n'était donc plus question de rester assis à attendre. Autrement dit, il fallait passer à l'offensive.

Son regard dériva vers la photographie sur la commode. Toutes les deux, Kristen et elle, bras dessus, bras dessous.

Elle essuya ses larmes et se leva. La colère lui battait les tempes, mais elle lui donnait aussi de la force. Elle enfila un peignoir et sortit dans le couloir.

Un rai de lumière sortait de sous la porte de la salle de bains, et Tanya en déduisit que la vessie trop petite de sa mère valait à celle-ci sa deuxième ou troisième visite de la nuit aux toilettes. Elle poursuivit dans le couloir, passa sans bruit près de la cuisine où l'agent du FBI feuilletait un magazine, dépassa la chambre de Kristen, close comme le lieu d'un crime, et s'immobilisa devant la pièce suivante, celle qu'elle avait réservée à ses parents. Elle ouvrit sans bruit la porte.

La chambre était plongée dans l'obscurité, et la seule lueur venait du réveil digital. Son père dormait dans le lit situé près de la fenêtre. Elle s'approcha et s'accroupit près de lui. Il était couché sur le côté, et leurs visages étaient à la même hauteur. Tanya pouvait sentir sur elle le souffle de son ample respiration. Il dut sentir sa présence, car il remua, grogna et finit par ouvrir les yeux.

« Ne bouge pas », murmura-t-elle d'une voix dure.

Lincoln Howe se raidit, comme si elle lui avait placé le canon d'un pistolet contre la tempe. « Que se passe-t-il, Tanya ?

— J'ai entendu ta conversation avec Buck LaBelle. »

Il ouvrit de grands yeux, qui formèrent deux ronds blancs dans l'obscurité, mais ne dit rien.

« Je te crois capable de n'importe quoi pour te faire élire, reprit-elle d'une voix basse mais cinglante. Je crois que tu n'hésiterais pas à kidnapper ta propre petite-fille pour accéder au pouvoir. Alors, si Kristen n'est pas rentrée à la maison avant l'ouverture des bureaux de vote, mardi matin, j'irai voir les principales chaînes télévisées du pays, et je dirai aux électeurs tout le bien que sa propre fille pense du général Lincoln Howe.

— Tanya, dit-il d'une voix blanche, tu commets une terrible erreur.

— Tais-toi. Tu connais mes conditions. »

La porte s'ouvrit. Natalie entra et s'arrêta en découvrant une silhouette agenouillée devant Lincoln. « Tanya ? »

Tanya se releva lentement. « J'étais venue parler un peu avec papa. »

Natalie vint vers eux et s'assit au bord du lit. « Je suis heureuse de l'entendre. Et, si vous voulez mon avis, vous devriez le faire plus souvent. »

Le regard de Tanya alla de l'un à l'autre. « Quelque chose me dit que nous le ferons, et que les sujets de conversation ne manqueront pas.

— C'est merveilleux ! s'exclama Natalie. Ah, je savais que c'était une bonne idée de se réunir cette nuit.

— Tu as raison, maman, il ne fallait pas rater cette occasion de mieux se connaître », dit Tanya en embrassant sa mère.

Elle allait sortir quand elle se retourna sur le seuil. « Bonne nuit, père. »

Le général manqua se mordre la langue, prenant garde à ne rien dire devant sa femme. « Bonne nuit, Tanya. »

La porte se referma.

7

Le téléphone sonna à huit heures précises le lundi matin. Allison était habillée, et elle avait beau attendre près du combiné, elle ne put s'empêcher de tressaillir violemment à la première sonnerie. Elle décrocha aussitôt.

« Allison Leahy à l'appareil. »

Une petite voix tremblante se fit entendre à l'autre bout du fil. « C'est Kristen Howe. »

Allison brancha aussitôt la communication sur la ligne d'écoutes du FBI. « Où es-tu, Kristen ? »

Il y eut un silence, suivi de cette voix déformée et mécanique. « Entre le marteau et l'enclume. Comme vous. Vous avez l'argent ? »

Elle leva les yeux vers la pendule murale. Quatorze secondes. L'homme appelait sûrement d'un portable, ce qui signifiait qu'elle devait faire durer l'échange le plus longtemps possible, pour permettre au FBI de repérer le lieu d'appel. « Oui, je l'ai, dit-elle, mais je veux parler à Kristen.

— Soyez au siège de la Caisse des retraites à dix heures. Entrez par Fifth Street, traversez le hall et ressortez dans F Street. »

La voix, dure, glaçante, n'était pas celle de l'homme qui avait appelé précédemment. « Repassez-moi Kristen. Je veux m'assurer qu'elle est en vie.

— Attendez sur le trottoir, devant l'immeuble, dans F Street. Et apportez l'argent. »

Elle grimaça. L'homme n'était pas du genre à risquer un mot de trop. « Vous voulez que ce soit moi qui apporte la rançon ? demanda-t-elle.

— Oui, vous. En personne. Et seule. Pas de FBI.

— Je ne pense pas que je puisse sortir de chez moi sans être prise en charge par les services secrets.

— Bien sûr que vous le pouvez. Un attorney général mis à pied n'a pas besoin d'escorte.

— Ce n'est pas le FBI qui m'inquiète, mais la meute de journalistes qui campent devant ma porte.

— Kristen a un canon de pistolet sur la tempe. Vous avez un problème ? Trompez les médias. Mais soyez au rendez-vous. À dix heures. Vous êtes en retard, elle est morte. »

Allison allait dire quelque chose, n'importe quoi pour le garder en ligne, mais il avait déjà raccroché. Elle regarda l'heure. Quarante secondes. « Merde », murmura-t-elle, sachant que c'était trop peu pour permettre un repérage. Elle appela Harley Abrams.

Il répondit immédiatement, ayant suivi la conversation sur l'intercepteur.

« Vous avez entendu ? demanda Allison.

— Oui. Êtes-vous en possession de l'argent ?

— Je ne l'ai pas avec moi, mais Peter a appelé son banquier à son domicile, ce matin. La somme est en banque.

— C'est un gros retrait. Pensez-vous que la banque gardera le silence ?

— Peter a fractionné la somme en plusieurs virements provenant du compte bancaire de chacune des neuf compagnies qu'il contrôle. Personne, hormis le banquier de Peter, ne saura que l'argent est destiné à un usage personnel. J'ai dit à Peter que cela devait rester strictement confidentiel.

— Et vous faites confiance à son banquier...

— Peter prétend qu'on peut. »

Harley marqua une pause. « Vous n'êtes pas obligée de payer, vous savez.

— Nous avons déjà pris notre décision.

— Certes, mais il y a du nouveau », dit Harley.

Surprise, Allison se tut un bref instant. « De quoi s'agit-il ? demanda-t-elle enfin.

— J'ai reçu un coup de fil de Lincoln Howe, il y a un peu plus d'un quart d'heure.

— Et ?

— Il m'a dit que si les ravisseurs réclamaient une rançon, lui et son épouse avaient décidé de payer. »

Allison tressaillit. « A-t-il dit pourquoi ?

— Des amis fortunés se seraient proposés de réunir la somme, et il a accepté. Il n'entend pas ébruiter la chose.

— Pourquoi ne pas m'avoir avertie plus tôt ?

— Allison, je m'efforce d'être aussi franc que possible. Howe m'a prié de ne rien vous dire, et le directeur O'Doud m'a, lui, donné l'ordre de me plier à la demande du général. Si les ravisseurs n'avaient pas renouvelé leur demande, il n'était pas utile que je vous parle de la décision de Lincoln Howe. Je vous en informe maintenant parce que les kidnappeurs vous ont appelée, et qu'en conséquence vous êtes directement concernée. Je répète donc : vous n'êtes pas obligée de payer.

— Mais c'est toujours moi qui dois remettre la rançon. C'est en tout cas ce que les ravisseurs attendent de moi. Si nous changeons le plan, ils tueront Kristen.

— Si c'est Howe qui fournit l'argent, il ne voudra sûrement pas que ce soit vous qui jouiez les porteurs de valises.

— Dans ce cas, Peter et moi fournirons l'argent.

— Ça ne résoudra pas tout. C'est déjà assez moche que vous soyez à la réception des appels, mais être aussi la livreuse complique le problème.

— Quel problème ?

— Ça me rappelle une affaire qu'un de mes mentors a connue dans les années soixante-dix, quand Jimmy Carter s'était proposé pour parlementer lui-même avec un preneur d'otage qui voulait parler au président. Ce n'est pas très malin de placer un représentant du pouvoir suprême en contact direct avec un preneur d'otage. Car il ne peut plus tergiverser, dire qu'il doit en référer à ses supérieurs avant d'accéder à toute demande que ce soit.

— Quel pouvoir puis-je bien représenter aujourd'hui, Harley ? Je suis mise à pied.

— Les ravisseurs s'en moquent bien.

— Écoutez, je n'ai pas l'intention de changer le plan maintenant, et de mettre la vie de Kristen en plus grand danger qu'elle n'est déjà. Compris ?

— Allons, Allison, je suis avec vous.

— Excusez-moi. Je ne voulais pas m'emporter. Mais ce brusque revirement de Howe ne me dit rien qui vaille. Surtout qu'il survient juste avant que les ravisseurs appellent.

— Quoi qu'il en soit, nous ne pouvons pas faire grand-chose avant dix heures.

— Non, répondit-elle, mais je crois qu'on ferait bien de téléphoner à Tanya Howe. »

Allison appela Tanya en audioconférence, et la fille du général prit la communication dans sa chambre. Allison lui rapporta brièvement les exigences des ravisseurs.

Les premiers mots de Tanya furent : « Est-ce que Kristen vous a paru bien ? »

Allison observa un silence. Elle désirait être franche mais point pessimiste. « Elle avait l'air d'avoir peur, mais sa voix n'était pas affaiblie. À la vérité, on ne peut pas savoir si c'est elle que j'ai eue en ligne ou bien si l'on m'a fait écouter un enregistrement. On ne m'a pas laissée lui parler.

— Alors, comment savez-vous si elle est en vie ?

— On ne peut que le supposer.

— Moi, j'ai besoin de savoir. »

Harley intervint. « Tanya, nous le saurons bientôt.

— Quand ?

— Je dois leur remettre la rançon à dix heures, ce matin, dit Allison.

— Et il y a quelque chose d'autre, Tanya, que vous devriez savoir, reprit Harley. Votre père nous a appelés ce matin. Il accepte de payer une rançon. »

Il y eut un silence. « Ne payez pas, dit soudain Tanya.

— Je vous demande pardon ? demanda Allison.

— C'est un piège.

— Un piège ? répéta Harley. Comment cela ? »

Tanya leur raconta sa confrontation avec son père dans la nuit et sa menace de l'accuser publiquement d'avoir fait enlever Kristen, si la fillette n'était pas de retour saine et sauve avant mardi matin.

« Vous comprenez, maintenant ? dit-elle. La demande de rançon de ce matin et le brusque changement de mon père sont les conséquences directes de mes menaces de cette nuit. Les ravisseurs promettent de me rendre Kristen avant l'élection, pour la seule raison qu'ils sont aux ordres de mon père. Et s'il vient d'accepter de payer la rançon, c'est pour ne pas être soupçonné de quoi que ce soit quand Kristen me sera rendue. Pour moi, tout cela ne fait que confirmer son implication dans l'affaire.

— Je comprends bien ce que vous dites, Tanya, répondit Harley, mais vous oubliez une chose... Allison savait depuis vendredi que les ravisseurs l'appelleraient ce matin pour lui dire où et comment leur remettre l'argent. En revanche, la décision toute fraîche de votre père de payer la rançon semble bien être la conséquence de vos menaces. Cela prouve certainement qu'il intervient pour Kristen dans le seul dessein de sauver sa peau politique ; c'est peu glorieux, mais ça ne l'incrimine pas.

— Harley a raison sur ce point, intervint Allison. Si votre père était réellement derrière cette affaire, je serais la dernière personne à qui il laisserait le soin de remettre la rançon. Si Kristen vous revenait saine et sauve, je deviendrais une héroïne, et ce à la veille de l'élection. Et cela serait un véritable cauchemar pour lui.

— Mais vous ne comprenez donc pas ? dit Tanya d'un ton désespéré. Kristen ne reviendra jamais saine et sauve. Je le répète, tout cela n'est qu'un piège. Vous devez penser comme pense mon père. Bien sûr qu'il ne créerait pas une situation susceptible de faire de vous une héroïne nationale, mais vous pouvez compter que tout sera fait pour que ça se passe mal, très mal, et que vous seule en supportiez les conséquences. »

Allison serra plus fort le combiné dans sa main. « D'accord, Tanya, admettons que ce soit un coup monté. Mais considérons-le sous un angle opposé : on ne me tend pas un piège pour tuer Kristen après que j'ai remis la rançon, mais pour la tuer si je ne le fais pas. Rien ne nous dit que votre père et ses partisans n'ont pas pris le pari que je me dégonfle et ne paie pas. Et si mon refus signait la mort de votre fille, le général sait que ma carrière politique serait à jamais finie. »

Tous trois restèrent un instant silencieux, jusqu'à ce que Harley fasse observer : « Les deux hypothèses se tiennent.

— C'est vous qui le dites, monsieur Abrams, dit Tanya.

— Tanya, écoutez-moi, intervint Allison. Il y a huit ans, je m'en suis voulu d'avoir écouté les autres, au lieu de faire ce que je sentais. Mais je n'avais personne avec moi qui ait traversé la même épreuve. Et cette épreuve, non seulement je l'ai vécue, mais je suis en train de la revivre à travers vous. Et, croyez-moi, jamais je ne vous donnerais un seul conseil que je ne suivrais moi-même. »

Tanya ne dit rien.

« Tanya, que voulez-vous qu'on fasse ? demanda Harley.

— Je m'en remets à Allison, répondit-elle d'une voix tremblante mais déterminée. Faites ce qu'elle dira.

— Merci, dit Allison. Si je ne devais récolter qu'un seul vote, cette semaine, c'est le vôtre que je voudrais.

— Tenez-moi informée, dit Tanya.

— Comptez sur moi. »

Tanya raccrocha. Harley resta en ligne. « Vous courez de gros risques, Allison. Nous devrions utiliser une doublure.

— Pensez-vous qu'en deux heures vous pourriez dénicher parmi vos agents une femme me ressemblant assez pour tromper les ravisseurs ? Allons, Harley, soyons réalistes.

— J'ai peur pour vous, c'est tout. »

Allison allait lui répliquer qu'elle était assez grande pour veiller sur elle, mais elle se ravisa. Harley était manifestement inquiet pour elle. « Écoutez, si cet enlèvement obéit à des motifs politiques, alors la remise de la rançon ne sera pas plus risquée que chacune des dizaines de réunions électorales que j'ai tenues au cours de cette campagne. Si quelqu'un avait voulu installer le général Howe à la présidence en me tuant, ce serait déjà fait depuis longtemps.

— Les bavures, ça existe. Vous pourriez vous faire tuer, même si ce n'est pas dans leur intention. Et vous ne pouvez pas non plus écarter la possibilité que ce kidnapping ne soit pas seulement de nature politique. Ceux qui sont derrière cette histoire se fichent peut-être pas mal que Howe soit président ; ce qu'ils ne veulent pas, c'est que ce soit une femme. Ils pourraient donc très bien l'éliminer en l'attirant dans une remise de rançon qui tournerait mal. »

Allison considéra l'argument de Harley. « Oublions les élections, dit-elle enfin. Auriez-vous éliminé la possibilité d'un lien entre l'enlèvement de Kristen et celui d'Alice ? »

Il soupira, sachant où elle voulait en venir. « Non.

— Bien sûr, et nous pensons la même chose. Pourquoi les ravisseurs veulent-ils que ce soit moi qui remette la rançon ? Il n'y a qu'une réponse logique : parce que ça n'a rien à voir avec Kristen, ni avec Lincoln Howe, ni même avec la politique. C'est moi qui suis visée. Moi et... Alice.

— Donc, vous allez leur remettre la rançon. » Ce n'était pas une question, plutôt un constat résigné.

« À quoi pensez-vous ?

— À obtenir le feu vert de ma direction.

— Eh bien, faites-le. »

8

À neuf heures, Allison enfila son manteau. Elle était prête à partir. Elle avait eu recours aux messages téléphoniques pour informer son compagnon candidat et ses conseillers électoraux qu'elle ne pourrait pas faire campagne avant l'après-midi. C'était une piètre façon de les avertir mais, dans l'impossibilité de leur dire pourquoi elle annulait ses apparitions de la matinée, il valait mieux éviter une conversation directe.

Son portable sonna dans sa poche, juste au moment où elle allait sortir. Elle se figea. Ils étaient peu nombreux à connaître son numéro, et ce fut avec appréhension qu'elle décrocha.

C'était son directeur de campagne. « C'est quoi, cette histoire d'annulations ? » demanda abruptement Wilcox.

Elle aurait dû se douter qu'il l'appellerait. « Désolée, David, mais j'ai des affaires personnelles à régler, ce matin.

— Des affaires personnelles ? C'est demain, l'élection. Ce n'est pas le moment d'aller se faire détartrer les dents.

— À propos de dents, David, vous risquez de vous les faire casser si vous ne changez pas de ton.

— Ce sont nos têtes que nous sommes en train de jouer ! Un de mes assistants vient de me faxer un communiqué d'Associated Press. Je vais vous le lire. » Il y eut un froissement de papiers. « Écoutez ça : "Washington. Alors que tous les sondages donnent cinq points d'avance au général Howe, il semblerait, si l'on en croit une source anonyme de la Maison-Blanche, que l'attorney général ait, en privé, reconnu sa défaite. Les dirigeants démocrates redouteraient même que les prochaines apparitions de Leahy dans des États en balance contrarient les chances des candidats démocrates au Congrès. Les experts interpréteraient cela comme une reconnaissance sans précédent des sondages préélectoraux par le parti démocrate, et les électeurs pourraient bien voir, pour la première fois dans l'histoire, un candidat à la présidence adopter un profil bas à la veille de l'élection." Fin de citation. »

Allison grimaça. « C'est Howe. Ça ne peut être que lui. Ce ragot ne vient pas de la Maison-Blanche.

— Ça viendrait du labrador du président, ce serait pareil. Si vous annulez vos engagements, vous ne faites qu'accréditer ce mensonge. Les gens penseront que vous avez effectivement jeté l'éponge.

— Je n'y peux rien, David. Je ne suis là pour personne pendant toute la matinée. Je vous verrai en début d'après-midi.

— Allison !

— Nettoyez le pont en attendant. Je serai là à treize heures. C'est tout ce que je peux faire. Je vous appellerai. » Elle éteignit son portable au milieu des cris de Wilcox, et s'empressa d'appeler Harley Abrams.

Il répondit immédiatement. « Que se passe-t-il ? »

Elle n'en voulait pas à Harley, mais elle avait le plus grand mal à maîtriser sa colère. « Est-ce que vous avez obtenu le feu vert de vos supérieurs pour que je livre la rançon ?

— Oui, je l'ai fait, comme convenu.

— À qui avez-vous parlé ?

— Au directeur O'Doud.

— Savez-vous s'il en a informé Lincoln Howe ?

— Je ne sais pas, mais c'est possible. Pourquoi ?

— Ils sont en train de me griller. Ils savaient que je devrais annuler mes engagements de la matinée. Le bruit court que je me cache afin de ne pas entraîner dans ma chute nos candidats congressistes, et ce bruit est censé provenir de la Maison-Blanche.

— Pourquoi le président ferait-il une chose pareille ?

— Ce n'est pas la Maison-Blanche, Harley. C'est Lincoln Howe.

— Vous le jugez assez vicieux pour vous laisser payer les ravisseurs et faire son beurre du fait que vous n'êtes pas en campagne ?

— Voyez-vous quelqu'un d'autre que lui ? »

Le silence d'Abrams confirma le manque de tout autre suspect. « Je suis désolé, Allison. Je ne fais pas de politique. Je me contente de suivre la procédure du FBI. Je ne pouvais pas vous laisser remettre la rançon sans l'approbation de la direction.

— Je sais. Vous n'y êtes pour rien.

— Vous êtes toujours décidée à livrer l'argent ?
— Bien sûr que oui.
— Vous ne voulez toujours pas le faire savoir ? Si Lincoln Howe sait que vous livrez la rançon, vous n'êtes plus obligée d'agir en secret.
— Non, c'est trop risqué, dit-elle. Les ravisseurs pourraient penser que je cherche à en tirer un profit politique, et c'est Kristen qui paierait.
— Vous avez raison mais, tout de même, vous n'êtes pas obligée de... »
Elle l'interrompit. « Je vous retrouve dans un quart d'heure, Harley. » Elle éteignit l'appareil, le fourra dans son sac et se prépara à ce qui l'attendait dehors.
À peine avait-elle ouvert la porte qu'une cacophonie monta de la foule des reporters. L'agent du FBI qui lui servait de garde du corps s'employa à lui frayer un chemin jusqu'à la limousine qui attendait devant le portail, moteur tournant. Allison se glissa à l'intérieur de la voiture, la portière claqua derrière elle, mais cela ne découragea pas les reporters qui continuèrent de l'assaillir de la même question : « Madame Leahy, est-ce que vous arrêtez votre campagne ? »
Ils démarrèrent, mais ils n'avaient pas atteint le premier carrefour que les fourgons de télévision et les motards de presse étaient derrière eux. Le chauffeur prit la direction du Triangle fédéral à vitesse normale, soucieux de ne pas donner l'impression de vouloir semer les médias. Il arrêta bientôt la limousine au bas des marches du ministère de la Justice, où les attendait une nouvelle meute de journalistes auxquels se mêlèrent ceux qui les avaient suivis.
De nouveau, les hommes d'escorte forcèrent le passage, jusqu'à ce qu'ils franchissent les lourdes portes de verre. Les reporters s'engouffrèrent derrière eux, obligeant les gardes du ministère à intervenir. Un ascenseur attendait l'attorney général. Allison laissa son escorte derrière elle et pressa le bouton du cinquième étage. La porte se referma sur elle avec une lenteur exaspérante. Quelques secondes plus tard, Allison arrivait au cinquième. Harley l'attendait dans le couloir.
« Bon sang, dit-elle, on se serait cru au concert des Beatles, au Shea Stadium !
— Ça vous a rappelé le bon vieux temps ? questionna Harley, moqueur.
— Faites gaffe, Abrams. Je ne suis pas tellement plus vieille que vous. »
Il grimaça un sourire en enfonçant les mains dans sa veste de cuir, puis redevint sérieux. « Prête ? »
Allison hocha la tête et ouvrit le chemin jusqu'à l'ascenseur privé,

qui menait directement au sous-sol depuis le bureau de l'attorney général. Elle entra la première dans la cabine, Harley sur ses talons. La porte se referma, et l'appareil descendit dans un bourdonnement.

Ils se tenaient côte à côte, regardant défiler la paroi de la cage. « J'ai entendu dire, dit Harley, que JFK et Marilyn Monroe utilisaient cet ascenseur quand Robert était attorney général.

— Oui, il paraît, dit Allison en souriant.

— Je suppose que si le président et le sex-symbol le plus célèbre du monde pouvaient entrer et sortir sans se faire voir, nous pourrons le faire aussi.

— Théoriquement, je pourrais être la présidente, ajouta-t-elle en lui jetant un regard malicieux. Cela fait donc de vous le sex-symbol. »

Il essaya en vain de ne pas rougir et détourna le regard.

« À propos, je vous remercie pour les mules. Et le petit mot.

— Ce n'est rien. J'ai pensé que ça vous remonterait le moral.

— Et vous avez réussi. » Elle attendit qu'il la regarde de nouveau. « Vous avez beaucoup de délicatesse, Harley. Et vous êtes beau, aussi. Cela me change des gueules de durs, comme on en voit trop au FBI. Je pense que vous rendriez une femme très heureuse. »

Il haussa les épaules d'un air modeste. « Peut-être bien. »

Elle haussa un sourcil. « J'espère que vous en trouverez une qui ne soit pas déjà mariée. »

L'ascenseur s'arrêta. Harley semblait choqué, comme s'il avait reçu un coup dans la poitrine.

« Je ne disais pas ça pour vous faire de la peine, mais parce que c'est la réalité. »

La porte s'ouvrit. Allison sortit, et Harley pâlit en la voyant se diriger vers son mari et l'embrasser. Il remarqua la petite mallette métallique aux pieds de Peter. « Tout l'argent est là-dedans ? demanda-t-il, affectant un sérieux professionnel.

— Oui, tout est là, répondit Peter en tenant la main de sa femme. Voulez-vous compter, monsieur Abrams ? »

Harley n'apprécia pas le ton de Peter, qui avait craché ses mots comme s'il s'adressait à quelqu'un qu'il méprisait. Et il serrait la main d'Allison dans la sienne d'un air de possession. Peut-être avait-il vu les mules et lu le petit mot, ce qui expliquait la repartie d'Allison dans l'ascenseur. Peut-être n'appréciait-il pas que sa femme passe tant de temps en compagnie d'un autre ou peut-être n'aimait-il pas le regard que cet autre posait sur son épouse. Allons, ce n'est pas le moment d'être parano, songea Harley.

« Non, répondit-il, je vous crois sur parole.

— J'ai entendu dire que le général Howe avait finalement accepté de payer la rançon, dit Peter. Est-ce que cela veut dire que nous serons remboursés ?

— Probablement, rétorqua Harley. Si tout se passe bien, le problème du remboursement ne se posera même pas. Notre objectif principal est de sauver Kristen, mais nous comptons arrêter les ravisseurs.

— Ce qui signifierait le retour de notre argent.

— Et celui d'Allison, saine et sauve.

— Qu'est-ce que cela signifie, monsieur Abrams ? Pensez-vous qu'à mes yeux la sécurité de ma femme aille de soi ? Eh bien non, camarade. Surtout pas quand elle est entre les mains d'un flic qui commandait la bande de guignols qui a foiré à Nashville.

— Peter, je t'en prie, intervint Allison.

— Ce n'est rien, dit Harley. Il faut savoir payer le prix de ses erreurs. »

Allison prit son mari par le bras. « Pourriez-vous nous excuser, Harley ? »

Harley hésita. Le temps passait, mais il savait aussi qu'elle ne lui demandait pas vraiment la permission. « Je vous attendrai devant la porte de secours. Si cela ne vous dérange pas, j'aimerais que vous alliez dans les toilettes, là-bas, pour que votre mari vous aide à enfiler ce gilet en kevlar. Je ne veux pas que vous sortiez sans protection. »

Il fit signe à l'un des agents fédéraux postés dans le sous-sol, et celui-ci tendit un gilet plié à Allison. « Mettez-le sous vos vêtements, dit-il.

— Je sais. J'en ai déjà porté un. » Allison entraîna Peter vers les toilettes et referma la porte derrière eux.

« Peter, j'aimerais savoir si, oui ou non, tu es à mes côtés ? dit-elle en se déshabillant.

— Bien sûr que je le suis ! Comme toujours.

— Oui, en paroles. » Elle enfila le gilet, ferma les attaches velcro et enfonça les pans sous la ceinture de son pantalon. Elle le regarda dans les yeux. « Dis-moi plutôt ce que tu ressens. Crois-tu que je sois folle de faire ça ? »

Peter détourna le regard en soupirant. « Écoute, nous savons tous deux que la seule chance que peut avoir Allison Leahy d'être élue est de prouver au peuple américain qu'elle a fait tout son possible pour sauver Kristen Howe, y compris remettre de ses propres mains la rançon aux ravisseurs. Non, je ne pense pas que tu sois folle. »

Elle fit la grimace. « Il ne s'agit pas de politique, Peter.

— Je sais. Désolé. »

Elle boutonna son chemisier par-dessus le gilet qui l'engonçait un peu, mais sans que cela se remarque.

Harley vint frapper à la porte. « Je ne veux pas vous interrompre, mais il faut y aller, maintenant. »

Allison se tourna vers Peter. « Tu me souhaites bonne chance ? »

Il hocha la tête. Elle prit la mallette qu'il lui tendait et lui fit un clin d'œil. « Je t'enverrai une carte postale de Suisse, quand j'aurai mis l'argent à l'abri. »

Allison obtint un sourire.

Elle ressortit des toilettes et passa devant Harley sans le regarder. Harley la suivit jusqu'à la sortie de secours, qui ouvrait sur une volée de marches menant dans la ruelle.

Avant de pousser la porte, Harley tendit à Allison un élégant bonnet de laine. « Portez-le tout le temps, dit-il. Il y a un émetteur-récepteur dans la doublure. Nous pourrons vous suivre où que vous alliez, et vous pourrez rester en contact radio. La fréquence est codée, elle ne peut être interceptée. Parlez normalement. Le micro est ultrasensible et nous vous entendrons parfaitement.

— Difficile d'avoir l'air normal quand on parle tout seul.

— Détrompez-vous, les statistiques indiquent qu'une personne sur dix monologue dans la rue.

— Si les statistiques le disent... »

Harley lui donna ensuite un imperméable bleu qui ne ressemblait en rien au manteau qu'elle portait en entrant au ministère un moment plus tôt, ainsi qu'une écharpe assortie et des lunettes noires. « Il est préférable que vous changiez votre aspect, sans pour autant vous transformer complètement. Il faut que les ravisseurs vous reconnaissent, mais pas les passants qui, pour vous avoir vue à la télé ou en photo dans les magazines, pourraient se dire que c'est vous. »

Allison enfila l'imper, passa l'écharpe autour de son cou et chaussa les lunettes. « Qu'en penses-tu ? demanda-t-elle à Peter.

— Je ne reconnais plus ma femme.

— Très bien », dit Harley. Il jeta un coup d'œil à sa montre. Il était neuf heures et demie. « Il est temps d'y aller. »

Allison regarda Peter. Il esquissa un sourire nerveux. Ils se dirent au revoir sans un mot.

Harley ouvrit la porte. Ils grimpèrent les marches. Une voiture aux vitres teintées attendait dans la ruelle. La portière arrière s'ouvrit. Allison s'engouffra à l'intérieur, suivie de Harley. La voiture démarra, roulant lentement pour ne pas attirer l'attention. Ils tournèrent dans la 9e Rue et traversèrent Pennsylvania Avenue. Allison jeta un regard à sa gauche. Les médias stationnaient devant les marches du ministère, attendant qu'elle ressorte.

Elle détourna les yeux et pensa à sa mission.

« Nous vous déposerons en haut de F Street, dit Harley. Vous gagnerez à pied la Caisse des retraites. Suivez leurs instructions à la lettre. Nous avons des agents tout le long du trajet, à l'extérieur et à l'intérieur de l'immeuble.

— Et vous, où serez-vous ?

— Au quartier général. En contact radio. Vous aurez en permanence six à douze agents pour vous suivre et vous surveiller discrètement. Vous ne saurez pas qu'ils sont là. Si jamais il se passait quelque chose d'anormal, filez. Votre seul travail est de déposer la rançon et de vous mettre à l'abri. Nous nous chargerons du reste. »

La voiture s'arrêta à un feu de croisement entre la 9e et la 5e Rue. « Bonne chance », dit Harley.

Elle hocha la tête, prit la mallette et descendit.

La circulation était intense, et les trottoirs envahis d'une foule de passants allant d'un pas vif, car le froid était mordant. Allison savait que le FBI la surveillait. Peut-être que les ravisseurs en faisaient autant. Elle n'en éprouvait pas moins un sentiment de solitude, alors qu'elle se dirigeait vers le lieu de rendez-vous.

.

Tanya Howe, assise au bord de son lit, enfilait ses chaussures quand elle aperçut sa mère dans le miroir au-dessus de la commode. Elle se tourna vers elle, alarmée par l'expression qu'elle lisait sur son visage. « Ça ne va pas, maman ? »

Natalie entra dans la chambre et referma la porte. « Je reviens de l'épicerie, et j'ai rencontré Buck LaBelle. Il m'attendait sur le parking. »

L'inquiétude de Tanya monta d'un cran. Elle n'avait rien dit à sa mère de la conversation qu'elle avait entendue la veille. « Que voulait-il ?

— Il m'a raconté ce que tu as fait, Tanya. Comment tu avais menacé ton père, la nuit dernière.

— C'est tout ce qu'il t'a dit ? »

Natalie vint s'asseoir à côté de Tanya. « Je sais que tu traverses une terrible épreuve. Mais ce n'est pas en t'en prenant à ton père que tu retrouveras Kristen.

— Comment peux-tu dire ça, maman ?

— Parce que ça fait quarante ans que ton père et moi sommes mariés.

— Savais-tu qu'il a sali intentionnellement l'honneur d'Allison Leahy en répandant cette rumeur d'adultère ? LaBelle et lui ont manigancé toute l'affaire avec un certain Mitch O'Brien. »

Natalie cligna nerveusement les paupières.

« Et savais-tu que le FBI est à la recherche de cet O'Brien ? Mais personne ne sait où il est passé. »

Les mains de Natalie tremblaient. « Je... je n'ai pas besoin de le savoir.

— Et, la nuit dernière – j'ai tout entendu –, il a ordonné à Labelle de retrouver O'Brien avant le FBI.

— Tanya, je t'en supplie.

— Tu ne sais pas non plus, n'est-ce pas, que mon père a menacé Mark la nuit où il s'est tué dans un prétendu accident de la route ? »

Natalie se couvrit les oreilles. « Tanya...

— Et savais-tu qu'il m'aurait fait avorter de force s'il l'avait pu, quand j'étais enceinte de Mark ? »

Natalie se releva. « Je ne veux rien entendre de tout ça ! »

Tanya se tut et leva vers sa mère un regard empli d'incrédulité. « Bon Dieu, maman, je comprends mieux maintenant comment tu as pu rester mariée si longtemps à ce monstre. En te bouchant les oreilles, les yeux et la bouche. En te cachant la vérité.

— Tais-toi, ça ne te regarde pas.

— Écoute-moi donc au lieu de fuir.

— Non ! c'est toi qui vas m'écouter. M. LaBelle t'attend. Et tu iras le voir. Tout de suite. »

Tanya était perplexe. « Il m'attend, dis-tu ? Où ça ?

— À son hôtel.

— Et tu es sa messagère, maintenant ?

— Je t'aime, Tanya. Et j'aime Kristen. Mais je ne te laisserai pas détruire les rêves de ton père en prétendant qu'il est derrière l'enlèvement de Kristen. Maintenant, va voir M. LaBelle. Il t'attend au centre de mise en forme, au premier étage de l'hôtel. Et prends ton maillot de bain avec toi. Il veut te rencontrer dans le jacuzzi.

— Le jacuzzi ? Non mais c'est quoi, cette mascarade ?

— Il veut être sûr que tu n'aies pas un micro sur toi, et être dans l'eau est la seule façon pour lui de s'en prémunir. Il pense que tu pourrais te servir de ce qu'il a à te dire pour nuire à ton père. Il ne te fait pas confiance. Et puisse Dieu me pardonner de dire cela, mais je ne lui en veux pas.

— Je n'irai nulle part.

— Tu iras, dit Natalie avec gravité. M. LaBelle m'a assuré que ce serait la conversation la plus importante de ta vie. Et je le crois. »

Tanya frissonna. Elle était soudain impatiente d'aller à ce rendez-vous aquatique. « Je le crois, moi aussi. »

9

Allison s'arrêta devant l'imposante bâtisse de briques rouges de la Caisse des retraites. « Je suis arrivée », dit-elle discrètement, s'efforçant de ne pas attirer l'attention des passants.

La réponse de Harley bourdonna dans son oreille. « Bien reçu. Continuez, comme ils vous ont dit. »

Elle jeta un coup d'œil à sa montre. Elle avait dix minutes pour traverser le rez-de-chaussée et ressortir dans F Street. Elle ne savait pas trop pourquoi les ravisseurs voulaient qu'elle entre d'un côté pour déboucher de l'autre, alors qu'elle aurait pu arriver directement par F Street. Peut-être la surveillaient-ils et voulaient-ils s'assurer qu'elle suivrait leurs directives à la lettre. Ou peut-être s'amusaient-ils avec la femme qui rêvait d'être présidente, car la Caisse des retraites abritait, depuis l'élection de Grover Cleveland[1], le grand bal inaugurant chaque nouvelle présidence.

Allison grimpa les marches et entra dans l'immense hall, dont l'architecture était la plus originale sinon la plus belle de Washington. Les huit énormes colonnes corinthiennes soutenant la voûte s'élevaient à plus de vingt mètres de hauteur, tandis que les murs peints en faux marbre donnaient à l'ensemble un air de Renaissance italienne. Comme elle passait sous les plafonds cintrés, Allison éprouva un sentiment d'humilité. La solennité intemporelle du décor semblait se gaus-

---

1. Stephen Grover Cleveland (1837-1908), 22e et 23e président des États-Unis. *(N.d.T.)*

ser des affaires humaines. Mais, inébranlable et toute à sa mission, elle poursuivit d'un pas égal son chemin vers la sortie.

Parvenue dans F Street, elle s'arrêta sur le trottoir, serrant fermement la poignée de la mallette. Elle jeta un regard à la ronde. Il y avait une cabine téléphonique à sa droite. La voix de Harley se fit de nouveau entendre. « Ne bougez pas. Il ne vous reste plus qu'à attendre. Nous vous surveillons. »

Le téléphone se mit à sonner dans la cabine, sans qu'aucun passant y prête attention. Allison ne savait que faire. Il était exactement dix heures à sa montre.

« Répondez », dit Harley.

Elle gagna en trois enjambées l'appareil et décrocha. « Allô ?

— Traversez F Street, allez à Judiciary Square. Attendez près du monument des flics », dit une voix râpeuse. L'homme raccrocha.

Perplexe, elle demanda à Harley : « Vous avez entendu ?

— Oui, faites ce qu'il vous dit. Nous vous couvrons. »

Judiciary Square portait bien son nom, car on y trouvait le palais de justice et l'hôtel de ville. Quant au « monument des flics », ce ne pouvait être que le mémorial dédié aux représentants de l'ordre, un mur de marbre de deux mètres de haut sur lequel étaient gravés les noms de plus de quinze mille officiers de police tués en service depuis 1794. Allison avait assisté à son inauguration en 1991. Les ravisseurs voulaient-ils lui signifier que le mur pourrait bien compter quelques noms de plus, si jamais elle avait fait appel au FBI ?

Elle venait de s'arrêter devant le monument quand le téléphone sonna dans une cabine située non loin.

Cette fois, elle n'hésita pas à répondre. « J'écoute.

— Vous voyez la station de métro ? »

Elle regarda autour d'elle et aperçut le grand pylône gris surmonté de la lettre M. « Oui, je la vois.

— Descendez l'escalator. Prenez la ligne rouge, le train de Wheaton, descendez à Forest Glen, et attendez sur le quai.

— Quel train ? demanda-t-elle avant qu'il raccroche. Il y en a un toutes les cinq minutes.

— Le prochain. Il arrive à la station à dix heures dix. Ne le manquez pas. Sinon, c'est Kristen qui paiera. »

La communication prit fin sur cette menace.

Elle raccrocha et, jetant un regard à la ronde, se demanda lequel des passants était un agent fédéral. « Vous avez entendu ? demanda-t-elle à Harley.

— Oui, et vous allez rester où vous êtes. Je ne veux pas que vous preniez le métro.

— Je ne peux pas attendre, dit-elle en se mettant en marche vers la station. Le train arrive dans trois minutes. »

Elle courait presque quand elle atteignit l'escalier mécanique qui s'enfonçait sous terre. Le récepteur dans sa coiffe grésilla. « Harley ? »

Il se produisit un nouveau crachotement avant que la voix d'Abrams lui parvienne, brouillée. « Allison, vous me recevez ?

— Mal.

— Nous ne pourrons pas maintenir le contact radio dans le métro souterrain, et ce sera pire quand vous serez à Forest Glen, qui est la station la plus profonde du réseau. Elle est à plus de cinquante mètres sous terre. Uniquement accessible par les ascenseurs. On ne pourra plus communiquer. Revenez.

— Désolée, mais c'est impossible.

— Bon sang, Allison, il n'est pas question de vous laisser seule avec un dingue dans ce puits de mine !

— Alors, envoyez vos hommes.

— D'accord, je m'en occupe.

— Faites vite. Je monte dans le train dans quatre-vingt-dix secondes.

— Allison... » Sa voix se noya sous un flot de parasites, et la communication fut définitivement interrompue.

Elle sauta la dernière marche de l'escalator et courut aux guichets automatiques. Il y avait la queue et ça n'avançait pas vite. Elle s'approcha du vieil homme en tête de file et lui donna un billet de vingt dollars. « Prenez-moi un billet et gardez la monnaie », lui dit-elle.

Il y eut quelques murmures de protestation derrière eux, mais le vieil homme glissa le billet dans la fente. Allison s'empara du ticket et laissa la monnaie comme promis. Le train arrivait quand elle poussa le tourniquet donnant sur le quai. Elle se fraya un chemin parmi la foule des voyageurs et attendit que les portières s'ouvrent. Il était dix heures dix à sa montre. Elle hésita. Elle savait que le risque était grand. Une sonnerie annonça la fermeture des portes. Elle entra dans le wagon. Le train s'ébranla, prit de la vitesse, et s'enfonça bientôt dans le tunnel le plus profond de la ville.

Elle se détourna des parois qui défilaient par la fenêtre, et observa la foule des passagers en se demandant qui, parmi eux, appartenait au FBI ou... aux ravisseurs.

Plus possible de revenir en arrière.

Ne pouvant prendre sa voiture sans ameuter les médias, Tanya dut se rendre à l'hôtel où l'attendait Buck LaBelle accroupie à l'arrière de la voiture de sa mère, conduite par un agent du FBI. Les vitres teintées et blindées la dissimulaient aux regards.

Il était neuf heures et demie du matin quand la voiture s'arrêta devant la marquise de l'Opry Land. Tanya descendit et, s'engouffrant dans l'hôtel, gagna le centre de mise en forme. Un passe l'attendait à la réception. Elle se changea rapidement dans une cabine et, comme elle en ressortait en maillot de bain, le serveur lui tendit un peignoir et une serviette au monogramme de l'établissement.

« Merci, dit Tanya. Où est le bain à remous ?

— Dans le couloir, première porte à droite. »

Elle marqua un temps d'arrêt et respira profondément avant de pousser la porte.

La salle d'eau était de dimensions moyennes, mais les miroirs couvrant les quatre murs semblaient l'agrandir à l'infini. Un dallage de pierres grises entourait la vaste baignoire octogonale, que le soleil éclairait à travers la coupole de verre du plafond. Il montait de l'eau bouillonnante une vapeur chaude : cependant, la vision de LaBelle refroidit Tanya.

« Venez », dit-il.

Il était immergé jusqu'aux épaules, son cou épais émergeant de l'eau, telle une vieille souche d'un marécage. Il avait les bras étendus paresseusement sur le rebord du bain et la nuque appuyée sur une serviette roulée.

Tanya ôta son peignoir et le posa à côté d'elle au bord du bassin. Elle portait un maillot de bain jaune, qui révélait un peu plus qu'elle n'aurait voulu son corps sculptural. Elle surprit l'expression de LaBelle dans le miroir. La bouche ouverte, le regard allumé, il avait l'air d'un adolescent joufflu zieutant les filles sous la douche.

« On voit que vous avez fait du sport », dit-il.

Elle l'ignora et entra dans l'eau, s'installant dans le coin le plus éloigné de lui. « Vous vouliez me parler ? demanda-t-elle. Alors, c'est le moment. »

Le sourire lubrique disparut de son visage. « Votre père m'a parlé de la conversation que vous avez eue avec lui, la nuit dernière. Je ne sais pas ce que vous avez pu entendre depuis votre chambre, quand je m'entretenais avec le général, mais vous avez manifestement mal compris.

— Je sais ce que j'ai entendu, et j'ai très bien compris. Vous vous êtes servi de Mitch O'Brien pour monter de toutes pièces une affaire d'adultère et vous voulez maintenant retrouver le bonhomme et le faire taire, avant que le FBI ne lui mette la main dessus.

— Votre père ne cherche rien d'autre qu'à lui parler et le raisonner.

— Je ne vous crois pas.

— Ma foi, vous feriez mieux de nous croire. »

Elle le regarda d'un air de défi. « C'est une menace, monsieur LaBelle ? »

Il sortit de l'eau pour s'asseoir sur le bord du bain. Son corps était rouge de chaleur, et son front perlé de sueur. « Écoutez, vous êtes peut-être la fille du général Howe, mais cela ne vous autorise pas à nous menacer, votre père et moi, ainsi que le combat que nous menons. Or, l'une de mes tâches est de répondre aux menaces.

— Est-il impliqué dans l'enlèvement de ma fille, monsieur LaBelle ?

— Où allez-vous chercher une idée pareille ?

— J'ai non seulement de bonnes raisons de le penser, mais je sais encore que mon père ferait n'importe quoi pour être élu président.

— C'est absurde. Si c'était le cas, pourquoi n'aurait-il pas engagé un tueur et fait supprimer Allison Leahy ?

— Ce serait trop gros, et les soupçons ne manqueraient pas de se porter sur lui. Mais surtout, si vous connaissez mon père, vous devez savoir qu'il ne tient pas à être président par défaut. Il recherche le plébiscite du peuple. C'est une élection qu'il veut, et il fera n'importe quoi pour gagner, pourvu que sa victoire paraisse loyale et méritée.

— Vous êtes folle à lier.

— Peut-être, mais si ma fille n'est pas de retour demain à la maison, comptez sur moi pour brosser devant les caméras de télévision un portrait inattendu du général. »

LaBelle était écarlate. « Votre père a raison, vous n'êtes rien qu'une fautrice de troubles.

— C'est vous qui créez le désordre, monsieur LaBelle. Et Mitch O'Brien en est la preuve.

— Vous prenez prétexte de n'importe quoi pour faire chanter votre père et l'obliger à vous ramener votre fille, comme s'il pouvait en être le ravisseur. Il aurait dû vous flanquer une raclée. Mais c'est un homme d'une grande bonté, et sa réponse a été de rassembler le million de dollars de la rançon. C'est un geste généreux de sa part. Vos menaces ne font pas seulement du tort à votre père, elles touchent des gens qui jusqu'ici ont été très peinés par le drame qui vous touche. Mais poursuivez dans cette voie, et notre compassion pourrait se changer en colère.

— Vous osez menacer la vie de ma fille ?

— Non, c'est vous-même que je menace. » Il tendit la main derrière lui pour actionner l'interrupteur du bain, et les remous cessèrent.

Les voyageurs montaient ou descendaient à chaque station. Allison avait trouvé une place près de l'arrière, d'où elle pouvait voir toute la longueur du wagon. Il n'y avait que très peu de sièges inoccupés, et les usagers représentaient l'habituel éventail urbain d'employés de bureau, de ménagères venues faire des courses en ville, d'adolescents aux allures de bagnards, avec leurs pantalons sacs et leurs baskets grosses comme des boulets, le walkman scotché aux oreilles.

Derrière ses lunettes noires, Allison observait. Elle ne savait pas trop lequel de ces hommes et de ces femmes de tous âges elle devait essayer de graver dans sa mémoire. Elle se fit un devoir de noter un signe distinctif de chacun – une verrue sur une main, une fossette au menton, un grain de beauté à la joue –, jusqu'à ce que son regard tombe sur un SDF emmitouflé dans une vieille capote de l'armée, endormi à une place réservée aux handicapés.

Elle savait que le FBI investissait en ce moment même la station de Forest Glen, et il était possible que des agents fédéraux aient pris le train avec elle. Harley avait raison, le contact radio était impossible à cette profondeur.

Elle leva les yeux vers le tracé de la ligne au-dessus de la porte la plus proche d'elle. Forest Glen était le prochain arrêt. Le train poursuivait sa descente, qui était perceptible malgré la faiblesse de la pente. Plus de soixante mètres de terre et de béton au-dessus d'elle. Elle considéra sa situation : un million de dollars dans la mallette posée sur ses genoux. Un ravisseur qui l'attendait sur le quai. Un tueur qui était peut-être assis à côté d'elle.

Ils ont tué Reggie Miles. Elle resserra ses doigts sur la poignée de la petite valise.

L'un des adolescents attifés comme des skateurs se leva de son siège. Le bas de son large falzar laissait à découvert une paire de Nike à deux cents dollars. Les longues manches de son blouson dissimulaient ses mains. Une casquette de base-ball était vissée à l'envers sur son crâne rasé. Il descendit l'allée en jetant des regards à Allison.

Elle le vit arriver et évita de lever les yeux vers lui. Un duvet noircissait sa lèvre supérieure. Il s'arrêta devant elle. Il était grand pour son âge, pensa-t-elle. Comme un basketteur.

« T'es assise à ma place », grogna-t-il.

Elle continua de regarder droit devant elle.

« Hé ! dit-il en se penchant pour la regarder dans les yeux. T'es assise sur ma putain de place.

— Et vous, vous êtes devant moi, dit-elle sèchement. Écartez-vous. »

Il pouffa de rire, fit une pirouette sur lui-même, témoignant d'un joli sens de l'équilibre malgré le bringuebalement de la rame. « Tu crois que j'suis devant toi ? C'est rien ça, salope. » Il arqua le dos pour lui présenter sa braguette. « Et si tu l'ouvrais bien grand et que j'te la collais jusque dans la gorge ? J'parie que t'aimerais ça.

— Fichez-lui la paix, dit l'homme assis à côté d'elle, un homme en costume cravate, l'air d'un cadre moyen.

« On t'a pas causé, connard.

— Laissez-nous tranquilles », balbutia l'homme avec moins de conviction.

Un autre ado arrivait pour soutenir son copain. Il portait le même accoutrement. « Qu'est-ce t'as ? dit-il, dominant le voisin d'Allison. Le p'tit comptable joue les héros ?

— Écoutez, intervint Allison. On se calme, d'accord ? »

Le voyou éleva la voix. « Tu veux que moi, j'me calme ? Alors dégage de ma place ! »

Allison se figea. Dans la voiture, chacun se taisait. Le SDF continuait de grommeler dans son sommeil. « D'accord, si c'est votre place », convint Allison.

Elle se leva, mais elle n'avait pas fait deux pas que le garçon tentait de lui arracher la mallette.

« Non ! hurla-t-elle, essayant de le repousser.

— Laissez-la ! » cria le comptable en intervenant.

Un troisième voyou vint prêter main forte aux deux autres. Et puis le SDF bondit sur ses pieds. Il était parfaitement éveillé. « On bouge plus ! » cria-t-il.

Le train freina soudain et s'arrêta si brutalement que tout le monde valdingua dans la voiture. Allison chuta lourdement à terre : la mallette lui échappa des mains et glissa dans l'allée. L'un des garçons s'en empara.

« Ma valise ! » cria Allison.

Le SDF, arc-bouté contre la paroi, sortit un pistolet. Des gens crièrent et s'écartèrent en désordre. « FBI ! hurla-t-il. On bouge plus ! »

Le voyou qui tenait la mallette lança celle-ci contre le faux SDF, pendant que son copain, le grand, tirait de son blouson un revolver. L'agent fédéral fit feu, atteignant le garçon à la poitrine. Du sang gicla sur l'imper d'Allison, tandis qu'il tombait à côté d'elle. Elle se pencha et lui arracha l'arme qu'il n'avait pas lâchée. Elle leva les yeux. L'homme du FBI tenait les autres en joue, couchés par terre à plat ventre.

Le blessé hoquetait, manifestement touché au cœur. Il n'en avait plus pour longtemps. Un gosse, pensa-t-elle. Mais sa pitié s'évanouit en pensant à Kristen, à qui cet incident risquait de coûter cher.

« Petit connard, pourquoi tu as fait ça ? » cria-t-elle, tiraillée entre l'envie de le secourir et celle de l'achever.

Il tremblait et roulait des yeux. Elle le secoua. « Qui es-tu ? »

Il ne répondit pas.

« Qui es-tu ? »

Il cherchait son souffle. Ses yeux parurent se fixer un instant sur elle. Ses lèvres remuèrent, et il parvint à dire : « On voulait juste la valise.

— Pour qui ? Qui la voulait ? »

Ses yeux roulèrent de nouveau.

« Dis-le-moi ! Qui t'a envoyé ? Qui voulait la valise ? »

La tête du garçon roula sur le côté.

Elle le secoua encore, mais en vain. Il était mort. Elle ressentit une soudaine nausée et dut se faire violence pour ne pas vomir. Elle se releva lentement, indifférente à ses mains et à ses vêtements tachés de sang. Elle se tourna vers l'agent fédéral, qui maintenait en joue les deux autres voyous. Elle était blême de rage.

« Je veux leur parler, à ceux-là », dit-elle entre ses dents.

10

Il fallut une vingtaine de minutes au FBI pour sortir du métro avec les deux agresseurs d'Allison. Le fait que le train se soit arrêté dans le tunnel rendit la tâche plus difficile. La station de Forest Glen avait été interdite au public, et badauds et médias s'étaient massés sur le parking situé près de la bouche du métro. Allison espérait gagner discrètement l'un des véhicules du FBI, mais certains des passagers l'avaient reconnue et sa présence dans la rame faisait déjà l'objet de mille spéculations. Toute une foule de reporters se rua sitôt qu'elle émergea de la station, et ce fut sous une cacophonie de questions qu'Allison s'engouffra dans un fourgon qui démarra aussitôt, suivi du véhicule transportant les deux suspects. Une escorte de motards ouvrit la route jusqu'au quartier général du FBI, tandis qu'Allison pouvait suivre sur l'écran de télévision qui équipait le fourgon une vue aérienne de leur convoi filant à travers la ville. Elle grimaça à la vue des images suivantes, prises lors de sa sortie de la station : les cheveux en bataille, l'imper taché de sang, elle avait l'air d'une rescapée d'un raid aérien. Et ce fut sur cette image que la caméra s'arrêta, tandis que le présentateur annonçait une pause publicitaire.

« Après une page de publicité, la suite de notre reportage sur l'enlèvement de Kristen Howe et l'échec de l'action entreprise pour la libérer, action qui s'est soldée par la mort d'un adolescent. Restez à l'antenne. »

Allison secoua la tête d'un air désespéré. Ils auraient pu tout aussi bien dire qu'elle avait elle-même abattu un boy-scout. Elle éteignit le poste et, enlevant son imperméable, le tendit à l'un des agents.

« Tenez, dit-elle. Pièce à conviction numéro 1 pour mon procès en sorcellerie. »

Elle appela Peter, resté au ministère de la Justice, pour le rassurer. Comme elle s'y attendait, il avait suivi l'événement à la télé.

« Tu as toujours l'argent avec toi ? demanda-t-il avant toute chose.

— Oui, répondit-elle, quelque peu choquée par la question. À propos, moi aussi je m'en suis tirée indemne.

— Excuse-moi, chérie, j'ai vu à la télé que tu n'avais rien. Mais comme tu n'avais plus la mallette avec toi...

— C'est le FBI qui l'a. Et nous allons au quartier général.

— C'est juste en face du ministère. Je te retrouve là-bas.

— Peter, il vaut mieux que tu restes où tu es. Il y a toute une foule de reporters qui te tomberait dessus à la sortie. Et je préfère éviter ça.

— Comme tu voudras. Je t'attendrai ici. Je t'aime.

— Moi aussi, je t'aime. » Elle raccrocha et appela Harley Abrams au centre opérationnel, tandis que leur convoi et son escorte de motards franchissaient les feux rouges le long de Georgia Avenue.

« C'est notre deuxième bavure, Harley. J'espère seulement qu'on fera mentir le dicton, et qu'il n'y en aura pas une troisième.

— Je suis désolé, Allison. Dieu merci, vous n'êtes pas blessée. Mais vous devriez peut-être aller vous faire examiner à l'hôpital. Je peux aussi appeler un médecin qui vous auscultera ici, au QG. »

L'inquiétude d'Abrams dissipa en partie l'amertume que ce nouvel échec lui inspirait. « Je vais bien, Harley, et je vous remercie. Mais j'aimerais bien savoir ce qui s'est passé dans le métro.

— Moi aussi, figurez-vous. Dès que j'ai perdu le contact radio avec vous, j'ai envoyé des agents à bord du train, dix-sept au total, qui sont montés à diverses stations le long de la ligne. Tant que je ne les aurai pas réunis et interrogés, je ne pourrai me faire une idée de ce qui est arrivé.

— Qui a arrêté le train ?

— Nous. L'agent déguisé en SDF, celui qui était dans votre wagon, était en contact radio avec le conducteur du train. À ce sujet, le contact était possible entre les diverses stations, mais pas entre celles-ci et la surface. Quand les événements se sont précipités, il a donc ordonné l'arrêt du train.

— Vous avez quelque chose sur ces abrutis qui m'ont agressée ?

— Pas grand-chose pour l'instant. Nous avons déjà faxé leurs empreintes digitales prises à la station de métro. Ils ont tous un casier pour des délits mineurs : détention de stupéfiants, vol de voiture et voies de faits. »

La communication fut soudain moins claire, tandis que le convoi entrait dans le garage souterrain de l'immeuble Edgar Hoover. « Nous sommes arrivés, dit Allison. Rendez-vous à la salle des interrogatoires.

— Vous n'avez pas l'intention de les interroger vous-même ?

— Non, rassurez-vous, mais je tiens à être là. »

Elle observa les agents qui entraînaient les suspects à l'intérieur du bâtiment. Les deux garçons semblaient abasourdis par ce qui leur arrivait.

« Vous savez, dit-elle au téléphone, ces deux crétins n'ont sûrement pas un profil de durs capables d'un kidnapping. Et je doute même qu'ils aient jamais entendu parler de l'enlèvement de Kristen Howe.

— On le saura quand on les aura interrogés. Les apparences sont parfois trompeuses.

— La seule chose qui m'intrigue, c'est ce que m'a dit avant de mourir le chef du gang, celui qui a essayé de m'arracher la mallette : "On voulait juste la valise." Et s'il savait qu'elle contenait un million de dollars, c'est que quelqu'un l'avait renseigné. Sinon, pourquoi auraient-ils déclenché leur attaque avant d'arriver à Forest Glen, où le ravisseur était censé m'attendre ?

— Nous le saurons après les avoir interrogés.

— Oui, à moins que le seul à connaître les réponses soit celui qui est mort. »

Harley ne répondit pas. Allison éteignit son portable et entra à son tour dans le bâtiment.

Tanya Howe apprit avec stupeur la nouvelle à la radio, alors qu'elle s'en retournait chez elle dans la voiture de sa mère. Elle était paralysée de peur à l'idée des conséquences que ce deuxième échec pourrait avoir sur Kristen.

Elle avait quitté LaBelle dans un tel état de rage et de peur mêlées, après les menaces que ce salaud avait osé proférer, qu'elle n'avait pas pris le temps de se doucher et de se changer. Il montait une odeur de chlore de sa peau et, sous son manteau, son maillot de bain était mouillé.

Elle regarda à travers le pare-brise teinté, alors qu'ils approchaient de la maison. Les reporters avaient doublé en nombre et leurs véhicules, garés en double file, obstruaient presque la rue.

La radio de bord retint de nouveau l'attention de Tanya. Le speaker annonçait une déclaration du général Howe, qui venait d'atterrir à l'aéroport de Washington. Le brouhaha était grand, et Tanya imagina la foule des journalistes tendant leurs micros autour de son père.

« Je ne suis pas en mesure pour le moment de me prononcer sur l'affaire, dont j'ignore les détails, dit le général d'une voix forte. Toutefois, j'aimerais d'abord exprimer mes condoléances à la famille de ce jeune homme abattu ce matin. Je ne sais vraiment pas ce que l'attorney général, qui vient d'être mise à pied, essayait de faire. Je crains seulement que ses actions inconsidérées ne finissent par mettre en péril d'autres vies. Merci, ajouta-t-il à l'intention de ceux qui continuaient à faire pleuvoir leurs questions, je vous répondrai plus tard, quand j'en saurai plus. »

Tanya reporta son attention sur la foule que la voiture fendait lentement en deux pour s'engager dans l'allée et disparaître dans le garage, dont la porte se referma derrière eux automatiquement. Le moteur tournait encore que Tanya poussait déjà la porte donnant dans la cuisine. Sa mère y était assise en compagnie d'un agent du FBI. La télé sur le comptoir était branchée sur CNN, qui couvrait l'affaire du métro. Le son était bas, presque inaudible, comme si Natalie Howe ne pouvait rien supporter d'autre que les images. Elle ne dit mot à l'entrée de sa fille, mais son regard attira l'attention de Tanya sur l'épaisse enveloppe de papier kraft posée sur la table.

« C'est quoi ? demanda Tanya.

— Un courrier qui est arrivé tout à l'heure, après ton départ.

— Adressé par qui ?

— On ne sait pas.

— Il y a quoi, dedans ?

— Je ne l'ai pas ouvert. C'est à toi qu'il est adressé. »

— Nous l'avons fait examiner par le labo et renifler par les chiens, intervint l'agent du FBI. Ni explosif ni poison. Vous pouvez en prendre connaissance, mademoiselle Howe. »

Tanya allait enlever son manteau quand elle se rappela qu'elle était en maillot de bain. Elle tendit la main vers l'enveloppe, mais l'agent retint son geste. « Laissez-moi l'ouvrir pour vous, dit-il. S'il y a des empreintes ou d'autres indices, ce serait fâcheux de les brouiller. »

Tanya acquiesça d'un signe de tête.

L'agent enfila une paire de gants en latex et entreprit d'ouvrir l'enveloppe par le fond, de façon à ne pas détruire d'éventuelles traces de salive que l'expéditeur aurait pu laisser en léchant le rabat. Avec une grande paire de pincettes, il ôta un rectangle de carton aux dimensions d'une carte postale et, le prenant par les bords, le souleva devant lui.

Le durcissement de son expression n'échappa point à Tanya. Et, comme l'agent continuait de tenir devant lui le carton, elle eut tout loisir de lire ce qui était écrit au dos : « Cette fois, c'est du sang de porc. La prochaine fois, ce sera celui de la gosse si vous continuez de marcher avec le FBI. »

L'agent regarda Tanya. « C'est une photo, dit-il. De Kristen. Il serait préférable que vous ne la voyiez pas.

— C'est du sang de porc, dit-elle. Lisez le message derrière. »

L'agent retourna le carton en prenant soin de ne pas exposer la photo, lut le message, et examina de nouveau le cliché. Il semblait soulagé, mais n'avait pas changé d'avis. « Peut-être, mais vous pouvez vous épargner une souffrance inutile. C'est d'ailleurs ce que cherche ce salopard. Il voulait que vous découvriez la photo en premier, et le message ensuite. C'est une véritable ordure.

— Kristen n'a rien ?

— Je pense qu'elle va bien, répondit-il. En tout cas, si l'on en croit ce qu'il écrit. Mais la photo a été mise en scène de façon à vous donner à penser le contraire.

— Montrez-la-moi.

— Ce n'est pas une bonne idée.

— Montrez-la-moi. »

L'agent poussa un soupir résigné. Lentement, il retourna le carton, révélant le polaroïd qui était collé dessus.

Tanya eut un hoquet. Elle ne regarda qu'une seconde. N'importe qui d'autre aurait eu besoin de plus de temps pour identifier la fillette sous les coulées de sang qui la maculaient de la tête aux pieds, mais Tanya reconnut ce visage en un instant. Elle ferma les yeux et, instinctivement, enfouit son visage dans le giron de sa mère.

Natalie caressa la tête de sa fille. « C'est du sang de porc, Tanya, murmura-t-elle d'une voix tremblante. Kristen va bien. »

L'agent posa la photo sur la table. « De toute évidence, c'est une mise en scène », dit-il.

Tanya releva la tête et essuya une larme. Elle jeta un regard perplexe à sa mère, comme si elle se rappelait qu'elles avaient à parler, toutes les deux, après la menace non déguisée de Buck LaBelle.

« Il n'y a pas que la photo », reprit l'agent, occupé à ôter une enveloppe plus petite sur laquelle il était écrit : « Personnel et confidentiel. À remettre à Allison Leahy. »

Il la montra aux deux femmes. « Je la donnerai à l'attorney général.

— Non, vous n'en ferez rien, intervint Tanya en le retenant par le poignet.

— Excusez-moi, dit-il, mais c'est adressé à Allison Leahy.

— Peut-être, mais le courrier est à mon nom. Et la menace est claire : plus de FBI.

— Il ne serait pas sage de vous passer de nous, mademoiselle Howe. »

Tanya jeta un coup d'œil à la télé. CNN poursuivait sa couverture de l'incident ; l'un de ses reporters interrogeait l'un des passagers encore sous le choc. Elle reporta son regard sur l'agent. « Vous avez peut-être raison, mais je me passerai désormais de vos services. Donnez-moi cette lettre. »

L'agent pinça les lèvres d'un air résigné. « Il est précisé qu'elle doit être remise à Allison Leahy. »

Tanya lui prit l'enveloppe. « Et j'ai bien l'intention de le faire. »

11

Allison assistait depuis une cabine d'observation à l'interrogatoire, par Harley Abrams et un autre agent, des deux suspects arrêtés. Le son lui parvenait d'un haut-parleur, tandis qu'un miroir sans tain lui permettait de voir sans être vue.

Harley avait travaillé dur sur le plus jeune, celui qui s'était jeté sur la mallette quand celle-ci avait échappé à Allison. L'adolescent, d'abord vautré de manière provocante sur une chaise, avait essuyé sans broncher le feu des questions de Harley, jusqu'à ce que celui-ci lui déclare clairement qu'il ferait mieux de passer à table, s'il ne voulait pas devenir le suspect numéro un dans le rapt de Kristen Howe.

Allison avait étudié attentivement la réaction du jeune voyou, et celui-ci lui avait paru sincèrement choqué d'être accusé d'avoir participé à un coup aussi énorme qu'un enlèvement. Vingt-cinq minutes plus tard, il continuait de répondre aux questions, se contentant de râler parce qu'on lui demandait toujours la même chose.

« Mec, ça fait cinq fois que j'le dis. J'sais rien sur ce kidnapping. Tout c'que j'sais, c'est qu'un type a donné mille dollars à Jessie pour qu'on suive la femme avec l'imper bleu dans le métro.

— Et ensuite ?

— J'l'ai déjà dit.

— Eh bien, redis-le, insista Harley, cherchant une faille dans les déclarations du suspect.

— Ben, fallait qu'on attende d'être entre Sandy Springs et Forest Glen pour lui tirer la valise et la donner au type quand on serait descendus à Forest Glen. On touchait cinq mille de plus pour ça.

— La donner à qui ?
— J'sais pas. C'est Jessie qui connaissait.
— Jessie est mort.
— Ça, mec, c'est ton putain de problème. »

Allison baissa la tête. Ça faisait une demi-heure que Harley posait les mêmes questions et obtenait les mêmes réponses. Et il était manifeste que le garçon ne mentait pas. Ils n'étaient que des petits voyous parmi des milliers d'autres qui leur ressemblaient comme des clones, dont le ravisseur avait acheté les services parce qu'il savait que le FBI guettait en coulisses. Le seul point avec lequel elle n'était pas entièrement d'accord était la mort de Jessie. Ce n'était pas vraiment le problème de Harley et du FBI, c'était surtout le sien.

Son portable sonna dans son sac. Elle s'empressa de répondre.

C'était Tanya Howe.

« Je suis désolée, Tanya. Je voulais tant vous aider, et voilà tout ce que j'ai réussi à faire.

— C'est le FBI qui est responsable, pas vous, Allison. Les ravisseurs savaient que les fédéraux seraient là. Je ne sais pas s'ils sont renseignés ou bien si les kidnappeurs ont du flair, mais ce que je sais, c'est que si je ne renvoie pas le FBI, Kristen mourra. C'est leur dernier avertissement.

— Quoi, ils vous ont contactée ? demanda Allison, le cœur battant.

— Oui. J'ai reçu un courrier par porteur spécial, ce matin. Juste après l'histoire du métro. Une photo de Kristen. Nous pensons qu'elle est toujours en vie. Et la menace est on ne peut plus claire : plus de FBI.

— Tanya, je vous comprends, surtout après ce qui vient de se passer, mais je ne pense pas que vous serez plus à l'abri sans les membres du FBI. Faites-moi confiance, vous avez besoin d'eux.

— Non ! C'est terminé. Maintenant, vous pouvez marcher avec moi, mais sans votre armée.

— Je ne sais pas quoi dire. Admettons que les ravisseurs nous accordent une seconde chance, que Kristen soit en vie, et qu'ils attendent de moi que je leur remette enfin cette rançon. Sincèrement, je ne peux pas dire que je sois impatiente de le faire sans la protection du FBI.

— Vous n'aurez peut-être pas à le faire.

— Attendons la suite.

— Il se peut que nous n'ayons pas à attendre longtemps, dit Tanya. Dans le courrier qui m'a été porté ce matin, il y avait aussi une enveloppe pour vous.

— Avec un message ?

— Je ne sais pas, je ne l'ai pas ouverte. Il est écrit dessus "À remettre à Allison Leahy". Où voulez-vous qu'on se rencontre ?

— Nous n'avons pas le temps. Demandez au FBI de l'ouvrir.

— Non.

— Tanya, c'est adressé à mon nom. Faites ce que je vous dis.

— C'est ma fille, répliqua Tanya d'une voix aiguë. Il est temps que quelqu'un fasse ce que moi je dis. Alors, écoutez-moi. Votre enveloppe est arrivée dans mon courrier, et la menace est claire : plus de FBI ou Kristen meurt. Alors, je dis : plus de FBI. Point final. »

Allison sentit qu'il serait vain d'essayer de convaincre Tanya qui, par ailleurs, n'avait peut-être pas tort. « D'accord, Tanya. Mais vous êtes à Nashville, moi à Washington, et nous n'avons pas le temps de nous rencontrer. Quelqu'un doit me dire ce que contient cette enveloppe.

— Je vais l'ouvrir.

— Trop dangereux. Elle pourrait être piégée.

— Le FBI l'a déjà scannée. Le résultat est négatif.

— D'accord, dit Allison. Alors, ouvrez-la. Mais faites attention à ne pas laisser vos empreintes dessus. Vous ne voulez pas de l'aide du FBI, mais il faudra bien qu'on fasse analyser la lettre.

— J'ai vu faire l'agent qui est chez moi. Je ferai attention. »

Allison entendit un bruit de papier déchiré. Elle retint son souffle et attendit.

« Voilà, je l'ai ouverte, dit Tanya. C'est une photo. Une fillette avec des cheveux blonds, le teint clair. Elle porte une robe écossaise avec un chemisier blanc, ça ressemble un peu à un uniforme d'écolière.

— Quel âge ?

— Je ne sais pas. Peut-être huit ou neuf ans. »

Le cœur d'Allison battait de plus en plus fort. « Et la photo est prise où ?

— Difficile à dire. C'est peut-être une école dans le fond. On dirait qu'on a pris la photo depuis l'autre côté de la rue, pendant que la gamine jouait dans la cour de récréation. Elle ne pose pas. Elle ne sait même pas qu'on la prend en photo. Et il y a une autre photo.

— Dites.

— C'est la même fillette, mais c'est un gros plan de profil, et plus particulièrement de la joue et de l'oreille. »

Allison avait du mal à ne pas trembler. « Que voyez-vous ?

— Comme je vous l'ai dit, son profil. Elle a une expression heureuse.

— C'est quel côté de son visage ?

— Le gauche.

— Remarquez-vous quelque chose ? Une marque de naissance, un grain de beauté, ce genre de chose ?

— Oui, elle a quatre petits grains de beauté légèrement en dessous de la tempe et près de l'oreille. Un signe très particulier. Si on les reliait entre eux, on obtiendrait un carré. Ça me fait penser à une paire de deux, au jeu de dés. »

Allison sentit un froid soudain l'envahir. La vue brouillée par les larmes, elle porta la main à sa bouche. « Mon Dieu, dit-elle d'une voix blanche. C'est Alice. »

CINQUIÈME PARTIE

1

Harley entra sans frapper dans la cabine d'observation. Par réflexe, Allison fourra son portable dans son sac. Elle pouvait lire sur le visage du directeur d'enquête que l'interrogatoire s'était achevé sans résultat tangible. Elle s'efforça en vain de maîtriser son émotion et de retrouver sa contenance.

« Qu'avez-vous ? » demanda Harley.

Allison avait le regard mouillé, et elle savait qu'elle devait expliquer son apparente détresse sans compromettre sa promesse faite à Tanya d'écarter le FBI. « Oh, je ne sais pas, dit-elle en s'essuyant les yeux. Peut-être un peu d'apitoiement sur mon sort, rien de plus. »

Il ferma la porte et la regarda d'un air suspicieux. « Je n'en crois rien. Je vois mal Allison Leahy verser des larmes sur elle-même. Que se passe-t-il ? »

Elle effaça avec un Kleenex une traînée de mascara. « Rien, à part une bavure de plus qui a abouti à la mort d'un garçon de dix-sept ans.

— Écoutez, nous sommes tous navrés de ce qui est arrivé, mais ces voyous n'étaient tout de même pas des passants innocents.

— Ces gosses ne savaient pas que leur employeur était le ravisseur de Kristen Howe. Ils ont été manipulés, comme nous.

— C'est vraisemblable. L'homme qui les a envoyés savait très bien qu'ils ne sortiraient pas du wagon avec la mallette. Il savait que vous seriez sous la protection du FBI. Et il n'a pas engagé ces trois voyous pour vous arracher la valise, mais pour les faire tomber dans un piège et vous donner un avertissement : la prochaine fois, pas de FBI. »

Harley se tut, attendant une réponse, mais Allison ne semblait même pas écouter. Quelque chose d'autre que l'agression dans le métro devait la troubler.

Il jeta un coup d'œil au portable ouvert qui apparaissait dans l'entrebâillement de son sac. « Avec qui parliez-vous au téléphone ? »

Elle n'avait pas éteint l'appareil, et le volet de couverture était ouvert. Difficile de nier. « Cela ne vous regarde pas.

— C'est ce coup de fil qui vous a bouleversée ?

— Bon sang, Harley, mêlez-vous de vos affaires ! »

Le ton d'Allison refroidit Harley. « Excusez-moi. Je m'inquiète, c'est tout.

— Nous nous inquiétons tous. C'est un miracle que Kristen soit toujours en vie. »

Voilà ! Elle venait de se trahir. Elle se serait volontiers giflée.

Évidemment, Harley eut vite fait d'établir le lien. « Tanya, hein ? Elle vous a informée de la photo et du message qu'elle avait reçus. »

Allison eut une grimace de dépit. Cela ne lui ressemblait pas de trébucher de la sorte, mais après huit années à espérer et à attendre, elle ne pouvait être que profondément ébranlée par la réapparition d'Alice. « Oui, je viens de parler avec Tanya, si vous voulez le savoir.

— Est-ce qu'elle vous a dit ce que contenait la seconde enveloppe, celle qui vous est adressée ?

— Oui, et cela reste entre Tanya, les ravisseurs et moi. »

Il secoua la tête. « Je peux comprendre la réaction de Tanya, mais c'est la vôtre que je ne saisis pas bien.

— Tout ce qui compte pour moi, c'est de ramener Kristen en vie.

— C'est également mon but, mais je ne vais pas pour autant me passer du FBI et recevoir mes ordres des kidnappeurs.

— Je n'ai peut-être pas le choix.

— Ou peut-être réagissez-vous plus en mère qu'en attorney général.

— Kristen n'est pas ma fille.

— Non, mais Alice, oui.

— Et que savez-vous d'Alice ?

— Rien, mais je vous connais. Et ces larmes, cette soudaine volonté d'écarter le FBI ne vous ressemblent pas. Du moins vous n'agiriez pas de la sorte si un intérêt personnel n'était intervenu.

— Je pécherais par égoïsme, selon vous ?

— Non. Votre réaction est parfaitement humaine. Il y a une limite à ce que nous pourrions faire pour l'enfant d'un autre, mais il n'y en a pas quand il s'agit du sien. »

Il se rapprocha d'elle pour mieux la regarder dans les yeux. « Cette enveloppe contenait une information au sujet d'Alice, n'est-ce pas ? »

Elle soutint un instant son regard puis détourna la tête. « Je ne peux rien vous dire », dit-elle en se levant.

Harley lui toucha le bras. « Je veux que vous sachiez quelque chose, Allison. Si vous vous confiez à moi, je vous donne ma parole que cela ne sortira pas de cette pièce. »

Allison le considéra avec gravité. À la vérité, elle ne doutait pas de sa sincérité, mais elle ne voyait aucune raison de s'ouvrir à lui maintenant. « Gardez l'argent de la rançon ici, dit-elle en se dirigeant vers la porte. Je vous appellerai. »

Il l'arrêta de nouveau. « Allison, je vous en prie, n'affrontez pas seule cet homme. Les ravisseurs ont pu nous paraître quelque peu désorganisés au début, mais tout cela a changé. Celui qui nous contacte par téléphone n'est pas le même individu. Et il semblerait que ce soit lui qui mène l'opération, désormais. Il nous a battus à Nashville, et il nous a encore battus ce matin. Et s'il gagne, ce n'est pas parce que le FBI est stupide. Non, il gagne parce qu'il est très rusé. »

Elle le regarda. « Alors, à moi d'être encore plus futée. » Elle ouvrit la porte et disparut dans le couloir.

La foule grossissait de minute en minute autour du quartier général du FBI. Le siège avait commencé dès que les caméras de télévision avaient montré le convoi de l'attorney général disparaître dans le garage souterrain du FBI. Les premiers reporters sur la scène avaient été ceux qui campaient devant le ministère de la Justice, ignorant que leur proie avait filé par l'ascenseur Kennedy-Monroe. D'autres avaient suivi, dépêchés par toutes les agences de presse du pays.

Les caméras et les appareils photos étaient braqués sur toutes les sorties de l'immeuble. Allison savait qu'elle pourrait toutefois sortir discrètement, mais elle ne voulait plus d'escalier dérobé. Le monde entier savait qu'elle était là. Si elle n'affrontait pas les médias, elle passerait pour une lâche. Et, après une année de campagne électorale, c'était là un qualificatif qu'elle ne pouvait accepter, même si ses chances d'être élues étaient aujourd'hui proches du néant.

Son escorte d'agents du FBI l'attendait dans le hall. Roberto, celui qui avait servi le plus longtemps à ses côtés, s'adressa à elle au nom du groupe.

« M. Abrams nous a dit que vous ne vouliez plus de notre protection. Laissez-nous au moins vous aider à passer la foule qui vous attend dehors. Vous ne pourrez pas faire un pas toute seule. »

Allison jeta un coup d'œil par la fenêtre. Les trottoirs étaient noirs de monde. La police montée et un cordon de policiers empêchaient les badauds d'approcher, tandis que d'autres s'efforçaient en vain de faire avancer les fourgons des régies garées en double file et gênant la circulation.

Allison haussa les épaules d'un air fataliste. Tanya penserait peut-être qu'Allison avait rompu sa promesse, si elle la voyait en compagnie d'agents du FBI. Mais tant pis, Tanya aussi devait y mettre du sien, et comprendre qu'il n'y avait pas moyen de faire autrement. « D'accord, dit-elle à son escorte. Je vous suis. »

Indifférent à la frénésie médiatique, Vincent Gambrelli se tenait tranquillement derrière le ruban jaune tendu par la police. Bousculé par les photographes et les cameramen avides du meilleur angle de vue, il ne bougeait pas de sa place.

Vêtu d'un long manteau de laine et d'épaisses chaussures à semelles de caoutchouc, il avait l'air d'un de ces cadres de l'administration qui sont légion à Washington. Une perruque brune couvrait son crâne rasé, et une paire de lunettes à monture d'écaille renforçait le déguisement. Des lentilles de contact marron dissimulaient le bleu de ses yeux. Un peu de fard complétait la transformation de son visage en épaississant la base du nez. Il était très bien placé sur le trottoir de Pennsylvania Avenue, devant l'entrée réservée au personnel et aux invités. Il pouvait voir parfaitement le hall derrière les grandes portes en verre.

« C'est elle ! » cria quelqu'un.

Gambrelli vit une femme blonde sortir de l'ascenseur et gagner la porte d'un pas vif. Sa main glissa dans la poche de son manteau, dans laquelle pesait son pistolet Glock.

Ce serait tellement facile.

La porte s'ouvrit. Allison Leahy apparut.

La foule se porta vers elle. L'une des barrières métalliques fut renversée. Un cameraman tomba et fut allégrement piétiné.

Poussé de toutes parts, Gambrelli tint bon. Leahy n'avait pas fait trois pas que la meute l'entourait de tous côtés. Les perches de son se balançaient au-dessus d'elle. La pagaille était telle qu'il était impossible de dire à qui appartenaient les microphones tendus vers elle.

Oui, trop facile. Même son neveu aurait réussi, cet incapable de Tony, tout juste bon à jouer les baby-sitters à la maison, pendant que son oncle était dehors.

Leahy parlait, maintenant, répondait aux questions. Elle avait une expression grave, intelligente. Gambrelli était impressionné. La femme était belle, séduisante, forte. Une cible digne de lui, pensa-t-il avec un sourire.

Il redevint sérieux. Il n'était pas là pour jouer les assassins. Pas aujourd'hui, en tout cas.

Il vit Leahy signifier d'un geste aux journalistes qu'elle avait terminé de répondre à leurs questions. Quatre hommes en costumes sombres lui dégageaient maintenant le chemin en direction du trottoir. Il était évident qu'ils appartenaient au FBI.

Gambrelli sentit la colère monter en lui. N'avait-elle pas reçu son message ? Dédaignait-elle les instructions qu'il lui avait données ?

Il la suivit des yeux avec rage alors qu'elle traversait la rue en direction du ministère de la Justice. Elle le défiait. Il n'y avait pas d'autre explication. Il l'avait mise en garde et pensait, après le coup du métro, lui avoir fait comprendre qu'il ne tolérerait pas une nouvelle désobéissance. Et voilà que Leahy lui répliquait en se faisant entourer d'agents fédéraux pour traverser la rue. Croyait-elle qu'il n'aurait pas l'audace de mettre ses menaces à exécution ?

Arrogante salope.

Il s'éloigna de la foule. C'était inacceptable. Il était temps pour lui de prouver qu'il ne plaisantait pas.

2

Allison n'avait pas le temps de se rendre à Nashville. Avec un peu de diplomatie, toutefois, elle avait convaincu Tanya de scanner la photo d'Alice et de la lui envoyer en e-mail via Internet. Le procédé du scanneur risquait d'effacer d'éventuelles empreintes sur le cliché, mais elle doutait que le ravisseur eût commis cette négligence. Enfin elle avait le sentiment que son cœur allait éclater si elle ne voyait pas immédiatement sa petite fille.

Allison avait du mal à garder son calme, tandis que le vétuste ascenseur du ministère de la Justice l'emmenait au cinquième étage. Sauf dysfonctionnement technologique, elle savait que la photo d'Alice l'attendait sur son ordinateur. Elle se sentait un peu coupable à l'égard de Peter qui devait l'attendre au sous-sol comme elle le lui avait demandé. Il comprendrait certainement.

La porte de l'ascenseur s'ouvrit enfin, et elle courut à son bureau. Elle alluma l'ordinateur en même temps qu'elle s'asseyait et attendit nerveusement que s'affiche le menu.

« Vous avez du courrier », annonça la voix numérisée.

Elle cliqua sur l'icône du courrier. Plusieurs messages attendaient, chacun mentionnant l'heure, la date et le nom de l'expéditeur. Elle fit défiler la liste pour atteindre celui de Tanya Howe.

Elle cliqua sur l'enveloppe « T. Howe ». Le texte apparut à l'écran. « Chère Allison. Je souhaite de tout mon cœur que ce soit ce que vous attendez, et je prie pour que nous ayons toutes deux de quoi nous réjouir. Bonne chance. Tanya. »

En post-scriptum : « Photos ci-jointes. »

Allison avait la gorge serrée en cliquant de nouveau pour ouvrir le premier cliché, qui se forma lentement par fractions successives, en partant du haut.

La photo était en couleurs, et ce fut d'abord un ciel bleu qui apparut, suivi d'une construction de briques rouges en arrière-plan, l'école dont Tanya lui avait parlé.

Son cœur battit plus fort à la naissance d'une tête blonde... les cheveux, puis le front, les sourcils, les yeux. Allison prit le portrait d'Alice sur son bureau. L'enfant n'avait alors que quatre mois, mais la ressemblance avec l'image qui continuait de se matérialiser sur l'écran était manifeste. Le dessin des sourcils, la forme et la couleur des yeux étaient identiques.

Le nez avait changé ou, plus exactement, pris du caractère, mais la lèvre inférieure, renflée, était un agrandissement de celle d'Alice bébé.

Les larmes brouillaient la vue d'Allison. Elle les essuya du revers de la main et cliqua sur le second cliché, celui révélant le détail des marques distinctives en dessous de la tempe gauche.

Les quatre petits grains de beauté formaient un carré parfait en même temps qu'un signe tout à fait particulier qu'elle avait naturellement mentionné à la police, huit ans plus tôt. À présent, elle contemplait l'image avec un mélange de stupeur, de crainte et d'impuissance.

« Alice », murmura-t-elle.

À ses yeux de mère, la ressemblance était tellement frappante entre le bébé et la fillette ! Alice était plus jolie qu'elle ne l'avait imaginé. Et elle était en vie et heureuse quelque part, inconsciente de tout l'amour que lui portait Allison Leahy, ignorant qu'un homme, dissimulé dans sa voiture ou derrière un buisson, la prenait en photo.

Cette dernière pensée lui donna la nausée.

Il lui fallut faire un effort sur elle-même pour donner l'ordre à l'ordinateur d'imprimer les photos. Elle s'adossa à sa chaise, tandis que l'imprimante se mettait en marche.

La sonnerie de son portable dans son sac la fit tressaillir.

Tanya ? se demanda-t-elle. Ou plutôt Peter qui devait commencer à trouver le temps long. « Allô ?

— Je vous donne une dernière chance. » La voix, chargée de colère, était assourdie, probablement étouffée par un mouchoir.

Allison se redressa. « Qui est à l'appareil ?

— Je vous ai dit de tenir le FBI à l'écart, mais vous n'en avez rien fait. Une fois de plus, vous m'avez trompé.

— Il fallait bien que je traverse la rue.

— La seule chose que vous ayez à faire, c'est de m'écouter.

— Très bien, je vous écoute.

— Le métro était un test. Vous vous êtes dégonflée. Le FBI était partout. Ça va vous coûter cher.
— Je vous en prie, ne vous vengez pas sur la petite.
— Pour le moment, ce n'est pas mon intention, mais je ne vous conseille pas de me doubler une deuxième fois. Plus de FBI. Enfoncez-vous ça dans la tête. Je ne me répéterai plus.
— D'accord, je ferai ce que vous direz.
— Votre parti organise un grand raout ce soir, à l'hôtel Renaissance, et j'ai lu dans le journal que vous y assisteriez.
— C'est exact.
— Faites le nécessaire pour que tout le monde pense que vous y viendrez. Réservez une chambre à votre nom, envoyez votre mari ; bref, débrouillez-vous.
— Et où voulez-vous que j'aille en réalité ?
— Au Grand Hyatt. Je vous ai réservé une chambre au nom d'Alice Smith. Vous irez là-bas, mais en veillant à ce qu'on ne vous reconnaisse pas. Portez un déguisement s'il le faut. Demandez votre clé à la réception et montez dans votre chambre. Je vous appellerai à neuf heures précises.
— Comment pourrai-je entrer dans un hôtel et demander la clé de quelqu'un au nom d'Alice Smith ?
— Vous n'avez jamais entendu parler de perruques, de lunettes noires et de faux papiers ?
— En ce qui concerne les faux papiers, le FBI pourrait m'en fournir.
— Pas question. Et puis dans cette ville, la seule chose qui soit plus facile à acheter qu'une fausse identité, c'est un membre du Congrès. Vous n'avez pas besoin du FBI.
— Je suppose que je devrai également apporter l'argent.
— Oui, dans une Spartan 2000 métallique. Vous trouverez ça chez n'importe quel vendeur de valoches dans Connecticut Avenue. C'est une mallette avec une fermeture de sécurité et elle est assez grande pour contenir deux millions de dollars.
— Deux millions ?
— Oui, deux. Les prix ont monté. Un pour Kristen. Et un pour Alice. »
Allison ne put retenir un hoquet de stupeur. « Où est Alice ?
— Quelque part où vous ne pourrez jamais la retrouver sans mon aide, mais je peux vous dire qu'elle va bien.
— Espèce de salaud. C'est vous qui la retenez ?
— Non, mais je sais où elle habite, et quoi de plus facile que de

l'enlever une seconde fois ? Vous ne pouvez rien pour elle, si ce n'est suivre mes ordres.

— Si jamais vous lui faites du mal...

— Cela ne tient qu'à vous. Tout ce que je vous demande, c'est de payer. »

Allison avait la gorge serrée et le plus grand mal à articuler. « Si je paie, vous devez me dire où elle vit. Je dois la retrouver. Il le faut. »

Il gloussa. « Ma foi, c'est naturel.

— Que vous me le disiez ?

— Non, que vous ayez envie de la revoir. »

Une rage sourde monta en elle. « N'essayez pas de jouer au plus malin, salopard. Si vous voulez passer affaire avec moi, faites-le de bonne foi. Je me passe du FBI, vous me rendez Alice. Et je ne pourrai pas réunir un autre million de dollars d'ici à neuf heures du soir. Alors, mon marché est le suivant : un million de dollars, pour Kristen et Alice. Pas de FBI. Point final. »

Il y eut un silence, et elle se demanda s'il était encore en ligne.

« Alors, c'est d'accord ? demanda-t-elle.

— C'est d'accord, répéta-t-il. Mais si jamais je repère un seul agent fédéral dans l'hôtel, Alice sera la première à y passer. Lentement. Douloureusement. Et ensuite, ce sera Kristen. Compris ?

— Compris. »

La communication prit fin.

Allison ferma les yeux. Elle avait eu raison de se montrer inflexible et de ne pas céder sans obtenir quelque chose en retour. Mais cela n'atténuait pas son angoisse.

L'imprimante sortit la deuxième photo. Elle examina l'image de l'enfant qu'elle avait perdue huit ans plus tôt. Puis, s'arrachant à sa contemplation, elle glissa les deux photocopies dans son attaché-case et quitta son bureau.

3

« C'est du suicide, lança Harley. En écartant le FBI, votre épouse court à la catastrophe. » Il observa attentivement Peter, jaugeant sa réaction.

La sortie d'Allison avait fourni à Harley la diversion qu'il cherchait. Il avait quitté le quartier général par une sortie latérale et regagné le ministère de la Justice par l'entrée de derrière. Peter et l'agent fédéral attendaient toujours Allison dans le sous-sol. Harley comptait sur l'inquiétude légitime du mari pour convaincre celui-ci de raisonner sa femme et de la faire revenir sur sa décision.

« C'est marrant, dit Peter, apparemment détaché. C'est exactement ce que je lui ai dit il y a un an, quand elle m'a annoncé son intention de se présenter à la présidentielle. C'est du suicide.

— Pas forcément. »

Le regard de Peter s'assombrit soudain. « C'est le général Howe, n'est-ce pas ? Je parie que c'est lui qui a engagé ces voyous pour lui arracher la rançon et tout bousiller. Je l'ai vu à la télé ce matin, critiquant Allison et exprimant ses condoléances aux familles de ces petites crapules. Il cherche à faire tomber Allison.

— C'est certainement son intention, dit Harley, mais je ne pense pas qu'il ait monté le coup du métro. Je doute même qu'il ait trempé dans l'enlèvement.

— Comment pouvez-vous en être sûr ?

— Personne ne savait que le ravisseur allait envoyer Allison dans le métro quand il a passé son dernier coup de fil. Ces voyous ont été engagés par quelqu'un qui savait qu'Allison allait prendre le métro, avant même qu'elle se dirige vers la station.

— Ce qui confirme ce que je vous disais : le général Howe le savait parce que c'est lui qui a tout manigancé.

— C'est ce que vous pensez, mais je ne suis pas sûr que ce soit la bonne hypothèse.

— Peut-il y en avoir une autre ? »

Leur conversation fut interrompue par l'arrivée d'Allison. Elle sortit de l'ascenseur et regarda les deux hommes.

« Que faites-vous ici ? demanda-t-elle à Harley.

— M. Abrams allait juste m'expliquer sa dernière théorie de l'affaire. »

Elle jeta un regard noir à Harley. « M. Abrams devrait savoir que si le FBI ne peut pas me parler, il ne peut pas parler non plus à mon mari.

— Ce n'est pas parce que vous vous coupez de nous que nous devons en faire autant avec vous. D'une manière ou d'une autre, je vous ferai savoir ce que je pense et fais. Sinon, vous allez tout droit au-devant de la mort.

— Il a raison, intervint Peter. Écoutons ce qu'il a à dire. Continuez, inspecteur. »

Harley allait répondre qu'il était un agent spécial, pas un inspecteur, mais il ne tenait pas à s'aliéner Peter, qui semblait lui prêter une oreille attentive. « Allison se gardera bien de le confirmer, dit-il, mais je suis à peu près certain qu'elle a reçu des ravisseurs des informations concernant sa propre fille, Alice. »

Peter regarda Allison. « C'est vrai ?

— Peter, dit-elle. Nous en parlerons plus tard, d'accord ? »

Harley la considéra d'un air réprobateur. « Il n'est pas question de remettre à plus tard, Allison. Si vous savez quelque chose, vous devriez me le dire. Et si vous avez reçu quelque chose, nous devrions être déjà en train de l'analyser. »

Elle savait que Harley avait raison, notamment sur le dernier point. Elle sortit de son sac les photos et les lui tendit avec réticence. « Elles ont été adressées à Tanya, pour qu'elle me les transmette. Ce que vous voyez là, ce sont des reproductions tirées sur mon ordinateur. Je suis certaine que c'est Alice. J'en ai pour preuve les marques de naissance sur sa joue gauche. Mais l'un de vos physionomistes pourrait quand même les examiner. »

Harley étudia un instant les deux clichés. « Cela renforce ma conviction que les deux enlèvements sont liés. Et comme je l'expliquais à Peter, plus le lien entre les deux affaires se vérifie, moins je soupçonne le général Howe.

— Pourquoi ? demanda Peter.

— Parce qu'il y a huit ans, quand Alice a disparu, le général Howe ne savait sans doute pas qui était Allison Leahy. Et même s'il le savait, il n'avait pas la moindre raison de lui voler son enfant.

— Alors que vous reste-t-il comme suspect ? » demanda Peter.

Harley regarda Allison. « Mitch O'Brien. Je sais que c'est un sujet délicat entre vous, mais il serait temps de le mettre sur le tapis.

— Mitch ? dit Allison. Non, je le vois mal enlever ou faire enlever un enfant.

— Tu prends sa défense, maintenant ? dit Peter d'un ton rêche.

— Je ne le défends pas. Je n'oublie pas qu'il a mal supporté que je rompe nos fiançailles et qu'il s'est mal comporté la dernière fois que je l'ai vu, il y a deux mois, mais de là à kidnapper un enfant...

— En tout cas, il a disparu, dit Harley. Nous n'avons pas pu le retrouver.

— Il aurait agi par dépit amoureux ? hasarda Peter.

— C'est possible, estima Harley. La rupture des fiançailles l'a peut-être affecté plus durement qu'on ne pourrait le penser. Et son attitude envers Allison, lors de cette soirée, il y a deux mois, tendrait à le prouver. » Il tourna son regard vers Allison. « Il vous en veut sûrement assez pour tenter de vous détruire. »

Peter hocha la tête d'un air songeur. « O'Brien, hein ? dit-il. Et que devrait-on faire, à votre avis ?

— Personnellement, j'ai mon plan, dit Allison.

— En attendant, poursuivit Harley, j'aimerais que vous vous replongiez dans vos dossiers de l'enlèvement d'Alice. Si jamais il y avait un lien entre les deux enlèvements, ainsi que je le suppose, j'aimerais que vous visionniez de nouveau ces cassettes que vous avez, en particulier les reportages télévisés devant votre maison. Mitch n'a pu enlever lui-même Alice, puisqu'il était au téléphone avec vous, mais il a très bien pu engager quelqu'un. Bien sûr, je peux me tromper, et Mitch est peut-être innocent. Quoi qu'il en soit, il arrive souvent que les ravisseurs collaborent aux recherches, de manière à mieux mesurer les progrès de l'enquête. Examinez attentivement les visages des badauds et de ceux qui ont participé aux battues. Voyez si vous reconnaissez quelqu'un. Et essayez de vous rappeler si vous n'avez pas revu ce visage quelque part, disons durant ces six derniers mois. Peut-être à un meeting politique ou peut-être même parmi le personnel de votre campagne. Si jamais vous repériez quelqu'un, j'aimerais m'entretenir avec lui. »

Allison ne manifesta aucune réaction, mais elle ne refusa pas. « D'accord, dit-elle. Et pendant que je regarderai mes cassettes vidéo, que ferez-vous de votre côté, Harley ? »

Il regarda Peter, puis Allison. « Je trouverai O'Brien. »

Lincoln Howe se rendit directement de l'aéroport de Washington à l'hôtel Mayflower, où il devait peaufiner avec Buck LaBelle sa dernière déclaration, dont l'enlèvement serait le sujet. Howe entendait bien critiquer sévèrement l'action de l'attorney général et le dramatique incident dans le métro, mais il lui fallait trouver le ton juste. Il avait déjà choisi le lieu : ce serait en ville, sur les marches du ministère de la Justice ou bien devant le quartier général du FBI, peut-être même sur la place Lafayette, avec la Maison-Blanche en arrière-plan. Toutefois, le temps filait, et il redoutait de devoir délivrer son message depuis l'hôtel.

Son escorte des services secrets l'accompagna dans l'ascenseur jusqu'à la chambre 776. Howe savait que ce numéro n'était pas dû au hasard. LaBelle prenait toujours la suite 776 quand il descendait au Mayflower, car c'était là que le président Roosevelt avait écrit : « Nous ne devons avoir peur que de la peur elle-même. » LaBelle ne l'avait jamais exprimé, mais il éprouvait de la jouissance à orchestrer une campagne électorale depuis la pièce même où le plus célèbre président démocrate avait couché cette pensée sur le papier.

« Entrez, entrez », dit LaBelle, empressé.

Laissant ses gardes du corps dans le couloir, le général entra dans la vaste suite. Les meubles du début du siècle et les lambris de noyer donnaient à l'espace une sobre élégance sous la lumière vive du lustre de cristal. Des liasses de documents et une bouteille de bourbon à moitié pleine étaient posées par terre, à côté du canapé de cuir marron. De lourdes tentures masquaient les fenêtres, créant une intimité propice aux confidences et aux complots.

LaBelle écarta son ordinateur portable pour fouiller parmi des papiers étalés sur la table basse. « Voici les derniers sondages des intentions de vote, général. Ils ne sont pas d'une précision scientifique mais, même en comptant un important pourcentage de revirements de dernière minute, il apparaît que la bavure du métro a fait déborder le vase. Même les électrices blanches commencent à exclure Allison Leahy de leur vote. »

Howe s'adossa confortablement à son fauteuil pour prendre connaissance des chiffres. Il ne semblait guère impressionné. « Vous oubliez la menace de Tanya.

— Je ne risque pas de l'avoir oubliée.

— Elle a été très claire. Si Kristen n'est pas de retour d'ici à demain matin, elle ira dire à la télévision et au monde entier qu'elle me croit responsable de l'enlèvement de sa fille. Et cela pourrait changer bien des choses.

— Nous devons nous y préparer, dit LaBelle. Le pays pense beaucoup de bien de vous. Confortons son opinion. Et espérons que les accusations de votre fille arriveront trop tard pour renverser les intentions de vote. »

Le général fit la grimace. « Une fille accuse son père d'avoir kidnappé son enfant... et vous espérez pouvoir conforter la bonne opinion du peuple américain à mon égard ?

— Pour le moment, nous savons qu'un Américain sur dix n'écarte pas la possibilité d'une responsabilité de Lincoln Howe dans l'enlèvement de sa petite-fille. Un sur dix ! Et encore, parmi ces dix pour cent, les trois quarts n'en croiraient rien si vous reconsidériez votre position sur le paiement de la rançon et satisfaisiez aux exigences des ravisseurs.

— Je ne peux pas revenir sur ma position. Je passerais pour un faible.

— Vous êtes déjà revenu sur votre position, en privé. Le FBI sait que vous êtes prêt à payer une rançon. À présent, il est temps de dire aux Américains que vous avez changé d'avis.

— La presse me fusillera. Je passerai en moins de deux pour le président Girouette, avant même d'être élu.

— Je serais d'accord avec vous et soutiendrais votre décision, si Leahy elle-même ne venait pas de nous donner l'occasion de changer d'avis. Après ce qui s'est passé dans le métro, votre cœur vous dicte de tenter quelque chose pour votre petite-fille, que les actions inconsidérées de l'attorney général, par ailleurs suspendue, ont mise en danger.

— Je ne sais pas, grogna le général.

— Je crains que vous n'ayez pas le choix. Après tout, ce sont les sondages qui dictent nos priorités.

— Oui, et c'est bien dommage qu'il en soit ainsi, dit Howe en se levant pour arpenter la pièce. J'aimerais que, pour une fois, ma décision soit inspirée par ce que je pense être bien, et non par ce que les sondages me dictent.

— Monsieur, les hommes politiques que j'ai servis ont tous, à un moment ou à un autre, formulé le même grief. Après l'élection, toutefois, ils m'ont félicité d'avoir eu raison contre eux. Si vous voulez être un président digne de ce nom, vous devez arrêter de penser en valeureux guerrier et commencer à vous comporter en marin louvoyant avec les vents. Un bon skipper sait qu'on ne peut traverser une baie en allant tout droit. Il faut tirer des bords en fonction du vent. Un coup à droite, un coup à gauche. C'est le même procédé en politique. L'opinion publique représente le vent, et vous devez adapter votre navigation en fonction de la direction dans laquelle elle souffle. Il n'y a pas d'autre façon d'atteindre sa destination.

— Oui, l'image est parlante, dit Howe. Et si un marin ne peut pas créer son propre vent, un président, lui, peut façonner l'opinion publique. »

Ils se regardèrent en silence. La bouche de LaBelle s'étira en un mince sourire. « Vous apprenez vite, monsieur. »

Le général lui rendit son sourire puis redevint sérieux. « D'accord, passons un marché. J'annoncerai que les circonstances m'ont conduit à revoir ma position sur le paiement de la rançon. Mais avant cela, vous devez me retrouver O'Brien. Risquer de me faire descendre par ma propre fille me suffit, je n'ai pas envie que Mitch O'Brien revienne nous hanter. Nous pouvons encaisser un tir au but, pas deux. »

LaBelle secoua la tête d'un air d'impuissance. « J'ai déjà envoyé mes meilleurs enquêteurs. O'Brien est introuvable.

— Engagez de meilleurs enquêteurs.

— Ça ne changera rien. »

Howe se pencha vers son directeur et dit d'une voix sourde : « Ce n'est pas du tout ce que j'ai envie d'entendre, Buck. »

LaBelle manqua rentrer la tête dans les épaules. Arrivé à ce moment de la partie, il savait qu'on ne discutait pas un ordre. « Nous le retrouverons, monsieur. »

4

C'est une première en politique, se dit Allison – un candidat présidentiel qui fuit la presse à la veille de l'élection –, mais elle ne voulait pour rien au monde affronter de nouveau la meute des reporters guettant sa sortie. Comme elle devait prendre l'avion le lendemain matin pour Chicago, afin de voter dans sa ville natale, l'une de ses assistantes se rendit à sa maison de Georgetown en compagnie de Peter pour lui préparer quelques bagages et réunir les vieilles cassettes vidéo que Harley lui avait suggéré de revoir.

« Je ne ferai plus aucune apparition en public, David.

— Quoi ? » s'écria-t-il, manquant s'étrangler.

Elle songea un bref instant à lui dire la vérité, mais s'abstint en raison des implications que cela pourrait avoir. « Ma vie est en danger, et les services secrets m'ont vivement conseillé d'annuler toutes mes sorties. »

Le long silence qui suivit confirma qu'elle avait visé juste. Préserver sa vie et ses intérêts, c'était là une attitude qu'un requin comme Wilcox pouvait parfaitement admettre.

« Bon, oublions les meetings. Nous avons seulement besoin d'une déclaration. Vous devez expliquer à la presse ce qui s'est réellement passé dans le métro. Un adolescent est mort. Et la rumeur, attisée par Howe et ses partisans, dit que vous avez complètement foiré la remise de la rançon et que Kristen est morte.

— Elle est toujours en vie.

— C'était bien la rançon que vous remettiez, n'est-ce pas ? »

Allison ne pouvait rien dire sans entraîner d'autres questions. « Je ne peux vraiment pas vous répondre, David.

— Il le faut, Allison. Si nous jouons bien cette partie, nous pouvons renverser la tendance. Vous avez risqué votre vie pour l'enfant d'un autre, la petite-fille de votre adversaire qui plus est. Vous avez fait preuve d'assez de générosité pour payer la rançon de votre propre argent. Pour l'amour du Ciel, Allison, même si vous vous contentez de rédiger un communiqué, nous devons dire quelque chose ! »

Elle grimaça. David avait raison, politiquement parlant. Mais si le ravisseur sentait qu'elle essayait de tirer un avantage électoral, elle risquait des représailles... qui avaient pour prénom Alice. « David, je ne peux rien décider pour le moment.

— Et quand le pourrez-vous ? Après l'élection ?

— Ce soir, à l'hôtel.

— Vous allez donc à la soirée ? »

Le ravisseur lui avait donné pour instruction de faire croire à son entourage qu'elle assisterait au raout démocrate à l'hôtel Renaissance. « Oui, j'y serai. Mais si je dois faire une déclaration, ce sera un peu plus tard, disons après neuf heures.

— C'est beaucoup trop tard. Il nous faut quelque chose qui puisse faire l'information dans les journaux télévisés du prime time, soit à sept heures au plus tard.

— Impossible.

— Et pourquoi cela ?

— David, c'est littéralement une question de vie ou de mort. Et je n'exagère pas.

— Moi non plus. Les infos de dix et onze heures du soir ont une trop faible audience. À ce moment-là, la seule chose qui pourrait retourner l'opinion publique en notre faveur, ce serait que vous ayez personnellement jeté le ravisseur en prison et ramené Kristen saine et sauve à sa mère. »

Si tout se passe bien, c'est peut-être ce qui arrivera. « Nous reparlerons de tout cela plus tard.

— Mais...

— Rendez-vous à l'hôtel. » Elle coupa la communication.

L'assistante d'Allison revint de Georgetown à une heure un quart de l'après-midi avec la valise et les cassettes vidéo que Peter avait réunies pour elle. Il était prévu qu'ils passent la nuit à l'hôtel et prennent l'avion pour Chicago au matin. Peter avait décidé de rester à Georgetown jusqu'à ce qu'il soit l'heure de se rendre à la soirée au Renaissance.

Allison commanda un sandwich à la cafétéria du ministère et mangea seule dans son bureau. Elle avait posé le carton de cassettes vidéo sur sa table de travail et poussé en face d'elle le téléviseur et le magnétoscope sur leur console à roulettes. Elle avait un choix à faire parmi les bandes, car elle n'avait pas le temps de les visionner toutes. Elle commença par l'enregistrement de ce qui s'était passé devant sa maison, la nuit de l'enlèvement. C'était la police qui avait filmé, et pour la même raison qui la faisait revoir la cassette : les ravisseurs étaient réputés revenir sur les lieux de leurs actes et prêter main-forte aux équipes de recherche.

Elle frissonna à la vue des images de cette nuit de tourment. La caméra prenait d'abord la rue en enfilade et se rapprochait lentement de la maison. Les gyrophares des voitures de police arrêtées sur la chaussée éclairaient les visages alarmés et curieux des voisins, que les policiers contenaient derrière le ruban jaune ceinturant l'accès de la maison d'Allison. Elle se vit soudain sous le porche, s'entretenant avec un inspecteur. Elle avait l'air effondrée et, à peine capable de tenir debout, s'appuyait contre le mur. Sa robe était déchirée et des brindilles et des feuilles pendaient à ses manches, pitoyables traces de sa fouille forcenée parmi les buissons.

La vision de ces images la pénétrait du même sentiment de désespoir éprouvé voilà huit ans. La voix de l'un des policiers présents cette fameuse nuit la fit tressaillir. « Date : trente et un mars 1992, zéro heure trente-cinq du matin. Adresse : neuf cent un Royal Oak Court. Sujet : Alice Leahy, sexe féminin, âge quatre mois. Numéro de dossier : quatre-vingt-douze, un, zéro, un, trois, sept. »

Allison sentit son cœur se serrer. Cette nuit-là, tout avait changé. L'instant d'avant, Alice était un ange dormant dans son berceau. Depuis huit ans, elle était le dossier numéro 92-10137.

Aussi éprouvant que cela pût être, Allison visionna toute la cassette. Puis elle passa les autres – celles des battues, des reportages télévisés –, observant les visages et prenant des notes. Au bout d'une heure et demie, toutefois, elle n'avait pas repéré un seul suspect susceptible d'intéresser Harley.

Il était près de trois heures quand le téléphone sonna. Elle arrêta le magnétoscope et décrocha.

« C'est moi, Harley. Je sais que vous ne voulez toujours pas de la protection du FBI, mais j'ai là quelque chose qui vous intéressera.

— Vous avez découvert Mitch ?

— Non, pas le moindre signe de lui. Mais nous avons les résultats du labo sur les traces de salive relevées sur le rouge à lèvres.

— Quel est le verdict ?

— Négatif sur Diane Combs, cette femme que nous avons découverte morte à Philadelphie, et que j'avais supposée être liée aux ravisseurs.

— Et Natalie Howe ?

— Négatif aussi.

— Ce qui nous laisse ?

— Mitch O'Brien. »

Elle pouffa. « À moins que Mitch n'ait profondément changé durant ces dernières années, je le vois mal en adepte du rouge à lèvres.

— Pas lui, mais vous.

— De quoi parlez-vous ?

— Nous avons vérifié la marque. C'est du Chanel.

— C'est la mienne.

— C'est ce que j'ai pensé. Je voudrais un échantillon de votre ADN. Je suis prêt à parier que la salive relevée sur ce rouge est la vôtre.

— Ce qui veut dire ? Que je suis l'expéditrice de cette photo ? Allons, nous en avons déjà parlé, Harley ! Vous tournez en rond.

— Pas du tout ! C'est un lien de plus avec O'Brien. Il a très bien pu vous subtiliser votre rouge à lèvres dans votre sac, lors de votre rencontre à Miami ou peut-être à ce gala à Washington. »

Allison ne dit rien.

« Allison ? Faites porter votre échantillon d'ADN au labo, vous voulez bien ? »

Puis, comme elle ne répondait toujours pas, il demanda, le ton soudain inquiet : « Allison ?

— Oui, Harley, je vous écoute. Je vous l'enverrai. Dès que je pourrai.

— C'est très important.

— Certainement, répondit-elle platement. Je vous appelle plus tard. »

Elle raccrocha, l'air songeur. Harley venait, sans le savoir, de lui indiquer une piste. Elle fouilla dans le carton des cassettes qu'elle avait déjà visionnées. Il y en avait une qu'elle avait besoin de revoir avec un regard neuf.

5

Le chaud soleil de Floride brillait sur les flots bleu-vert de la baie de Biscayne, que sillonnaient voiliers et Chris-Craft. Au sud, les tours de verre et de granit de la ville de Miami se dressaient sur le front de mer. Au nord et à l'est, l'île de Miami Beach s'étirait entre l'océan et la terre. Entre les deux rives s'étendait la zone résidentielle la plus riche du monde – une myriade d'îlots reliés par des pontons, dessinant sur la baie un immense jardin japonais, véritable vitrine de demeures dans le style méditerranéen, qui n'étaient pour beaucoup que des résidences d'hiver occupées seulement à partir de Thanksgiving. De temps à autre, une patrouille de la marine portuaire vérifiait qu'il n'y avait pas de bateau amarré illégalement au quai bordant chacune des propriétés.

Ce lundi matin, la brigade maritime découvrit un voilier qui intéressa vivement le FBI.

L'agent spécial Manny Trujillo, du bureau fédéral de Miami, avait la responsabilité des recherches qui allaient de Key West à Palm Beach. La découverte du voilier de Mitch O'Brien était la récompense des efforts considérables qu'avait fournis son équipe en liaison avec toutes les autorités de terre et de mer.

La patrouille maritime avait déjà confirmé que le bateau était vide, quand le FBI arriva. Trujillo mit aussitôt au travail l'équipe du labo, avec l'espoir de trouver des empreintes ou des indices qui les mèneraient à Mitch O'Brien. Peu après le déjeuner, il appela Harley Abrams depuis le bateau.

« Pas de signe d'un mauvais coup ? demanda Harley.

— Pas à première vue, en tout cas. À vrai dire, je m'attendais à renifler du cadavre, mais il n'y avait rien. Les gars de la brigade maritime m'ont dit que ça puait le renfermé quand ils avaient ouvert l'écoutille, comme si la cabine avait été fermée depuis longtemps. On a examiné le carré et les couchettes. Pas de signe de lutte. Tout est bien rangé et très propre. Presque trop propre. Il y a une forte odeur de nettoyant industriel à certains endroits.

— Apparemment, O'Brien ne se cachait pas là. C'est bien ce qu'on peut en déduire ?

— Oui, c'est exactement ce que je pense.

— Pensez-vous qu'on l'ait assassiné et qu'on ait lessivé les lieux ?

— Difficile de répondre. Les plaisanciers utilisent toutes sortes de produits pour combattre les résidus salins. On peut supposer que O'Brien était un de ces maniaques qui passent leur temps à astiquer leur embarcation. Peut-être s'y était-il caché un temps, avant de prendre le large, si je puis dire, quand il a eu vent de nos recherches. »

Harley s'accorda quelques secondes de réflexion. « J'ai besoin d'une réponse, Manny. Essayez un réactif chimique là où vous avez détecté des odeurs de solvant. Voyez si vous pouvez relever des traces de sang.

— Tout de suite ?

— Oui. Je reste en ligne. »

Trujillo coinça son portable sous le menton et appela son experte du service anthropométrique, Linda Carson. « Abrams veut essayer le Luminol. Est-ce que ça marchera dans cet environnement ?

— Pas dehors. Trop de soleil.

— Et dans le carré, là où on a repéré ces odeurs de nettoyant ?

— Oui, à la condition de tirer les rideaux pour faire le maximum d'ombre. J'ai un atomiseur de Luminol dans mon sac. Je vais le chercher. »

Elle revint l'instant d'après avec le réactif et, suivie de Trujillo, descendit dans le carré.

« C'est efficace comme produit ? demanda-t-il.

— Le Luminol ? Oui, je dirais même infaillible. Il détecte toute trace de sang, même quand les quantités sont trop faibles pour une analyse en laboratoire. S'il y a du sang ici, nous devrions voir une lueur bleue apparaître là où j'aurai passé le produit. »

Le carré se composait d'une cuisine, d'une table et d'une banquette en demi-lune convertible en couchette. Une étroite coursive menait aux cabines.

Carson tira les rideaux. L'espace s'assombrit, à l'exception de la lumière entrant par l'écoutille au-dessus de Trujillo. Carson s'agenouilla par terre près de la table, là où l'odeur de nettoyant était la plus forte.

« Prête ? » demanda Trujillo.

Elle dirigea l'atomiseur sur le plancher. « Prête. »

Trujillo referma le panneau d'écoutille, et le carré s'assombrit. L'atomiseur chuinta trois fois dans l'obscurité. Presque instantanément, une lueur bleu pâle monta du plancher.

« En plein dans le mille », dit Carson.

Elle vaporisa un autre endroit. Nouvelle explosion bleue. Elle essaya la table. Même résultat. Les parois aussi révélaient des traces de sang. Elle continua de balancer du Luminol, et tout le carré conta bientôt en bleuâtre une histoire horrible.

Trujillo prit une profonde inspiration et porta le téléphone à sa bouche. « Harley, vous êtes là ?

— Oui. Qu'avez-vous trouvé ? »

Trujillo contemplait l'étrange lueur en suant dans l'air confiné de l'entrepont. « Je crois savoir ce qui est arrivé à O'Brien. »

Allison fixait l'écran du téléviseur d'un regard empli de stupeur. La compréhension lui était venue lentement, peut-être inconsciemment au début.

Elle rembobina en partie la cassette et l'arrêta sur une certaine image. Cela ne lui plaisait guère de rappeler Harley, mais elle avait besoin de s'entendre dire qu'elle avait bien interprété ce que les cassettes montraient. Elle composa fébrilement le numéro.

« C'est moi, dit-elle.

— C'est étrange, j'allais juste vous rappeler. Nous avons découvert le bateau de Mitch O'Brien. Il y a des traces de sang partout dans le carré. »

Elle ferma les yeux. « Pauvre Mitch, murmura-t-elle. Et son assassinat ne fait que confirmer ce que je pensais.

— Que voulez-vous dire ?

— Il y a quelques heures encore, j'étais presque convaincue que le général Howe était derrière l'enlèvement de Kristen, me disant qu'il était prêt à tout pour gagner. Puis vous avez modifié sans le savoir mon angle de vue, quand vous avez suggéré que Mitch était la proie d'un violent dépit amoureux et assez amer pour m'envoyer cette photo avec cette lettre rouge tracée avec mon propre rouge à lèvres.

— Oui, ça me paraissait plausible.

— En apparence, oui. Mais plus j'y pensais, plus j'étais persuadée de l'innocence de Mitch. Il se contrôlait mal quand il avait bu, c'est certain. Mais même ivre mort, il était trop intelligent et surtout trop effrayé à l'idée de commettre un acte délictueux susceptible de l'envoyer en prison. Jamais il n'aurait osé envoyer une lettre de menace à l'attorney général. Jamais. J'ai alors pensé que quelqu'un manœuvrait de façon que les soupçons se portent sur Mitch. Et c'est alors que j'ai compris.

— Quoi ?

— Vous vous souvenez du soir où le général Howe s'est adressé aux ravisseurs à la télé ? Le soir où il a déclaré la guerre aux kidnappeurs d'enfants ?

— Oui, bien sûr.

— Et vous vous souvenez d'avoir remarqué que pas une seule fois dans son discours il n'avait désigné Kristen par son prénom ? Vous m'avez rapporté une affaire que vous aviez eue ; le père avait tué son enfant et, lors des interrogatoires, il ne faisait jamais référence à son bébé que par "il".

— Oui, c'était une manière inconsciente pour lui de se distancier de son crime. Par ce "il", il dépersonnalisait la victime et il lui était plus facile alors d'affronter ce qu'il avait fait. J'ai pensé alors que Howe agissait de la même manière. »

Allison continuait de fixer l'écran tout en parlant. « J'ai là sous les yeux une bande vidéo, réalisée deux jours après l'enlèvement d'Alice. Cela faisait sept mois que nous nous fréquentions, Peter et moi. Il était très amoureux, et je dois avouer que je ne l'étais pas. Je lui avais même dit que je ne cherchais pas à me marier et que j'étais parfaitement heureuse en élevant toute seule Alice. Mais, après l'enlèvement de mon bébé, il m'a énormément soutenue, dès le début. Il a déclaré à la télévision qu'il offrait cinq cent mille dollars à quiconque fournirait une information conduisant à l'arrestation du ravisseur d'Alice. Écoutez ce qu'il disait. »

Elle actionna la lecture et approcha le téléphone du récepteur. La voix de Peter était forte et claire. « Nous retrouverons le bébé. On ne l'oubliera jamais. Et nous ferons tout ce qui est humainement possible pour le retrouver. »

Allison tremblait, et ce fut avec peine qu'elle enfonça le bouton d'arrêt sur image. « Vous voyez, il parle du "bébé", et "le" revient à deux reprises. Pas une seule fois il n'a dit "Alice".

— Ma foi, il ne s'agit que d'un seul enregistrement.

— C'est comme ça dans tous les autres, Harley. Je l'ai noté. En vingt-trois occasions, il n'a jamais fait référence à Alice par son prénom. Ç'a toujours été "le bébé" et "il", même pas "elle". »

Harley garda le silence.

« Vous êtes là ? demanda-t-elle.
— Oui. Je voudrais voir ces cassettes. Je peux être à votre bureau dans un quart d'heure.
— Je vous attends. »
Allison raccrocha. Elle tremblait toujours. Elle regarda encore une fois l'image figée de Peter sur l'écran. « Mon Dieu, comment as-tu pu me faire ça ? » murmura-t-elle.

6

Peter faisait sa valise pour Chicago quand le téléphone sonna. C'était sa ligne privée, celle qu'il utilisait essentiellement pour ses affaires. Il reposa son costume Armani sur le lit et décrocha.

« Allô. »

Il y eut un bip, suivi d'un message. « Vous avez un e-mail. » Nouveau bip, puis la tonalité.

Il reposa le combiné d'un air perplexe. La voix était cette voix enregistrée qui vous accueillait chaque fois que vous allumiez votre ordinateur et que du courrier électronique vous attendait ; c'était cette touche dite « personnelle » dans un monde impersonnel, comme la voix de cette femme inconnue qui vous happait lorsque vous étiez sur le point de raccrocher après avoir utilisé votre carte de crédit pour un appel longue distance : « La compagnie AT&T vous remercie de votre fidélité. »

Peter était songeur. Le message était pour lui, pas pour Allison. Son correspondant voulait qu'il consulte son ordinateur. Il sortit son portable de sa sacoche, l'alluma, brancha le modem, et appela son bureau à New York, les yeux fixés sur le petit écran pendant que l'interface s'établissait entre les deux ordinateurs.

« Vous avez un e-mail », dit de nouveau la même voix. Peter regarda l'image à l'écran clignoter une fraction de seconde avant de se stabiliser. Des dizaines de messages électroniques s'affichèrent, chacun d'eux portant la date et l'heure d'envoi, ainsi que la signature de l'expéditeur. Tout au bas de la liste, le dernier d'entre eux, reçu ce jour à trois heures cinquante-quatre de l'après-midi, présentait une signature illisible. Peter en conclut que l'expéditeur avait veillé à protéger son identité.

Il ouvrit le message, dont le texte apparut. Il le lut par deux fois.

« Changement de plans. Rendez-vous au parc de Rock Creek, à la fontaine près du vieux moulin de Pierce, à dix-sept heures. »

Peter sentit son pouls s'accélérer. S'il n'y avait pas de signature, il y avait une apostille. Il cliqua sur l'icône et ouvrit le dossier. Une photographie se forma lentement. Du rouge partout dans un cadre blanc. Puis l'image se précisa et apparut une très jeune fille couverte de sang, allongée dans une baignoire. Les traits étaient ceux de Kristen Howe.

Peter ferma le dossier, effaçant l'image de l'écran. Le message revint. « Rendez-vous au parc de Rock Creek. » Il soupira, l'air préoccupé.

Le parc bordait Georgetown, et il lui était souvent arrivé d'y faire son footing matinal. Il savait exactement où se trouvait la fontaine.

Il n'avait pas besoin de signature pour savoir qui était l'expéditeur. La photo de la fillette baignant dans du sang d'animal ne pouvait qu'être l'œuvre de Vincent Gambrelli.

Il éteignit son ordinateur et le rangea dans sa mallette. Il gagna la fenêtre, écarta les rideaux. Quelques journalistes continuaient d'attendre devant la porte. Le plus gros de la troupe avait levé le camp, pariant qu'Allison ne ressortirait pas du ministère de la Justice, quand ils avaient vu l'une de ses assistantes venir et repartir avec un sac de voyage.

Peter consulta sa montre. Il était quatre heures un quart. Il avait largement le temps de semer les médias et d'arriver à l'heure à son rendez-vous. Il enfila sa veste, prit des clés de voiture, parut réfléchir et entra dans le dressing. Il s'agenouilla, souleva un coin de la moquette et découvrit un coffre scellé dans le sol. Il composa le code d'ouverture, souleva le lourd couvercle d'acier et, plongeant la main à l'intérieur, en sortit un pistolet 9 mm. Il vérifia qu'il était chargé et le glissa dans la poche de sa veste. Il referma le coffre et se hâta de sortir.

Une légère bruine tombait sur la ville, tandis que la lumière déclinait lentement. Les lumières scintillaient sur la chaussée mouillée. Les passants se hâtaient vers les bouches du métro. Les essuie-glaces du taxi emmenant Peter balayaient par intermittence le pare-brise. La circulation était intense à cette heure, et il lui semblait que les phares des voitures venant en sens inverse luisaient à travers la brume comme autant de torches électriques braquées sur lui. Il se redressa sur son siège, chassant ces pensées paranoïaques.

La voiture s'arrêta à un feu rouge, et Peter jeta un regard par la vitre arrière. Il doutait d'avoir été suivi. Cela faisait une vingtaine de minutes qu'il tournait autour de Georgetown, et il en était à son cinquième taxi.

« Vous pouvez me déposer là, dit-il au chauffeur à qui il donna une coupure de cinq dollars. Gardez la monnaie. »

Il descendit sur le trottoir, devant l'une des entrées du parc de Rock Creek, un espace vert de quatre cents hectares remarquablement entretenus, version washingtonienne du Central Park de New York. Le parc abritait quelques daims et toute une faune sauvage, et il était pour les résidants du district une oasis de fraîcheur en été, parcourue par un joli ruisseau – Rock Creek – qui serpentait en chuintant à travers des bois de hêtres, de cornouillers, de frênes et de chênes. Novembre, toutefois, n'était pas la meilleure époque pour s'y promener, et l'obscurité qui descendait lentement accentuait la densité des bosquets. Mais, pour y être venu tant de fois, Peter connaissait toutes les pistes cyclables et équestres qui sillonnaient le parc.

Il consulta sa montre. Cinq heures moins le quart. Le parc fermerait dans quinze minutes. Cela n'avait pas d'importance. Avec ce temps et à cette époque de l'année, il y avait trop peu de promeneurs pour que les gardes prennent la peine de faire leurs rondes. Il remonta le col de son pardessus, tâta son pistolet dans la poche de sa veste et prit la direction du vieux moulin de Pierce.

À mesure qu'il s'enfonçait dans le parc, les bruits de la ville s'affaiblissaient. Il pouvait entendre le ruisseau chanter dans la pénombre, mais l'heure n'était pas à la contemplation bucolique. Il se demandait ce que pouvait être ce changement de plans. Que pouvait bien lui vouloir Gambrelli ? De l'argent, se dit-il. Avec Gambrelli, c'était toujours de l'argent.

Il arriva en vue du moulin, qui était la principale attraction touristique du lieu : un authentique moulin à eau du XIXe siècle. Le panneau de chêne gravé annonçait que le bâtiment était fermé le lundi et le mardi. Aussi l'endroit était-il encore plus désert que d'habitude. En réalité, il n'y avait pas âme qui vive à cent mètres à la ronde.

Il s'arrêta près de la fontaine et attendit, comme il en avait reçu l'instruction. Il n'avait pas fumé une cigarette depuis des années, mais il aurait donné cher pour en griller une sur-le-champ. Il jeta un coup d'œil à sa montre. Plus que deux minutes avant cinq heures. Gambrelli était un homme ponctuel, et Peter s'attendait à le voir apparaître à cinq heures tapantes.

« Peter. »

Il se retourna vivement. C'était une voix de femme. Il cligna les paupières. Elle portait un imperméable dont la capuche lui dissimulait le front, et il mit quelques secondes à la reconnaître dans la brume et la faible lumière.

« Allison ! s'exclama-t-il d'une voix sourde, le visage soudain blême. Que fais-tu ici ? »

Allison sortit de l'ombre d'un chêne. « C'est moi qui t'ai donné rendez-vous. C'est donc à toi de me dire pour quelle raison tu es venu. »

Il hésita, cherchant une explication. Il respirait par à-coups et jetait des regards inquiets à la ronde. « Je... j'ai pensé que je pourrais les arrêter... leur tendre une embuscade...

— Arrêter les ravisseurs ? À toi tout seul ?

— Euh... oui. Oui, tout seul, bien sûr. Je leur serais tombé dessus quand ils seraient arrivés. »

Allison le regardait avec un mélange de rage et de mépris. « Cesse donc de mentir, Peter.

— Je dis la vérité. J'ai même apporté mon pistolet. » Il tira son arme de sa poche.

Allison recula. « Range ça. »

Il eut un sourire pathétique. « N'aie pas peur. Tu n'as rien à redouter de moi. Je n'ai jamais rien fait d'autre que t'aimer. »

Elle grimaça de stupeur et de dégoût. « M'aimer ? Tu appelles ça de l'amour ? Pensais-tu sincèrement qu'en engageant quelqu'un pour enlever Kristen Howe tu m'aiderais à gagner l'élection ? »

Le regard de Peter s'assombrit, et sa voix se chargea d'amertume. « Non, chérie, je pensais que cela te ferait perdre.

— Me ferait perdre ?

— Il n'y avait pas d'autre moyen de nous sauver.

— Nous sauver de quoi ? »

Il hésita, se demandant s'il devait en dire plus.

« Nous sauver de quoi, Peter ?

— Je ne peux pas te répondre. »

Elle se rapprocha de lui. « Tu vas me le dire, Peter, dit-elle avec rage. Tu vas me le dire, sinon j'appelle immédiatement le FBI, et c'est avec eux que tu t'expliqueras. »

Il baissa les yeux. « Nous pouvons nous en sortir, Allison. Il n'y a pas d'obstacle qu'on ne puisse franchir, toi et moi.

— De quel obstacle parles-tu ? »

Il la regarda. « Je vous ai entendus, toi et ton ex-fiancé, cette nuit-là au gala, il y a deux mois. Toi et Mitch O'Brien. »

Allison tressaillit. Le mystérieux bruit de pas qu'elle avait perçu dans le couloir était donc celui de Peter.

« J'ai surpris le regard que vous avez échangé, poursuivit-il. Je vous ai vus vous faufiler dans le couloir. Alors, je vous ai suivis et je l'ai bien entendu quand il a parlé de vos retrouvailles dans cette chambre d'hôtel de Miami Beach.

— Mitch racontait n'importe quoi. Nous avons bu un verre sur la terrasse pendant que mon garde du corps m'attendait pour me reconduire à ma chambre.

— Alors pourquoi avoir refusé de répondre à cette question sur l'adultère, lors du débat d'Atlanta ?

— Pour une question de principe.

— Ne me raconte pas d'histoires, dit-il, s'emportant soudain. Tu as couché avec lui, et probablement avec d'autres. Il y en aurait eu plus encore, une fois présidente. Tous les présidents des États-Unis ont eu des maîtresses. Pourquoi une présidente n'aurait-elle pas des amants ? Je serais devenu la risée du pays ! Le monde entier aurait su que Peter Tunello était incapable de satisfaire sa femme. Il n'était pas question que je subisse une telle indignité.

— Mitch est mort, n'est-ce pas ? Tu l'as fait tuer, hein ? C'est pour ça que personne n'a pu le retrouver.

— Et après ? Ça n'était qu'un pochard qui tournait autour de ma femme.

— Et c'est toi encore qui m'as envoyé cette photo de moi avec la lettre rouge sur mon front.

— C'était juste pour te faire peur, Allison.

— Et c'est aussi pour me faire peur que tu as fait enlever Kristen ?

— Je l'ai fait pour nous, Allison. Pour nous. Si tu remportais l'élection, moi, je te perdais.

— Bon sang, tu aurais mieux fait de me tuer ! Je regrette même que tu ne l'aies pas fait. »

Peter la regarda d'un air douloureux. « Te tuer ? Mais je t'aime. Comment pourrais-je te tuer !

— Oui, tu es seulement capable de faire du mal à une enfant.

— Je n'ai jamais voulu cela. Pour cent mille dollars, ils devaient la garder jusqu'à ce qu'un élan de compassion envers Lincoln Howe propulse ce crétin à la présidence. Mais les gens que j'ai engagés sont devenus voraces et ont demandé une rançon. Quand Howe a refusé de payer, c'est à moi qu'ils ont voulu faire cracher le million de dollars. Je les ai envoyés se faire foutre, et ils se sont adressés à toi. Je ne pouvais rien faire d'autre que payer. Tu dois me croire, Allison. Les ravisseurs m'ont doublé, et je n'ai plus aucun contrôle sur eux. »

Allison le regardait maintenant avec une profonde aversion. « Et Alice ? » demanda-t-elle d'un ton glacé.

Il détourna les yeux un instant. « Si tu peux me pardonner, je t'aiderai à la retrouver.

— Te pardonner ? » Elle se rapprocha de lui en frémissant de rage. « Si tu sais où est Alice, tu vas me le dire tout de suite. »

Deux balles sifflèrent soudain à son oreille et frappèrent Peter en pleine poitrine. Le choc le projeta à la renverse sur l'allée goudronnée.

« Peter ! »

Elle s'agenouilla à côté de lui, écarta les revers du pardessus, révélant deux trous sanglants sur sa chemise. Elle tourna la tête en direction du moulin d'où les coups de feu semblaient être partis, mais ne vit personne.

« Peter, parle-moi ! »

Elle tâta le pouls, mais ne sentit rien. Elle le souleva par le veston, la tête retomba en arrière. Elle continua de le tenir ainsi, refusant de croire qu'il était mort avec la réponse qu'elle attendait si désespérément. La vue brouillée par les larmes, elle le relâcha.

Elle leva soudain la tête, alarmée par un bruit de pas. Deux hommes couraient vers elle. Elle s'empara du pistolet de Peter et bondit sur ses pieds.

« FBI ! » crièrent-ils à l'unisson.

Elle saisit le premier par le revers et le secoua avec force. « Je vous avais dit de ne pas me suivre ! Pourquoi avez-vous tiré ? Pourquoi ?

— Nous n'avons pas tiré, madame ! »

Allison se figea, et l'agent se dégagea doucement pour lancer un appel dans son casque émetteur.

« Civil abattu. Parc de Rock Creek, à côté du moulin de Pierce. Tireur embusqué. Demande renforts d'urgence, blocage de toutes les issues et soutien des recherches par hélicoptère. »

Alors que l'agent lançait son message, la pluie se mit à tomber plus fort. Allison fut rapidement trempée. Peter gisait à ses pieds. Il avait été son mari, mais certainement pas l'homme qu'elle avait cru connaître. Elle s'agenouilla de nouveau à côté du corps.

« Espèce de salaud, ne t'en va pas avec Alice. »

7

Vincent Gambrelli courait éperdument à travers bois. Le visage giflé par les branches basses, glissant sur le tapis de feuilles mortes et les mousses, il avait les poumons en feu. Il avait toujours entretenu une excellente condition physique, mais il n'avait plus vingt-cinq ans. Il s'arrêta en arrivant sur un sentier isolé et, se penchant en avant, les mains en appui sur les cuisses, il s'efforça de retrouver son souffle.

« Merde », grommela-t-il en s'apercevant qu'il avait marché dans du crottin de cheval. Puis son regard s'éclaira à la vue d'autres déjections sur le sentier. Il ne devait pas être loin du centre équestre. Il reprit sa course et il n'avait pas fait cinquante mètres qu'il aperçut les écuries.

Il s'approcha sans bruit du bâtiment. À l'intérieur, une ampoule nue jetait une lumière jaune. Il tira son pistolet de sa veste, vissa le silencieux sur le canon, et jeta un coup d'œil par la porte entrebâillée. Un vieil homme pansait l'un des chevaux dans son box. Il n'y avait personne d'autre avec lui.

Dissimulant son arme dans sa manche, Gambrelli entra. La pluie tambourinait sur le toit de tôle, et ses chaussures à semelles caoutchoutées ne faisaient aucun bruit sur le sol en ciment. L'une des bêtes hennit à son passage, mais le palefrenier était trop occupé par sa tâche pour y prêter attention. Gambrelli s'immobilisa sur le seuil de la stalle.

L'homme se tenait à côté du cheval, dont il peignait la crinière noire en chantonnant doucement. Il se tut en s'apercevant de la présence de Gambrelli. « Désolé, m'sieur, mais nous sommes fermés.

— Oui, et pour longtemps », répliqua le tueur. Il leva son arme et fit feu.

L'homme porta les mains à sa poitrine et s'écroula sur la litière. Gambrelli s'empara d'une selle posée sur un chevalet et s'empressa de seller. Mais, alors qu'il s'apprêtait à sortir la bête, il se ravisa. C'était du suicide. Il ne pourrait jamais fuir à cheval. Le FBI aurait vite fait de le repérer.

Il eut un sourire. Il avait une meilleure idée.

Il souleva le vieil homme, qui ne pesait pas lourd, et le hissa en selle. Il lui attacha les chevilles aux étrivières, trouva une sangle qu'il fit passer sous le ventre du cheval pour maintenir les jambes du mort en place. Puis, à l'aide d'une longe, il arrima le buste sur l'encolure. Il se recula pour juger de l'effet : le bonhomme avait l'air d'un jockey penché en avant dans la dernière ligne droite.

Il sortit le cheval de l'écurie et l'emmena à l'entrée d'un grand pré qui s'étendait jusqu'à l'orée des bois. Un bruit de rotors dans le ciel lui fit lever la tête. Il aperçut deux hélicoptères survolant le parc.

Parfait.

Il posa le canon de son pistolet à plat contre la croupe de l'animal. La balle ne ferait que lui érafler le cuir et lui brûler un peu de poil. Il pressa la détente. Le cheval hennit sous la morsure et détala ventre à terre.

Gambrelli prit de son côté ses jambes à son cou dans la direction opposée. Il se sentait plus fort maintenant qu'il avait un plan. Il courait vers l'amont du ruisseau, persuadé que le FBI l'attendrait en aval, là où les bois étaient plus denses. Il atteignit bientôt le cimetière de Oak Hill, situé sur un plateau dominant le parc. Il attendit d'avoir traversé les rangées de tombes pour se retourner et, dissimulé derrière un mausolée, observer les hélicos qui tournaient maintenant au-dessus du pré, qu'ils éclairaient de leurs projecteurs. Sa diversion avait réussi.

Il reprit sa course et parvint à la clôture du parc, qu'il escalada sans mal. Il s'épousseta et jeta un dernier regard en direction du pré. Les appareils avaient déroulé des échelles de corde, par lesquelles descendaient les hommes des SWAT. Dans quelques secondes, ils comprendraient leur erreur... quelques secondes trop tard.

Il s'avança sur la chaussée et héla un taxi en maraude. La voiture s'arrêta et il s'engouffra à l'arrière. « Dans le centre-ville. Et vite ! »

Assise à l'avant dans l'un des fourgons du FBI, Allison, enveloppée dans une couverture, contemplait son gobelet de café fumant. La pluie martelait le toit de la cabine. Harley Abrams ouvrit la portière côté conducteur et monta à côté d'elle.

Elle porta son regard vers le parc plongé maintenant dans l'obscurité. « Il a réussi à fuir, n'est-ce pas ? »

Harley s'abstint de répondre.

« C'est ma faute, reprit-elle. C'est moi qui ai envoyé le message à Peter. Moi qui vous ai dit de ne plus me suivre. Si vous n'aviez pas placé Peter en filature, après que je vous ai appelé, le FBI n'aurait jamais été là quand c'est arrivé, et j'aurais pu me faire tuer.

— Vous avez pris une bonne initiative, Allison, et vous n'êtes pas responsable de ce qui s'est passé.

— Je regrette d'avoir choisi un lieu de rencontre aussi isolé.

— Il fallait que Peter soit persuadé d'avoir rendez-vous avec le ravisseur. Et si vous aviez été à la place de ce dernier, c'est justement un lieu isolé que vous auriez choisi. »

Elle décrocha le petit microphone fixé au col de son chandail et le tendit à Harley. « Vous avez tout entendu, je suppose. »

Il hocha la tête. « Oui, et je suis désolé pour vous.

— J'ai du mal à croire à ce qui m'est arrivé, dit-elle d'une voix emplie de tristesse. Pendant que j'attendais dans le parc, prête à déclencher le piège, je ne pouvais m'empêcher d'espérer que je me trompais. Que ce n'était pas Peter. Et puis je l'ai vu. Alors, j'ai eu la preuve que j'étais venue chercher.

— Je ne peux même pas imaginer ce que l'on doit ressentir. Chercher pendant toutes ces années, et découvrir que le coupable est son propre mari. »

Elle le regarda. « Vous voulez savoir ce que l'on éprouve ? Rappelez-vous la première fois que vous êtes entré dans la section qui s'occupe des rapts d'enfants. Les murs du couloir sont couverts de portraits de garçonnets et de fillettes heureux et souriants. Et vous avez la nausée à la pensée que chacun d'entre eux est aujourd'hui ailleurs, dans un lieu ou un foyer très différent de celui où leur photo a été prise. Puis, un peu plus loin, vous tombez sur une autre série de photos. Cette fois, ce ne sont plus les "disparus" mais ceux qui ont été "retrouvés". On éprouve alors du soulagement et de la joie. Jusqu'au moment où l'on prend conscience que "retrouvé" ne veut pas dire "en vie". Eh bien, multipliez ce sentiment de désespoir et d'impuissance par, disons, dix mille, et vous saurez ce que je ressens.

— Allison, votre choc est à la mesure de la terrible épreuve que vous venez de subir mais, de grâce, n'y ajoutez pas la culpabilité. Vous n'êtes en rien responsable de votre malheur.

— Trop tard, dit-elle. Je me suis déjà dit une centaine de fois que si je n'avais pas fait entrer Peter dans ma vie, Alice n'aurait jamais été enlevée. Et peut-être que si je n'avais pas passé tous ces mois à courir le pays pour vendre mes prétendus talents, j'aurais pu détecter certains signes d'avertissement chez Peter. J'aurais peut-être pu alors l'aider à surmonter ses craintes.

— Non, je vous en prie, vous ne pouvez pas dire ça. C'est comme si vous en vouliez à une femme d'avoir épousé un homme bien sous tous rapports et qui, un jour, viole sa propre fille. Peter était un homme intelligent. Il a su parfaitement dissimuler sa véritable nature et tromper son entourage, et pas seulement sa propre femme, mais aussi les médias, votre propre parti politique, et jusqu'aux requins qui entourent Lincoln Howe, sans parler du FBI et de tous ceux qui l'ont jaugé et approuvé quand vous avez décidé d'être candidate à la présidence. Comment auriez-vous pu deviner qu'il nourrissait une jalousie aussi morbide ? »

Elle hocha la tête, sachant qu'il avait raison. Mais elle n'en avait pas moins la nausée. « Pensez-vous que c'est moi ou Peter que le tueur a suivi jusqu'ici ?

— C'est vous. Si ç'avait été Peter, il n'aurait pas manqué de repérer les agents qui filaient votre mari. Il n'aurait jamais tiré s'il avait su que le FBI était dans le coin.

— Pourquoi a-t-il tué Peter ?

— Il vous suivait, probablement pour s'assurer que vous respectiez sa consigne d'écarter le FBI. Vous l'avez entraîné jusqu'au parc, et il vous a vue rencontrer votre mari. Il a dû penser que Peter vous avait donné rendez-vous là, loin des agents fédéraux, de la presse et de toutes les oreilles indiscrètes, pour se confesser à vous et révéler le nom de celui qu'il avait engagé. Il fallait qu'il intervienne.

— Aurait-il entendu ce que nous nous disions ?

— Je l'ignore, mais il n'en avait pas besoin. Il lui suffisait de voir vos visages pour comprendre que vous n'étiez pas venus là pour observer les oiseaux. »

Allison frissonna au souvenir des paroles de Peter. « Je n'arrive pas à comprendre. Il m'a dit qu'il pouvait m'aider à retrouver Alice. Pourquoi l'a-t-il enlevée ?

— Si je m'en souviens bien, vous m'avez dit qu'il était très épris de vous, mais que vous ne répondiez pas vraiment à ses attentes. Adopter un bébé et déclarer que vous n'envisagez pas le mariage n'est pas très encourageant pour l'homme qui vous aime.

— Je le conçois, mais de là à voler mon enfant !

— Peut-être prévoyait-il que cela se passerait comme avec Kristen Howe. Il a engagé quelqu'un pour enlever Alice et la garder quelques jours, juste assez longtemps pour jouer les héros, payer la rançon de son propre argent, vous ramener la petite et gagner votre cœur.

— Alors pourquoi ne m'a-t-il pas rendu Alice ?

— Il a probablement préféré que la situation reste telle qu'elle était, car il avait alors le beau rôle. Vous étiez effondrée et il était là, à se rendre indispensable. Vous aviez besoin de lui, de son attention, de son affection. Vous vous retrouviez dépendante de lui, et cette dépendance aurait disparu avec le retour d'Alice.

— C'est dément.

— Oui, dans le sens clinique du terme. Mais cela arrive tous les jours. Des hommes battent leur femme. D'autres étranglent des prostituées. D'autres encore brûlent les albums de photos et les souvenirs de leur petite amie. Ce sont le plus souvent des hommes qui ont peur, alors ils détruisent ce qu'ils ont peur d'aimer. Si Peter avait pu vous enfermer, il l'aurait fait. »

Pour toute réponse, Allison se massa les tempes.

« Si vous évoquez votre relation passée avec Peter, je suis sûr que c'était quand vous aviez besoin de lui qu'il se montrait le plus heureux et le plus aimant : quand vous passiez par une crise, quand les choses allaient mal dans votre travail, quand quelqu'un qui vous était proche était malade ou mourant.

— Quand j'étais en train de perdre une élection », compléta-t-elle.

Elle échangea un regard avec Harley. Tous deux pensaient soudain à Kristen Howe. Le portable d'Allison brisa le silence. Harley lui adressa un signe de tête. Elle prit la communication.

« Allô. »

Le ton de la voix était froid, suffisant. « Savez-vous qu'au cours des huit dernières années, seulement cent dix-neuf enfants de moins de six mois ont été enlevés aux États-Unis ?

— Que voulez-vous ?

— Savez-vous que cent dix d'entre eux ont été retrouvés ? La plupart en moins de cinq à six jours ? »

Les mains tremblantes, Allison garda le silence.

« Votre Alice fait partie de ces neuf qui ont disparu. Neuf en huit ans, alors qu'il naît chaque année dans ce pays près de quatre millions de larves. Une goutte d'eau dans un océan que ces neuf-là. Et une exception qui confirme la règle, pourrait-on dire. Mais une femme attorney général est aussi l'exception. Quant à une femme présidente...

— Où voulez-vous en venir ?

— Moi, nulle part, mais en ce qui vous concerne, vous voilà à la croisée des chemins. L'un mène au meilleur, l'autre au pire. Rendez-vous à l'hôtel. A neuf heures. Sinon les petites sont mortes. »

La communication s'acheva sur ce mot.

8

Tony Delgado allait aussi vite qu'il le pouvait, tout en maudissant son oncle Vince de lui laisser le sale boulot. La température à l'intérieur du garage ne dépassait pas les dix degrés, et il n'en suait pas moins comme une gargoulette. Ça lui avait pris une demi-heure pour charger le fourgon par la portière arrière. Il poussa le dernier jerricane de vingt litres à l'intérieur, et recula d'un pas pour admirer son travail. Cinquante jerricanes en tout, pesant chacun ses vingt kilos et rangés les uns sur les autres du plancher au toit le long des deux parois du véhicule.

Il entreprit ensuite de loger dans l'espace étroit laissé par les deux rangées de conteneurs une longue malle en bois, aux parois percées de trous d'aération.

« Joli travail, mec », dit-il à voix haute.

Il retourna dans la maison, s'arrêta à l'évier pour se servir un verre d'eau, et gagna la chambre du fond. La porte était fermée, mais il entra sans frapper.

Kristen Howe était assise par terre, les yeux bandés, la bouche bâillonnée, les mains et les pieds liés. Elle se raidit au bruit de pas qui approchait.

Tony défit les menottes qui l'attachaient au lit. « On s'en va, dit-il. Debout. »

Il la prit par le bras pour l'aider à se relever et dénoua le cordon qui lui serrait les chevilles. Puis, l'orientant vers la porte, il lui ordonna d'avancer.

Aveuglée par le bandeau, elle se hasarda en avant à petits pas, tandis que Tony la guidait par l'épaule à travers la chambre et dans le couloir.

Elle entendit une porte s'ouvrir, sentit de l'air froid sur son visage. Elle descendit une marche. Le sol avait l'air en ciment. Le garage ?

« Bouge pas », dit-il.

Elle frissonna, tandis qu'il la soulevait dans ses bras et la déposait dans la malle. Il vérifia le bandeau, le bâillon, lui remit les menottes et lui lia de nouveau les chevilles. Il la força ensuite à s'allonger et referma sur elle le couvercle. Puis il fit glisser la malle jusqu'au fond du fourgon, libérant un petit espace qui lui permit d'embarquer le reste de sa cargaison : une machine à nettoyer les tapis, des tuyaux et une bâche en toile, qu'il déploya sur la malle.

Il referma le hayon, sur lequel on pouvait lire en grandes lettres peintes LES NETTOYEURS ASSOCIÉS. Il s'installa ensuite au volant et actionna le démarreur. Puis, laissant le moteur tourner, il se tourna vers la malle.

« Tu veux rentrer chez toi ? dit-il. Alors bouge pas et fais pas de bruit. Et surtout, ajouta-t-il en gloussant, craque pas d'allumette. »

Il était à peine six heures du soir que déjà les médias convergeaient vers le parc de Rock Creek. Avec les SWAT héliportés et toutes les spéculations circulant sur les ondes radio de la police, l'histoire s'était rapidement répandue.

Allison et Harley n'avaient pas encore quitté les lieux qu'ils apprenaient qu'un vieil homme travaillant au centre équestre avait été retrouvé assassiné. Allison en éprouva de la tristesse mais aussi de la peur. L'assassin, qu'elle avait eu une minute plus tôt au téléphone, lui avait paru si détendu et indifférent, alors même qu'il venait de supprimer une vie.

Allison et Harley quittèrent le fourgon pour une voiture banalisée et démarrèrent avant que les médias aient eu confirmation de l'implication de l'attorney général dans ce nouveau rebondissement.

« Où allons-nous ? » demanda Allison.

Harley ralentit à l'approche de DuPont Circle. « Nous avons besoin de nous préparer avant votre rendez-vous de neuf heures. Je propose que nous allions au centre d'opérations que nous avons établi pour cette nuit. Il n'est qu'à un bloc de l'hôtel où vous devez déposer la rançon. C'est un local commercial vide et, pour le moment, ce doit être le seul endroit dans Washington où vous puissiez vous rendre sans vous faire remarquer.

— Et la rançon ?

— Elle est dans un coffre au quartier général. J'enverrai quelqu'un la chercher une fois que nous serons là-bas. »

Elle acquiesça d'un signe de tête.

« Il nous sera impossible de garder le silence sur ce qui vient de se passer, dit Harley. Les SWAT, les gardes du parc, la police métropolitaine, le bureau du médecin légiste, le FBI, ça fait beaucoup trop de monde pour qu'il n'y ait pas de fuites. Je suis sûr que les journalistes savent déjà qu'il y a eu deux morts. Et dans moins d'une heure, ils apprendront que l'un d'eux est votre mari.

— C'est sans importance. Tout ce qui compte pour moi, c'est de retrouver Alice et de ramener Kristen à sa mère. »

Harley hocha la tête. « Je pensais à ce coup de fil que vous venez de recevoir. C'est intéressant que, après ce qui s'est passé dans le parc, le ravisseur maintienne votre rendez-vous à l'hôtel.

En quoi est-ce... intéressant ?

— Parce que cela signifie qu'il a dû concevoir un plan très élaboré et qu'il ne tient pas à en changer, quoi qu'il arrive.

— Est-ce une bonne chose ou une mauvaise ?

— C'est, disons, à double tranchant. Que vous ayez rendez-vous à neuf heures nous donne le temps de nous préparer. Nous avons déjà des agents en place, déguisés en employés de l'hôtel. Ils ont inspecté les lieux et n'ont pas décelé de bombes ou autres pièges. Mais l'homme doit avoir une raison bien précise pour avoir choisi cet hôtel.

— Insinueriez-vous de nouveau que c'est trop dangereux pour moi ? »

Harley arrêta la voiture à un feu rouge et tourna la tête vers Allison. « Il vous a autorisée à porter un déguisement. Cela nous permettrait d'utiliser un double, si vous voulez. »

Elle secoua la tête. « Non, c'est plus que jamais ma responsabilité d'y aller. Même si Peter a donné ordre aux ravisseurs de ne pas attenter à la vie de Kristen, il n'en reste pas moins le commanditaire de l'enlèvement.

— Alors vous vous sentez obligée de risquer votre vie pour sauver Kristen, parce que votre mari était un psychopathe ?

— Oui, dans une certaine mesure, répondit Allison. Mais aussi et surtout parce que Alice est toujours ma fille. »

Le feu passa au vert, et Harley redémarra. « Vous savez, Allison, nous sommes les seuls, vous et moi, à avoir entendu la confession de Peter. Les médias sauront bientôt que votre mari a été tué, mais il n'est pas nécessaire qu'ils sachent qu'il était derrière l'enlèvement de Kristen Howe. Bien sûr, ils l'apprendront, sitôt que nous aurons fait notre rapport. Ce que je veux dire, c'est que le moment de la vérité peut attendre demain.

— Merci. Mais il y a quelqu'un d'autre à qui je me dois de le dire.

— Qui ?

— Tanya Howe. Il est temps qu'elle sache qui a enlevé sa fille. »

9

Le général Howe inclina son siège en arrière dès que le pilote éteignit le signe « Attachez vos ceintures ». Son équipe, dans le fond de l'appareil, était d'humeur festive, mais Howe préférait s'accorder quelques moments de repos. Il jeta un regard par le hublot. Washington brillait de toutes ses lumières. Regarder du ciel la capitale lui procurait un sentiment de puissance. Dans quelques heures, cette ville serait à lui.

Le téléphone encastré dans son accoudoir sonna. Il s'empressa de décrocher. C'était son conseiller.

« Grande nouvelle », annonça un LaBelle excité.

Howe sirota une gorgée de son whisky allongé d'eau. « Je vous écoute, Buck.

— Je viens juste d'apprendre que Leahy avait un nouveau rendez-vous avec l'un des ravisseurs tout à l'heure dans le parc de Rock Creek. »

Le général se redressa légèrement dans son fauteuil. « Décidément, rien n'arrête cette femme. Que s'est-il passé ?

— Un nouveau désastre, Dieu merci. Le ravisseur s'est enfui. Un vieil homme travaillant au centre équestre a été tué. Ainsi que, tenez-vous bien, le mari d'Allison.

— Son mari ?

— Oui. Je n'en ai pas eu la confirmation, mais c'est le bruit qui court.

— C'est terrible, dit le général.

— Pire encore : ça pourrait renverser le facteur de sympathie en sa faveur. »

Howe frémit, choqué malgré lui par la façon qu'avait LaBelle de réduire le drame qui venait de frapper l'adversaire à la seule stratégie politique. Mais il se reprit vite. « Que pouvons-nous faire, Buck ?

— Vous devez, maintenant plus que jamais, annoncer publiquement que vous revenez sur votre décision de ne pas payer la rançon. Il vous faut convaincre le pays que seul compte pour vous le sort de votre petite-fille. Bien sûr, ce qui est arrivé au mari d'Allison est moche, mais rappelons aux gens que la vie d'une fillette est toujours en jeu.

— Je vous ai déjà dit que je ferais cette déclaration sitôt qu'on aurait retrouvé O'Brien. J'ai du mal à m'endormir le soir, à la pensée que le FBI est à sa recherche.

— Je comprends ça, monsieur. Et j'ignore pourquoi le FBI tient tant à lui mettre la main dessus. Mais O'Brien est introuvable. J'ai appris par mes enquêteurs qu'une patrouille de la brigade maritime avait repéré son bateau, et qu'on y avait relevé des traces de sang. C'est peut-être une ruse pour faire croire qu'il est mort, mais c'est peut-être aussi un crime. Tout ce que je sais, c'est qu'O'Brien n'a rien à voir avec votre décision de payer une rançon. »

Le général baissa la voix pour ne pas être entendu. « Bon Dieu, Buck, ça fait beaucoup de coïncidences, vous ne trouvez pas ? D'abord, O'Brien vient nous voir pour nous raconter qu'il a couché avec Leahy, puis il échoue au détecteur de mensonges. Après ça, il disparaît. Et maintenant vous me rapportez qu'on a découvert des traces de sang dans son bateau. Il y a de fortes chances qu'il ait été assassiné.

— C'est possible, en effet.

— Et si ses assassins sont ceux-là mêmes qui ont enlevé Kristen ? Imaginez que l'affaire éclate dans quelques semaines ou quelques mois. Que penseront les Américains si je leur déclare soudain que j'ai changé d'avis et que je suis prêt à payer la rançon exigée par ces salauds ?

— Je ne sais pas ce qu'ils penseront.

— Eh bien, je vais vous le dire : ils penseront que je suis le cerveau d'une conspiration digne d'un scénario d'Oliver Stone. Ils penseront que j'ai versé un million de dollars aux ravisseurs pour acheter leur silence, et non la vie de ma petite-fille. En tout cas, c'est ce que ces bâtards du Congrès les pousseront à croire, et je ne veux pas passer le reste de mon mandat devant une commission d'enquête.

— Général, si vous ne déclarez pas avant les journaux télévisés de ce soir que vous êtes prêt à payer cette rançon, vous n'aurez jamais de mandat. »

Le général but une gorgée de whisky. « Vous le pensez sincèrement, Buck ?

— Oui. Vous devez préserver le facteur de sympathie en votre faveur, général. Parce que s'il s'avère que c'est bien le mari d'Allison qui a été tué dans le parc, alors qu'il tentait de remettre la rançon pour sauver la petite-fille de l'adversaire de sa femme, j'aurai peut-être assez de compassion moi-même pour voter Allison Leahy. »

Howe croqua avec rage un glaçon. « D'accord, je la ferai, cette foutue déclaration ! »

Ne pouvant, faute de temps, rencontrer Tanya Howe, Allison ne voulut pas retarder d'une minute de plus son appel. Elle n'avait pas oublié son embarras quand, par deux fois, alors qu'elle détenait une nouvelle concernant au premier chef Tanya, celle-ci avait dû l'appeler la première. Tandis que Harley roulait en direction du centre opérationnel, elle composa le numéro de Nashville.

Il ne lui fallut que quelques minutes pour tout raconter à Tanya, qui l'écouta sans l'interrompre.

« Tanya ? demanda-t-elle, comme le silence se prolongeait. Vous allez bien ? »

Tanya, assise au bord de son lit, contemplait la photo de sa fille sur la table de nuit. Elle cligna les paupières, comme si elle se réveillait d'une séance d'hypnose. Elle ne s'était certainement pas attendue à ce que le mari d'Allison soit l'instigateur de l'enlèvement. « Que voulez-vous que je vous dise ? dit-elle.

— Ce n'est pas pour vous soulager, mais la surprise est certainement plus grande pour moi que pour vous.

— Oui, dit Tanya, et je devrais vous être reconnaissante de m'avoir fait cette confession douloureuse. Mais je ne sais que penser.

— Vous avez toutes les raisons de me haïr, dit Allison.

— Je ne vous hais pas. C'est comme si je détestais ma mère parce qu'elle a épousé mon père. »

Sa voix se chargea soudain d'angoisse. « Bon Dieu, mon père !

— Qu'y a-t-il, Tanya ?

— J'étais persuadée qu'il était derrière l'enlèvement. L'autre nuit, je l'ai menacé. Je lui ai dit que si Kristen n'était pas de retour saine et sauve d'ici à demain matin, j'irais tout déballer devant les télévisions.

— Kristen vous sera rendue avant que vous ne fassiez cette bêtise.

— Attendez, je ne vous ai pas tout dit. Il panique à la pensée que je mettrai ma menace à exécution. Et ma mère m'a appris qu'il allait déclarer à la télé, ce soir, qu'il était prêt à payer la rançon. Si les ravisseurs apprennent ça, qui sait ce qu'ils feront ? »

Allison parla d'une voix calme mais ferme. « Il faut absolument l'en empêcher. Pendant les prochaines heures, personne ne doit plus rien dire au sujet de l'enlèvement. Et surtout pas parler d'une rançon.

— Comment voulez-vous que je fasse taire mon père ?

— Il doit bien y avoir un moyen. »

Il y eut un silence, qui parut à Allison chargé d'une étrange électricité. « Il y a peut-être un moyen, dit enfin Tanya.

— Lequel ?

— C'est entre mon père et moi. »

Allison se tut. Après tous ces événements, elle n'avait pas le goût des devinettes ni des interrogatoires. « Bonne chance, Tanya, dit-elle d'un ton de sincérité qui n'échappa point à celle-ci.

— Merci, et bonne chance à vous aussi. »

Tanya sortit son carnet d'adresses de son sac, l'ouvrit à la bonne page et le retourna sur le dessus-de-lit à côté d'elle. Puis, dans l'un des tiroirs de la commode, elle tira de sous une pile de linge de corps impeccablement pliée un petit dictaphone qu'elle posa à côté du téléphone sur la table de nuit.

Elle vérifia le numéro une nouvelle fois, prit une profonde respiration et appela. Une voix féminine lui répondit à la troisième sonnerie.

« M. LaBelle, je vous prie. » Elle écouta la réponse de la secrétaire. « Peu m'importe que M. LaBelle soit occupé. Dites-lui que je suis Tanya Howe et qu'il a une minute pour venir au téléphone. Sinon, il perd l'élection. »

Elle attendit, l'œil sur sa montre. Vingt secondes plus tard, LaBelle était en ligne. « Tanya, je sais que nous nous rapprochons de l'ultimatum que vous nous avez fixé, mais votre père est en train de faire tout son possible pour vous ramener Kristen d'ici à demain matin. Dans une demi-heure, il doit faire une déclaration à la presse et annoncer qu'il paiera la rançon. Un million de dollars. Que peut-il faire de plus ?

— La fermer. Tout ce que je veux, c'est qu'il ne dise plus un mot sur l'enlèvement ni sur Kristen, à moins que je ne l'y autorise. Et ça veut dire aussi qu'il cesse toute attaque contre Allison Leahy et sa façon de mener les tractations avec les ravisseurs.

— C'est impossible, Tanya. Voyez-vous, ce n'est pas vous qui dirigez la campagne de votre père, c'est moi. »

Elle tendit la main vers le dictaphone. « J'ai quelque chose à vous faire écouter, monsieur LaBelle. Vous vous souvenez de notre rencontre dans ce bain à remous, à Nashville ? » Elle plaça le petit appareil contre le combiné du téléphone et enclencha le bouton de marche.

Ce fut d'abord la voix de Tanya qu'on entendit : « Vous osez menacer la vie de ma fille ? » La réplique brutale de LaBelle suivit : « Non, c'est vous-même que je menace. »

Tanya arrêta la bande. « Toute notre petite conversation est enregistrée, monsieur LaBelle. Je l'ai gardée au chaud, au cas où j'en aurais besoin pour vous botter le cul. Voulez-vous que je transmette la bande aux médias ?

— C'est un faux ! aboya-t-il. Un montage !

— Non, monsieur, l'enregistrement est tout ce qu'il y a de plus authentique.

— C'est impossible. Vous étiez dans l'eau.

— Moi oui, mais pas mon peignoir, qui était sur le rebord du bain à côté de moi, et dans la poche il y avait un dictaphone que j'avais mis en marche juste avant d'entrer dans l'eau. Mais vous étiez tellement occupé à mater mes fesses que vous n'avez rien soupçonné. »

Le ton de LaBelle se fit conciliant. « Écoutez, Tanya, ce n'est pas à moi mais à votre père que vous allez faire grand tort. Et pas seulement à lui, mais aussi à votre mère. C'est toute votre famille que vous menacez. »

Elle eut un sourire. « Ce n'est pas ma famille que je menace, monsieur LaBelle. C'est vous-même. »

Il y eut un silence au bout du fil.

« Je ne veux plus entendre un seul commentaire du général, sauf si j'en donne l'autorisation. Aussi, vous allez annuler cette conférence de presse. Est-ce que nous nous comprenons, monsieur LaBelle ?

— Oui, parfaitement, grogna-t-il.

— Très bien. » Sur ce, elle raccrocha.

Tony Delgado gara le fourgon des Nettoyeurs associés derrière l'hôtel, près de l'entrée de service et des livraisons. Il descendit, enfila une salopette verte, baissa la visière de sa casquette de peintre et remonta sur son nez le masque recommandé quand on manipule des produits toxiques. Puis, sortant deux jerricanes du véhicule, il alla sonner à la porte.

Un vigile vint lui ouvrir. Il était habillé d'un uniforme semblable à celui de la police, mais Tony remarqua que l'homme ne portait pas d'arme. « C'est à quel sujet ?

— Nettoyeurs associés. On nous a appelés pour nettoyer les tapis du deuxième étage.
— Ce soir ?
— Ouais, ce soir.
— Personne ne m'a rien dit.
— C'est marqué ce soir sur le fax qu'on a reçu. Lisez vous-même. »

Et de tendre un faux très convaincant dont le vigile prit connaissance en plissant le front d'un air perplexe. « Ouais, je le vois bien, dit-il. Mais c'est quand même bizarre. Ça vous ennuie pas que je vérifie avec le chef de service ?

— Pas de problème mais, dites, vous pourriez pas me donner un p'tit coup de main, d'abord ? J'ai un de mes bidons de solvant qui fuit dans mon bahut et il faut que je fasse un peu de place pour le sortir de là avant qu'il me salope tout l'intérieur. »

Le vigile hésita. Delgado sortit une coupure de vingt dollars de sa poche. « Vous en aurez pas pour une minute. »

L'homme empocha le billet. « On va le sortir, votre bidon », dit-il.

Delgado sourit, tandis qu'ils se dirigeaient vers le fourgon. « J'ai dû prendre un virage trop vite. Et ce putain de bidon a dû dégringoler. » Il ouvrit le hayon. « Tenez, il est là-bas, dans le fond. »

Le vigile se pencha en avant pour mieux voir. Delgado tira une lourde clé à molette de sa poche et l'abattit deux fois de toutes ses forces sur le crâne de l'homme, qui s'écroula avec un gémissement sourd, le buste à l'intérieur et les jambes dehors.

Dans sa malle, Kristen remua.

« Bouge pas, petite. » dit Tony. Il s'empressa de dégager un peu d'espace et tira le corps à l'intérieur. Il s'empara du trousseau de clés et du talkie-walkie du vigile. Puis il décrocha le diable arrimé derrière le hayon et en chargea la malle et sa prisonnière.

Il rajusta sa casquette et son masque et poussa son chargement sur la rampe des livraisons. Il eut vite fait de trouver la clé ouvrant la large porte. L'instant d'après, il était dans le monte-charge et appuyait d'un geste confiant sur le bouton du deuxième étage.

La porte grillagée se referma et l'appareil s'ébranla.

10

La vitrine du magasin servant de centre opérationnel au FBI était blanchie à la chaux, et placardée d'affiches annonçant « ESPACE À LOUER ». L'entrée principale était cadenassée, et Harley fit entrer Allison par la sortie de secours donnant dans la ruelle.

L'intérieur n'était qu'un grand espace vide d'environ quatre cents mètres carrés, qui avait été divisé en plusieurs postes de travail. Un entrelacs de câbles électriques serpentant sur le sol ou pendant du plafond alimentait un impressionnant matériel informatique et une formidable batterie d'écrans vidéo. Il y avait là une vingtaine d'agents occupés à parachever les installations.

Harley s'adressa à Allison. « Le fait que le ravisseur vous ait fixé rendez-vous au Hyatt plusieurs heures à l'avance a permis à nos agents du service technique de mettre en place un système de télésurveillance. Chacun de ces écrans nous fournira une vue différente de l'hôtel, dehors comme dedans. Certains d'entre eux sont raccordés à la surveillance vidéo du Hyatt ; les autres reçoivent les images des caméras que nous avons posées aujourd'hui. Nous pourrons ainsi vous suivre dans tous vos déplacements à l'intérieur comme aux abords de l'établissement.

— J'avoue que ça me rassure un peu, répondit Allison.

— Venez, maintenant. Nous allons vous équiper d'un micro et vous déguiser. »

Harley l'emmena dans une pièce au fond, où les attendaient deux femmes, l'une de l'âge d'Allison, l'autre beaucoup plus jeune. « Voici l'agent Scofield, dit-il, présentant la première. Et l'agent Parker.

Scofield va vous équiper d'un gilet en kevlar capable de stopper des balles de fort calibre. Elle vous installera aussi un émetteur-récepteur qui vous permettra de communiquer avec moi.

– Et moi, j'aurai la tâche très importante de vous déguiser », dit la plus jeune d'un ton qui laissait entendre qu'elle n'était pas entrée dans le FBI pour jouer les coiffeuses et les maquilleuses. « Brune ou rousse ? ajouta-t-elle en brandissant une perruque dans chaque main.

— Si je suis encore attorney général quand tout cela sera fini, je vous promets de vous faire muter à un poste plus actif.

— Merci beaucoup », répondit l'agent Parker.

Allison jeta un regard à Harley. « Avant qu'on commence, pourrais-je avoir une minute pour téléphoner ?

— Bien sûr, dit-il en sortant de la pièce avec les deux femmes. Nous vous attendrons dans la pièce à côté. »

Allison ferma la porte et appela David Wilcox.

« Je suis sincèrement peiné au sujet de Peter, déclara son directeur de campagne.

— Merci. Je ne pensais pas que vous le sauriez déjà.

— Tout le monde est informé. Il n'y a eu aucune confirmation, mais tous les médias le claironnent. Je vous ai déjà appelée plusieurs fois et vous ai laissé des messages, mais vous ne m'avez pas répondu.

— Désolée. Je ne les ai même pas consultés.

— Je suppose que vous annulez la fête au Renaissance. Votre présence risquerait d'être jugée inconvenante. »

Allison n'avait pas oublié les instructions du ravisseur. « Ne faites rien au sujet de la fête. Maintenez-la comme prévu.

— Vous plaisantez ?

— Faites ce que je vous dis, David. Je vous expliquerai plus tard. Je dois vous quitter, maintenant. » Elle raccrocha et regarda par la vitre qui séparait les deux pièces. Harley était au téléphone. Il raccrocha et rejoignit Allison. Il avait une expression grave.

« J'ai eu les résultats des traces de sang dans le bateau d'O'Brien.

— Et ?

— C'est bien son sang.

— Est-il possible qu'il ait survécu à son agression et se soit réfugié quelque part ? »

Harley secoua la tête. « D'après ce que je sais, il y a du sang partout. Il n'a pas été tué proprement... d'une balle dans la tête, par exemple. Il semble que son assassin l'ait torturé à mort, probablement afin de lui arracher je ne sais quelle information.

— S'il avait couché récemment avec Allison Leahy, par exemple ?

— On peut le penser, après ce que vous a dit Peter dans le parc. »

Allison détourna les yeux. Elle avait soudain la gorge serrée. « Ce serait donc Peter qui aurait fait ça ?

— Il ne serait pas le premier mari à tuer un homme qu'il soupçonnait d'avoir séduit sa femme. À cette différence près qu'il a certainement engagé un tueur.

— Le même que celui qui a enlevé Kristen ?

— Et Alice aussi, car je doute que votre mari ait eu beaucoup de connaissances dans ce milieu. Ce n'est pas le genre d'artisan qu'on trouve dans les Pages Jaunes. »

Elle hocha doucement la tête d'un air songeur. « Peter a eu différents gardes du corps toutes ces dernières années. Ils l'accompagnaient durant ses voyages d'affaires dans les pays où les Américains sont mal vus. Il s'adressait toujours à des agences réputées qui, pour la plupart, emploient des policiers ou même des agents fédéraux à la retraite. Je suppose que certains d'entre eux avaient des relations que je n'aimerais pas croiser dans une rue la nuit.

— Oui, c'est probablement par ce canal qu'il a déniché un tueur à gages, mais celui-ci n'a jamais été que l'exécutant. Le donneur d'ordres, c'était votre mari. »

Allison se laissa choir sur une chaise en secouant la tête avec stupeur. « Mitch O'Brien, l'alcoolique amoureux, et Peter Tunello, le jaloux obsessionnel. Je devrais certainement revoir mes choix concernant les hommes, vous ne pensez pas ?

— Revoir, c'est bien, mais dire au revoir aux hommes, ça le serait moins. »

Elle leva les yeux vers lui, trouvant du réconfort dans le regard qu'il posait sur elle.

« Alors, qu'en pensez-vous ? demanda-t-elle, brisant le silence.

— À quel sujet ? »

Elle prit les perruques posées sur la table et, affectant une voix précieuse, demanda en brandissant tour à tour les deux postiches : « Brune ou... rousse ? »

Il pouvait lire la souffrance derrière le sourire. L'humour était peut-être encore le meilleur moyen d'affronter l'ultime trahison d'un mari et la mort atroce d'un ex-fiancé. « Faites-moi la surprise », dit-il.

Il quitta la pièce en pensant qu'Allison vivait là la deuxième journée d'enfer de sa vie.

De grands lustres de cuivre éclairaient le long et majestueux couloir de l'hôtel St. George. D'antiques tableaux aux cadres dorés décoraient les murs revêtus de papier soie. Le deuxième étage comptait quatre-vingt-dix des cinq cents chambres de l'établissement. Comme d'habitude, le St. George affichait complet.

Vincent Gambrelli avançait dans le couloir, le bruit de ses pas étouffé par l'épais tapis rouge. Il sortit de la poche de son pardessus son jeu de cartes clés. Cinq en tout, pour autant de chambres. Il avait réservé celles-ci durant les deux derniers jours, sous des identités et des déguisements différents, attendant les changements de service à la réception afin de ne pas s'adresser au même employé. Il avait déposé quatre valises contenant la même chose dans chacune des chambres, toutes au deuxième étage.

Il s'arrêta devant le 205, ôta la pancarte « Ne pas déranger », jeta un coup d'œil dans le couloir désert, inséra rapidement la carte et entra.

La pièce était telle qu'il l'avait laissée vingt-quatre heures plus tôt. Les rideaux étaient tirés, et les quatre valises attendaient au pied du grand lit impeccablement fait.

Il s'agenouilla devant le plus grand des bagages, déverrouilla la serrure et souleva le couvercle, révélant une douzaine de conteneurs en plastique d'une capacité d'un litre, remplis d'un liquide incolore. Il en prit un, dévissa le bouchon, et en versa le contenu sur le lit. Se penchant, il renifla le dessus-de-lit trempé.

Il grimaça un sourire. Du méthanol. Virtuellement inodore... mais hautement inflammable.

Il ouvrit une à une les autres bouteilles et aspergea les tentures, le canapé, les meubles, le tapis. Quand il eut fini, il ouvrit la porte avec une extrême précaution, l'entrebâilla pour vérifier le couloir. Personne. Il s'empressa de sortir et de refermer, s'assura du verrouillage de la poignée et remit en place l'écriteau « Ne pas déranger ».

Il poursuivit dans le couloir et sélectionna la clé de la chambre suivante, où il procéda à la même opération. Il termina sa tournée par celle où était retenue Kristen Howe.

L'argent arriva au centre opérationnel du FBI à huit heures et demie. Le déguisement d'Allison était alors achevé. Ses cheveux blonds et courts étaient maintenant châtain foncé et longs. Des lentilles de contact marron et un fard adéquat assombrissaient ses yeux noisette et son teint clair. Un pantalon en toile de jean et une veste fantaisie lui donnaient une allure plus jeune et moins classique. Une écharpe en soie et des gants en cuir dissimulaient sa gorge et ses mains, deux parties du corps qu'il était difficile de rajeunir sans avoir recours à la chirurgie esthétique.

« Quelqu'un a vu Allison ? demanda Harley en venant vérifier la transformation.

— Très drôle, fit Allison.

— Une petite photo, maintenant, dit Harley.

— Pour quoi faire ?

— Votre chambre au Hyatt est réservée au nom d'Alice Smith. Il vous faut donc une pièce d'identité à ce nom si vous voulez qu'on vous donne votre clé. Nous avons un permis de conduire du Maryland qui vous attend. Il ne manque qu'un petit polaroïd. »

Harley s'écarta pour laisser la place au photographe. « Souriez », demanda ce dernier à Allison. Elle fut aveuglée par le flash. Moins d'une minute plus tard, on lui remettait son permis de conduire.

« J'aurais bien aimé que ce soit aussi simple quand j'avais seize ans », dit-elle en rangeant le document dans son sac à main.

Harley sourit puis redevint sérieux. « Je serai en contact radio avec vous en permanence. Actionnez l'appel d'urgence au moindre signe de danger. Nous avons des agents postés le long du trajet et dans l'hôtel. Vous serez secourue dans les deux à trois secondes.

— D'accord, dit-elle. Où est l'argent ? »

Un agent lui présenta un sac en cuir noir.

Allison fit la grimace. « Les instructions étaient précises : la rançon doit être dans une mallette métallique, une Spartan 2000.

— Elle est à l'intérieur du sac, dit Harley. Une Spartan aurait mal convenu à votre déguisement. C'est beaucoup plus discret ainsi. »

Allison passa la bretelle du sac sur son épaule. « Et je n'ai pas d'arme ? demanda-t-elle.

— Vous n'en avez pas fait mention, mais si vous le voulez, j'ai là un SIG Sauer P-228.

— Ce n'est pas parce que je suis pour le contrôle des armes à feu que je ne crois pas en l'autodéfense. Et je sais me servir d'un pistolet. Si jamais je devais me blesser moi-même, l'occasion est venue. »

Harley glissa le pistolet dans une poche latérale du sac en cuir. « C'est une bonne place, accessible et discrète, mais ne le sortez qu'en cas de nécessité. »

Elle acquiesça d'un signe de tête. « D'accord, allons-y. »

Harley l'accompagna jusqu'à la porte de secours. Il la retint par le bras avant qu'elle sorte. « Ne jouez pas les héros, compris ? »

Elle le regarda en haussant un sourcil. « Ne me cassez pas les pieds, compris ? »

Il se força à sourire. Elle lui jeta un regard qui disait « ne vous inquiétez pas », puis remonta la ruelle.

La pluie avait cessé, mais le trottoir et la chaussée étaient encore mouillés. Il faisait humide et froid. Allison se mit à marcher d'un bon pas, ignorant le bruit de la circulation ou la vision des sans-abri installés pour la nuit sous un porche ou dans un recoin. Il y avait du monde dans H Street, et cela la rassurait. Quand on avait un million de dollars dans son sac, on se sentait mieux entourée de piétons que dans une rue déserte.

Son émetteur-récepteur dissimulé dans le col de sa veste grésilla. « Juste un essai, dit la voix de Harley. Casseur de pieds appelle héroïne. »

Elle répondit sans forcer la voix, ainsi qu'on le lui avait recommandé. « J'écoute, casseur de pieds.

— Je vous reçois parfaitement. Je reste à l'écoute. Faites-moi signe quand vous serez dans la chambre. »

Elle s'arrêta à un feu rouge dans Tenth Street. L'hôtel Grand Hyatt était de l'autre côté de la rue. Elle traversa, passa sous l'immense marquise, où une armée de portiers et de voituriers s'empressait auprès des clients, et entra dans le hall.

Elle ralentit le pas, étonnée par le décor. Si la façade était moderne, le décor intérieur était celui d'une comédie musicale des années trente. Un kiosque, un salon en demi-lune et une salle à manger entouraient une pièce d'eau bleue au milieu de laquelle, sur une petite île, un pianiste en smoking noir jouait sur un piano à queue blanc des airs de Cole Porter.

Allison parcourut la foule du regard puis observa le long comptoir de la réception, où une demi-douzaine d'employés en uniformes rouges s'occupaient des clients. Elle s'avança vers le plus jeune d'entre eux. Un téléphone collé à l'oreille, il avait une expression tendue et confuse qui donnait à penser qu'il était nouveau dans le métier.

« Excusez-moi, dit-elle, mais j'ai refermé la porte de ma chambre en oubliant la clé à l'intérieur. Pourriez-vous m'en donner une autre ? Mon nom est Alice Smith. »

Il coinça le combiné sous son menton. « Pourrais-je avoir une pièce d'identité, s'il vous plaît ? »

Elle lui présenta le faux permis de conduire.

Il jeta un coup d'œil au document, puis vérifia sur son ordinateur. Le nom d'Alice Smith apparut à l'écran. Il lui tendit une clé. « Voici, madame. »

Elle s'en fut rapidement, rassurée par l'efficacité de son déguisement, du moins auprès de jeunes gens boutonneux. Le petit étui de sa carte clé portait le numéro 511. Elle prit l'ascenseur et monta au cinquième. Un panneau à la sortie de l'appareil indiquait la direction des chambres. Elle suivit les flèches et parvint à la 511.

« Je suis devant la porte de ma chambre, dit-elle tout bas dans le micro.

— Placez-vous de côté en insérant la clé et poussez le battant en restant protégée par le mur, au cas où la porte serait piégée. Et quand vous serez à l'intérieur, ne me répondez pas, même si je vous parle. Il a peut-être posé une écoute, et je ne veux pas qu'il entende votre voix et pense que vous portez un micro. Bonne chance et soyez prudente. »

Elle vérifia le couloir. Personne, à l'exception de l'agent fédéral en uniforme de garçon d'étage qui stationnait au fond du couloir. Elle s'écarta de la porte et inséra la carte. Le voyant de la serrure électronique passa du rouge au vert. Retenant son souffle, elle poussa le battant et attendit, les nerfs tendus.

Rien. Pas d'explosion, pas de fil de nylon tendu en travers du seuil. La voix de Harley lui parvint de nouveau.

« N'allumez pas d'autre lumière que celle située dans l'entrée. Les autres pourraient être piégées. »

Elle faillit lui répondre, mais se rappela à temps la mise en garde de Harley. Sans entrer, elle se pencha, tâtonna près du chambranle et actionna l'interrupteur. La lumière envahit la pièce. Elle poussa un soupir de soulagement et se risqua enfin à entrer.

« Laissez ouvert, si vous pouvez. »

La porte commençait à se refermer automatiquement. Se précipitant dans la salle de bains qui donnait dans l'entrée, elle prit une serviette dont elle se servit pour caler le battant en position entrebâillée.

Elle s'avança dans la chambre. Deux lits jumeaux, un mobilier de couleur sombre, une scène de chasse accrochée au-dessus de la commode. Banalement classique.

Allison jeta un coup d'œil à sa montre. Il était neuf heures. Le téléphone sonna sur la table de nuit.

Harley, qui entendit la sonnerie dans son récepteur, l'invita à répondre.

Elle décrocha. « Allô. »

La voix était déguisée mais familière. « Prenez un taxi pour l'hôtel St. George. Allez au bar de l'Indépendance, qui est au deuxième étage. Prenez une place à l'une des petites tables qui sont le long de la balustrade en cuivre et attendez. »

La communication prit fin. Allison reposa le téléphone et s'empressa de ressortir. « Vous avez entendu ? dit-elle à Harley, alors qu'elle se dirigeait vers l'ascenseur.

— Oui, et je n'aime pas ça du tout. C'est le Hyatt que nous avons cerné, pas le St. George, qui est à près de vingt blocs plus loin et ne fait même pas partie du périmètre que nous avons placé sous surveillance. Nous ne savons absolument pas dans quoi vous allez mettre les pieds.

— Seriez-vous en train de me dire de ne pas y aller ?

— Je dis seulement que c'est dangereux. Plus dangereux que je ne le redoutais.

— Je n'ai malheureusement qu'une seule réponse à vous donner, Harley.

— Laquelle ?

— Je serai au St. George dans quelques minutes », dit-elle en entrant dans l'ascenseur.

11

La porte du monte-charge s'ouvrit en coulissant sur le deuxième étage du St. George. Tony Delgado poussa son diable chargé de cinq jerricanes et du nettoyeur de moquettes. C'était son troisième voyage, et son travail de « nettoyage » touchait à sa fin.

Il rangea le diable dans une remise située au fond du couloir et se mit en devoir de remplir le réservoir du nettoyeur, qui était censé contenir vingt litres de solvant ininflammable. Ce soir, il déverserait du méthanol.

Delgado fit rouler sa machine dans le couloir, brancha la prise et enfonça le bouton de mise en marche. Les brosses se mirent à tourner, faisant pénétrer dans les fibres l'alcool méthylique. Il ne se rappelait plus à quel endroit du couloir exactement il s'était arrêté, avant de redescendre chercher d'autres jerricanes. Il haussa les épaules. Quelle importance cela pouvait bien avoir, tant qu'il créerait une large bande inflammable entre chacune des chambres dont son oncle lui avait donné la liste.

Il cessa de pousser devant lui le nettoyeur en voyant un homme sortir de la 235. Les tempes argentées, un costume sombre sentant le bon faiseur, il ressemblait à un membre du Congrès. Mais comme il approchait, Tony reconnut son oncle.

« Bonsoir, sénateur, dit-il avec un sourire en coin.

— Bonsoir », répondit Gambrelli.

La décoration du St. George était d'une élégance outrancière. De fines colonnes de marbre rose s'élevaient jusqu'à une hauteur de trois étages dans un hall aussi vaste qu'un théâtre de Broadway. De profonds sièges en cuir, des tapis d'Orient et une profusion de cuivre et d'acajou conféraient aux espaces de détente un air de club anglais. Des lustres étincelants pendaient du plafond tels des nuages de cristal.

L'hôtel était cependant sur le déclin. La peinture des moulures s'écaillait par endroits. Le précieux revêtement de soie couvrant les murs commençait à jaunir par pans entiers.

Cependant, Allison ne se sentait pas trop déplacée dans cet environnement avec son pantalon de toile et sa grosse veste de laine car, si certains clients étaient élégamment vêtus et traités avec une grande déférence par le personnel, d'autres étaient simplement mis et avaient choisi le St. George pour le prix avantageux des chambres qui n'avaient pas été modernisées depuis la présidence de Truman. Ce mélange des genres donnait de la couleur et de la vie à l'imposante réception.

Allison se dirigea vers le grand escalier, et monta jusqu'à hauteur du deuxième étage, où se trouvait le bar de l'Indépendance. Un long comptoir en acajou courait jusqu'au mur du fond, tandis que la partie salle, meublée de petites tables à cocktail, formait une terrasse dominant le hall. Deux hommes d'affaires japonais fumaient le cigare en sirotant du vin. Un vieux couple contemplait en silence l'activité de la réception en grignotant des cacahuètes. Allison repéra une table près de la balustrade, sur laquelle il y avait une plaque de réservation.

Elle s'approcha du barman. « Pourrais-je avoir cette table réservée ?

— Êtes-vous Alice Smith ? »

Elle hésita une seconde, peu habituée à son pseudo. « Oui, c'est moi.

— Elle est pour vous.

— Qui l'a réservée ? »

Il lui jeta un regard amusé. « Un monsieur très distingué aux cheveux grisonnants. Il m'a donné vingt dollars pour que je garde cette table pour Alice Smith. Je n'ai pas retenu son nom. »

Elle avait envie d'en savoir plus, mais la voix de Harley l'en dissuada. « N'insistez pas, Allison. Vous pourriez susciter ses soupçons. Allez vous asseoir. »

« Voulez-vous boire quelque chose ? lui demanda le barman.

— Non, pas tout de suite. Merci. » Et elle alla s'asseoir.

C'était une place de choix. Contre la balustrade. Comme sur un balcon. Elle pouvait voir le hall en bas, les ascenseurs, le grand escalier, l'entrée du restaurant et les portes menant aux couloirs et aux chambres.

Le barman la tira de son observation en lui apportant un téléphone. « C'est pour vous, mademoiselle. »

Elle attendit qu'il ait regagné le bar pour répondre. « Oui ?

— Regardez la plante verte près de la balustrade. Il y a un antivol pour bicyclette dans le pot. »

Elle se tourna discrètement. « Oui, je le vois.

— Prenez-le. Passez-le autour de la mallette et sous la poignée, mais ne le refermez pas. »

Elle fit ce qu'il lui demandait. « C'est fait.

— Maintenant, posez la valise à vos pieds contre la balustrade et fermez l'antivol autour d'un des barreaux.

— Je ne vais tout de même pas laisser un million de dollars sur cette terrasse !

— Une fois verrouillé, personne ne pourra prendre la mallette sans la clé de l'antivol, et la clé, c'est moi qui l'ai.

— Qui me garantit que vous n'allez pas prendre la fuite avec l'argent avant de me rendre les filles ?

— Parce que vous n'allez pas bouger de votre chaise. Vous serez aux premières loges pour tout voir. Maintenant, cessez de tergiverser et faites ce que je vous ai dit. »

Elle frissonna. Quel était le plan du ravisseur ? Venir s'asseoir à sa table ?

Elle sortit la mallette du sac en cuir, l'entoura de l'antivol, passa celui-ci sous la poignée et l'accrocha à l'une des balustres. « Voilà, j'ai terminé. Comment allez-vous me remettre les enfants ?

— Une par une. D'abord Kristen.

— Et Alice ? demanda-t-elle, durcissant le ton.

— Kristen vous dira où elle est.

— Où est-elle ?

— Restez assise, et observez l'escalier. »

12

Tony Delgado serrait fortement le beeper dans sa main. Le timing était d'une importance extrême. Il devait réagir à la seconde où l'appareil positionné en mode silence vibrerait entre ses doigts... à la seconde où son oncle donnerait le signal.

Il se tenait dans le couloir du deuxième étage près de l'ascenseur et de la porte de l'escalier. Le nettoyeur était à côté de lui. Le beeper vibra soudain sans bruit dans sa main.

Il gratta une allumette et la laissa tomber à terre.

Des flammes bleu et jaune coururent sur la moquette imbibée de méthanol comme le vent sur un champ de blé, traçant un couloir grondant jusqu'aux cinq chambres préparées par son oncle, chacune d'elles explosant en une boule de feu. Delgado, impressionné par son propre travail, contemplait la fournaise avec la fascination d'un pyromane. L'incendie se révélait plus important et sa propagation plus foudroyante qu'il ne l'avait pensé. Il avait déversé trop d'alcool.

Les couloirs faisaient le tour de l'étage selon un tracé en carré, et les cinq chambres étaient réparties sur les quatre côtés de ce carré. Les flammes s'engouffrèrent dans l'espace imbibé de vapeurs de méthanol.

Delgado sentit soudain une intense chaleur dans son dos. Il fonça sur la porte de l'escalier, tira sur la poignée, poussa, pesa de tout son poids. En vain. Elle était fermée ou bloquée de l'intérieur. Il comprit alors que son oncle l'avait pris au piège. L'instant d'après, le feu était sur lui. Le nettoyeur explosa à côté de lui, le transformant en une torche vivante, qui disparut dans un long hurlement sous une déferlante rougeoyante.

L'explosion ébranla tout l'édifice. Allison bondit de son siège. Les lumières clignotèrent puis s'éteignirent, remplacées par les lampes de sécurité, en même temps que retentissait l'alarme incendie. Les clients commencèrent à fuir dans toutes les directions. Une épaisse fumée se déversait par toutes les issues du deuxième étage dans le hall.

Allison tira en vain de toutes ses forces sur la mallette. Elle tenta de l'ouvrir mais le câble la serrait trop. Elle ne s'en étonna pas. Le ravisseur avait décidément tout prévu. La fumée rendait l'air irrespirable. Elle arracha une nappe de l'une des tables et, s'en couvrant le nez et la bouche, sortit le pistolet de son sac et le glissa dans la poche de sa veste.

La voix de Harley retentit dans son oreille. « Que se passe-t-il, Allison ?

— Le feu. Ils ont déclenché un incendie.

— Arrachez-vous de là !

— Pas sans les filles.

— Allison, je vous en supplie, fuyez ! »

Elle l'ignora, se pencha par-dessus la balustrade pour regarder en bas dans le hall. La lumière était faible et la fumée opacifiait toutes choses. Un extincteur automatique giclait du plafond près de l'entrée dans le hall, mais la plupart des autres pommes ne fonctionnaient pas. Quant au deuxième étage, il ne recevait pas une seule goutte d'eau.

« Ils ont dû saboter l'arrosage automatique, dit-elle à Harley. La plupart des gicleurs ne fonctionnent pas. »

En dessous, une foule paniquée forçait son chemin vers la grande porte à tambour, glissant sur les dalles de marbre mouillées. D'autres, dans leur hâte folle, dégringolaient l'escalier. Au milieu de la confusion, Allison remarqua soudain une fine silhouette qui remontait les marches, luttant contre le flot. C'était une toute jeune fille. Malgré la faible lumière, Allison la reconnut.

« Kristen ! » cria-t-elle.

La fillette leva les yeux et continua de monter.

« Par ici, Kristen ! »

Les cris et l'alarme qui continuait de sonner faisaient un vacarme assourdissant, et Allison douta que la petite l'eût entendue. Elle avait du mal à percevoir la voix de Harley, qui lui parvenait directement par son oreillette.

« Vous avez vu Kristen ? demanda-t-il.

— Oui. Ils l'ont relâchée ! »

Allison quitta la terrasse du bar pour gagner le grand escalier, mais la foule ne la laissait pas passer. Le couloir derrière elle était en flammes. Des employés de l'hôtel transportaient des personnes asphyxiées par la fumée. Allison s'efforçait de ne pas quitter des yeux Kristen. La fillette semblait remonter l'escalier de sa propre initiative, et non en réponse aux appels d'Allison. Cela n'avait pas de sens, pensa-t-elle... à moins que le ravisseur n'eût promis à Kristen que sa mère l'attendait là-haut, lui tendant un piège immonde qui l'enverrait à une mort atroce. Cette pensée galvanisa Allison, qui se fraya frénétiquement un chemin à travers la foule des clients sortis en catastrophe de leurs chambres. Elle pouvait maintenant voir la tête de la fillette, quelques marches plus bas. « Kristen ! » hurla-t-elle. La fumée la faisait suffoquer. Elle n'était plus qu'à quelques mètres. Dans un ultime effort, elle parvint à se glisser entre les corps pressés les uns contre les autres, tendit le bras et referma sa main sur le poignet de l'enfant.

Leurs regards se rencontrèrent, puis Kristen cria et se dégagea furieusement.

« Kristen ! hurla Allison. N'aie pas peur, reviens ! »

La fillette, prenant la direction opposée, descendait maintenant l'escalier avec la foule, s'éloignant de cette étrangère.

Allison s'élança après elle. « C'est mon déguisement », dit-elle dans le micro, sans être sûre que Harley puisse l'entendre. Le monde entier sait à quoi je ressemble, mais Kristen ne m'a pas reconnue. »

La réponse de Harley se perdit dans un crachotement de parasites. « Harley, je ne vous entends plus ! » Une puissante odeur de fumée emplissait le hall. Les sirènes des voitures de pompiers ajoutaient leurs longues plaintes au vacarme. La panique était encore plus effrayante au rez-de-chaussée.

Allison vit Kristen tenter de se faufiler vers la porte. Elle courut après elle et parvint à la rattraper. Cette fois, elle la ceintura. La fillette se débattit, mais Allison tint bon, encaissant les coups sans broncher. « C'est ta maman qui m'envoie. Je suis Allison Leahy. »

Kristen se figea. Elle regarda de plus près le visage de la femme qui la tenait contre elle, et une lueur s'alluma dans ses yeux, suivie d'une grimace de réprobation.

« Mais qu'est-ce que vous avez fait à vos cheveux ? »

Allison sourit et serra l'enfant dans ses bras, mais pas pour la retenir, cette fois. « Viens, il faut sortir d'ici », lui dit-elle en l'entraînant vers la porte.

Un instant plus tard, elles se retrouvèrent sur le trottoir avec le reste de la foule hébétée. L'air froid les fit tousser. Les voitures des pompiers encombraient la chaussée, les tuyaux couraient sur le macadam.

Des policiers et des ambulanciers s'empressaient auprès des blessés. Allison reconnut un agent du FBI.

« Je suis Allison Leahy, lui cria-t-elle par-dessus le brouhaha. Je vous présente Kristen Howe. Emmenez-la dans l'une de ces ambulances. »

Puis, comme l'homme prenait la fillette par la main, Allison se pencha et demanda à Kristen : « Sais-tu où est Alice ?

— Qui ?

— L'autre petite fille. L'homme qui t'a enlevée m'a dit que tu saurais où elle se trouve.

— Non, je ne sais rien d'une autre fille. »

Le cœur d'Allison se serra. Elle se redressa. « Vous pouvez l'emmener, dit-elle. Moi, je vais essayer de retrouver Alice. »

L'agent hésitait.

« Emmenez-la, c'est un ordre ! cria-t-elle. Les misères sont finies pour toi, va avec ce monsieur. Il est du FBI », ajouta-t-elle en caressant la joue de l'enfant.

Tandis que l'agent emportait Kristen dans ses bras, Allison tenta d'appeler Harley, mais les parasites rendaient toute communication qui étaient impossible. Elle en comprit la raison en jetant un coup d'œil à tous les véhicules de police et de secours, dont les radios vomissaient un flot de messages. Mais, alors même qu'elle ne s'étonnait plus de ne rien capter, elle entendit la voix brouillée de Harley.

« Allison, l'un de nos agents a Kristen avec lui.

— Sans blague ? »

Les gyrophares des véhicules de secours coloraient d'une lueur orange les visages défaits des rescapés massés sur les trottoirs. Les pompiers avaient déjà déployé les grandes échelles pour évacuer ceux qui étaient restés coincés dans les étages supérieurs.

« Harley, j'ai parlé avec Kristen, cria Allison dans son micro. Elle ne sait rien au sujet d'Alice. »

Elle pressa le petit récepteur contre son oreille pour percevoir la réponse. « Je suis désolé, mais il ne faut pas perdre espoir. Des agents travaillent depuis hier sur ces photos que le ravisseur vous a envoyées. Qui sait, nous trouverons peut-être.

— Depuis hier ? Je cherche depuis huit ans ! »

Un nouveau déferlement de parasites noya la réponse de Harley. Elle tourna son regard vers l'hôtel. Kristen était saine et sauve, mais cela ne représentait que la moitié du marché passé avec ce monstre. Un million de dollars pour Kristen et aussi Alice. C'était ça, l'accord.

Et maintenant, l'argent était en train de brûler.

Mais brûlait-il vraiment ?

Elle regarda le chaos autour d'elle, et sa tristesse se mua en colère. Tout cela n'était qu'une formidable diversion. Dans tout kidnapping, le moment de l'échange rançon-otage était le moment le plus dangereux pour les ravisseurs. C'était là qu'ils couraient tous les risques de se faire prendre. Aussi l'incendie et surtout la panique et le tumulte consécutifs étaient-ils un moyen sûr de procéder à l'échange. Alors que tout le monde se ruait sur les issues à travers la fumée, celui qui lui avait enlevé sa fille n'avait plus qu'à emporter la valise qu'il avait choisie expressément et qui était probablement ignifugée.

« Harley, je retourne dans l'hôtel.

— Non, Allison ! Non ! »

Il ajouta quelque chose qu'Allison ne put entendre. Elle tentait d'ajuster le microphone pour améliorer la réception quand quelqu'un la saisit par le bras.

C'était un flic. « Vous ne pouvez pas rester là, madame.

— Je suis l'attorney général.

— Ouais, et moi je suis le prince de Galles.

— Lâchez-moi immédiatement », dit-elle en se libérant. Un chuintement de parasites grésilla dans son oreille. « Bon sang, Harley, je n'ai pas envie de retourner à l'intérieur sans contact radio, mais je ne vous entends plus ! »

Le flic la prit de nouveau par le bras. « Vous êtes de la presse, hein ? »

Elle l'ignora. « Harley, vous êtes là ?

— Saleté de reporters, grogna le flic. Allez donc poser votre cul derrière le ruban de la police. » Il lui arracha le récepteur de l'oreille, interrompant net la communication.

« Connard ! » hurla Allison.

Il tenta de l'immobiliser d'une main, l'autre serrant son talkie-walkie, dont les crachotements donnèrent une idée à Allison. Elle se dégagea et lui arracha l'appareil des mains.

« Hé ! » hurla-t-il.

Allison détala à toutes jambes.

« Arrêtez ! Arrêtez ! »

Elle continua de courir et disparut dans la foule. Quelques secondes plus tard, elle franchissait la porte et surgissait dans le hall. La fumée commençait à se dégager, mais continuait d'obscurcir le deuxième étage. Elle actionna le talkie-walkie.

« Je ne sais pas qui est à la réception, mais je suis l'attorney général Allison Leahy. J'ai besoin de joindre immédiatement l'agent spécial Harley Abrams du FBI. » Elle n'avait plus qu'à attendre une réponse.

Les pompiers avaient remplacé les clients hystériques. Des traînées de suie et de cendres maculaient le sol et les murs. Les lustres semblaient faits de poussière noire, et la seule lumière provenait des éclairages de secours. Le feu paraissait être maîtrisé, du moins dans cette partie de l'hôtel. Les pompiers portaient tous des masques, mais Allison découvrit qu'elle pouvait respirer sans trop de mal et que les picotements dans les yeux étaient supportables.

Elle gagna le grand escalier. La lumière était plus faible à cet endroit, mais elle distinguait assez bien la terrasse du bar de l'Indépendance. Un pompier solitaire était accroupi près de la table où elle avait laissé la mallette. Il portait une combinaison ignifugée, et le masque et la bouteille d'air comprimé dans son dos le faisaient ressembler à un plongeur sous-marin. Équipé de cette façon, il pouvait traverser le plus dense des nuages de fumée. Et, pensa-t-elle, il pouvait aussi ressortir du bâtiment sans que personne lui prêtât attention.

Comme il se relevait, Allison vit qu'il tenait la mallette à la main. Leurs regards se rencontrèrent. Il se figea. Allison ne broncha pas. Le visage de l'homme était à peine visible sous le masque, mais Allison crut déceler un sourire. Puis il se détourna et s'élança en direction du couloir menant aux chambres.

Allison grimpa l'escalier aussi vite qu'elle le pouvait, arriva au bar et s'engouffra à son tour dans le couloir.

La fumée était épaisse mais pas impénétrable. Le tapis qui recouvrait le sol avait complètement brûlé et le plancher mis à nu était encore brûlant. Les fenêtres donnant sur la cour intérieure avaient explosé sous l'intense chaleur, et des éclats de verre craquaient sous ses semelles. Les cloisons de certaines chambres avaient été soufflées par l'explosion qui avait déclenché l'incendie. Un éclairage de secours brillait dans le nuage de fumée, tel un phare dans la brume. Alourdi par son équipement, l'homme courait gauchement à une trentaine de mètres devant elle.

Il s'arrêta soudain, se retourna et pointa un pistolet. Dans un réflexe, Allison se jeta dans une chambre dont la porte avait été arrachée de ses gonds. La balle siffla à ses oreilles. Elle sortit son arme, risqua un coup d'œil dans le couloir. L'homme avait repris sa course. Elle s'élança après lui.

Il tira une nouvelle fois, sans danger pour elle. Gêné par les gants épais qu'il portait, il avait manifestement du mal à ajuster son tir. Allison continua d'avancer. Le plancher était très endommagé dans cette partie du couloir. Certaines des planches avaient disparu et les solives étaient noircies, certaines presque entièrement rongées par le feu. Prenant garde où elle mettait les pieds, Allison poursuivit néanmoins. Elle n'était plus qu'à une vingtaine de pas quand le sol se déroba sous l'homme.

Il s'enfonça jusqu'à la taille. Dans son effort pour sauver la mallette, son arme tomba à travers le trou. Allison s'immobilisa et, prenant une position de tir, le mit en joue.

« Ne bougez plus ! » hurla-t-elle.

L'ignorant, il continua de lutter pour se dégager. Il avait l'air d'un homme pris dans une congère. Chaque fois qu'il agrippait une latte, celle-ci se rompait. En dessous, le premier étage était en feu, et les flammes léchaient ses bottes ignifugées. Toutefois, il parvint à agripper une solive et, à la force d'un seul bras d'abord, puis de deux, il parvint à se sortir lentement de sa position.

« Arrêtez ! » ordonna de nouveau Allison.

L'homme avait maintenant atteint des lattes épargnées par le feu, laissant un trou béant derrière lui. Il se releva avec précaution mais, blessé à une jambe dans sa chute, se remit en marche en boitant.

Allison l'avait dans sa ligne de mire, mais elle ne pouvait presser la détente. Elle devait savoir au sujet d'Alice. Elle le visa aux jambes, mais avec cette fumée elle craignait de tirer trop haut et de toucher la bouteille d'air comprimé qui exploserait. Elle abaissa son arme et, comme elle s'approchait du trou, elle eut le sentiment de jeter un regard dans un puits de flammes.

Elle longea le mur, là où le plancher semblait avoir résisté, sachant qu'elle était bien plus légère que l'homme lourdement équipé. Elle n'en progressa pas moins avec prudence et la peur au ventre. Une chaleur intense montait du trou, et il lui semblait cheminer sur la lèvre d'un cratère de volcan en activité.

Elle franchissait les deux derniers mètres et retrouvait un plancher plus sûr quand elle vit l'homme s'engouffrer dans une chambre au bout du couloir. Elle l'avait vu perdre son arme, mais il pouvait très bien en avoir une autre. Elle se mit à courir. Le sol était calciné par endroits, mais elle n'en ralentit pas pour autant sa course. Elle s'arrêta à la hauteur de la pièce dans laquelle il avait disparu, et elle avança sur le seuil, le pistolet tenu fermement à deux mains.

Elle n'avait pas fait un mètre que l'homme, surgissant de derrière la porte, la chargeait, l'envoyant valdinguer de l'autre côté du couloir. Réussissant par miracle à ne pas tomber, elle défonça les restes d'une porte-fenêtre et heurta violemment la balustrade d'un balcon donnant sur le jardin intérieur de l'hôtel.

Le souffle coupé par le choc, Allison s'arc-bouta au parapet et mit en joue Vincent Gambrelli, qui lui faisait face depuis le couloir, à cinq mètres de là. « Restez où vous êtes ! » ordonna-t-elle.

Il ôta son masque et le jeta. Il avait l'air immense dans sa combinaison et avec la grosse bouteille d'air comprimé dans son dos.

« Cessez votre cinéma, dit-il d'un ton méprisant. Vous n'oserez jamais tirer. »

Elle se redressa et le visa au visage. Elle jeta un coup d'œil dans le jardin derrière elle, dix mètres plus bas. Un jardin à l'anglaise ceint d'une grille en fer forgé aux pointes acérées. La peur de tomber lui fit faire un pas en avant. « Si vous faites un pas de plus, je vous tue.

— Et ça vous mènerait où ? répliqua-t-il. Peter est mort. Je suis le seul à savoir où se trouve Alice.

— Espèce de salaud, où est-elle ? »

Le talkie-walkie grésilla dans sa poche. Elle reconnut la voix de Harley. « Allison, c'est Harley Abrams. Où êtes-vous ?

— Ne répondez pas », dit Gambrelli.

Elle tenait le pistolet à deux mains.

« C'est moi qui tiens les rênes, ici, Allison. Pas vous, et encore moins Abrams. Je sais où est votre fille. Vous ne pouvez pas me tuer, et vous le savez bien. »

La voix de Harley se fit de nouveau entendre. « Où êtes-vous, Allison ? »

Gambrelli fit un pas vers elle.

« Ne bougez pas ! » hurla-t-elle.

Il ricana. « Vous ne tirerez pas. Vous n'osez même pas répondre au FBI, de peur qu'ils ne me tuent. Vous êtes venue toute seule car, moi mort, vous ne saurez jamais où est votre fille. »

Elle tremblait. Elle avait une terrible envie d'abattre cet homme qui était entrée chez elle et lui avait volé son enfant dans son berceau. Mais il avait raison : elle ne pouvait pas le tuer tant qu'elle aurait l'espoir de retrouver sa fille.

Gambrelli avança encore. « Maintenant, soyez raisonnable et donnez-moi votre pistolet. »

Allison, le doigt crocheté sur la détente, était au désespoir. Elle ne pouvait se laisser désarmer et devenir une otage, mais elle ne pouvait non plus perdre une seconde fois Alice.

La voix de Harley se fit de nouveau entendre. « Allison, je ne sais pas si vous pouvez m'entendre, mais sachez que les photographies nous ont fourni une piste. Nous avons pu localiser Alice. Elle vit dans une famille d'adoption à New York. »

Le visage d'Allison s'éclaira, tandis que celui de Gambrelli grimaçait de peur.

Perdu pour perdu, il se jeta sur elle pour lui arracher le pistolet. Sous le choc, Allison fut projetée contre la balustrade. Gambrelli, considérablement alourdi par son équipement, fut emporté par son élan. Dans un ultime réflexe, Allison esquiva la charge, comme un matador le taureau, et Gambrelli se retrouva littéralement en balance sur la balustrade, le buste dans le vide et les pieds décollés du sol du balcon. De toutes ses forces, Allison lui souleva les jambes, le faisant basculer complètement. Il chuta dans un long hurlement de terreur. Elle se pencha pour le voir tomber, la tête la première. Il atterrit sur la grille d'enceinte aux piques acérées sur lesquelles il s'empala. L'une des pointes creva le réservoir d'air surchauffé, qui explosa avec une violence faisant vibrer le balcon sur lequel Allison se tenait dix mètres plus haut, tandis que des morceaux de métal, de revêtement ignifugé, de chair et de sang étaient projetés dans toutes les directions.

Vincent Gambrelli venait d'être pulvérisé.

Allison frissonna, tandis que le silence retombait dans la cour intérieure du St. George. « Ça, c'était pour Alice », lança-t-elle aux débris maculant le jardin.

Épilogue

Les journaux télévisés du lundi soir eurent pour toile de fond le brasier de l'hôtel St. George, mais ce n'était là qu'un écrin de feu pour la formidable nouvelle de cette veille d'élection : Allison Leahy avait sauvé Kristen Howe au péril de sa vie. C'était tout ce que Harley Abrams et Tanya Howe se contentèrent de dire à la presse. Avec un gros titre pareil, Lincoln Howe pouvait sympathiser avec un certain gouverneur républicain du nom de Dewey, qui s'était couché persuadé que le lendemain il vaincrait son adversaire, Harry Truman.

Mais c'était là une vérité trop partielle pour qu'Allison s'en contentât.

À vingt-trois heures quinze, elle donna un bref communiqué devant une centaine de journalistes entassés dans la salle de conférence de presse du ministère de la Justice. Ce fut « avec une grande honte et une douleur personnelle », selon ses propres mots, qu'elle annonça au peuple américain ce qu'il devait savoir : son propre mari avait été l'instigateur de l'enlèvement de Kristen Howe et de sa propre fille Alice, huit ans plus tôt.

La stupeur cloua la salle, avant que les questions explosent dans tous les coins. Allison ne répondit à aucune d'entre elles. Épuisée, elle se retira pour la nuit dans le studio situé au-dessus de ses bureaux, laissant aux électeurs le soin de décider le lendemain matin si elle était une héroïne, une victime ou bien quelque chose d'autre.

Elle ne prit que quelques heures de repos. À cinq heures du matin, elle s'envolait pour New York à bord du Sabre du ministère de la Justice. Harley Abrams l'accompagnait. Elle n'avait pas eu besoin de l'inviter. Manifestement, il ne concevait pas de ne pas faire partie du voyage.

Moins de trois heures plus tard, ils prenaient la route de l'école primaire d'Ellington, cette même bâtisse de briques rouges que l'on voyait sur la photo prise par Gambrelli, cliché qui avait mené le FBI à Alice. Les techniciens du labo avaient relevé quelque chose qu'un œil nu ne pouvait voir : une plaque de cuivre apposée sur le mur en souvenir du fondateur de l'établissement. Une fois l'école identifiée, il leur avait été facile d'avoir le nom et l'adresse de la petite fille blonde.

Harley gara la voiture juste en face de la cour de l'école clôturée par un grillage et plantée de quelques chênes. Des parents déposaient leurs enfants sur le trottoir devant l'entrée.

Allison, assise à côté de Harley, observait la noria des véhicules avec une agitation croissante.

« À quoi pensez-vous ? demanda Harley.

— Oh, à ce que je pourrais bien dire à Alice... ou plutôt à April. April Remmick, fille unique de Henry et Elizabeth Remmick. Un couple d'honnêtes gens, travailleurs, qui n'ont jamais su que le bébé qu'ils avaient adopté il y a huit ans ne venait pas de Russie mais qu'il m'avait été volé. » Elle eut une grimace de douleur. « Ils forment une famille. De quel droit viendrais-je aujourd'hui briser cette paix ?

— De votre droit de mère, pardi. »

Harley sortit de la voiture. Allison ne bougea pas. Elle le regarda faire le tour du véhicule puis verrouilla sa porte quand il tendit la main vers la poignée.

Il cogna de son index replié contre la vitre. « Descendez, Allison. »

Elle secoua la tête.

« Allison, nous sommes ici pour une bonne raison.

— Mais si je la vois... » Elle porta son regard vers la cour où les élèves dans leurs petits uniformes s'alignaient avant d'entrer. Cependant, il y en avait une, parmi les petites filles, qui se distinguait aux yeux d'Allison avec autant de singularité que si elle avait été vêtue différemment des autres.

Allison ouvrit la portière. Elle traversa la rue à pas lents, sans jamais quitter des yeux la petite fille blonde avec une barrette rose dans les cheveux et des chaussettes rouges qui montaient jusqu'aux genoux, la troisième de douze enfants sagement alignés par ordre de taille. Elle s'arrêta à la clôture et continua de regarder la petite April.

Elle entendit le pas de Harley derrière elle.

« C'est elle, dit-elle.

— Oui, pas de doute.

— Ça peut paraître étrange, mais je suis sûre que je l'aurais reconnue sans la photo. Je ressens en moi comme un indicible lien. »

Harley acquiesça d'un signe de tête.

« Elle a l'air heureuse, reprit Allison. Un peu timide, mais contente. » Elle regarda Harley. « April. C'est un joli prénom aussi, n'est-ce pas ? »

Il sourit avec les yeux. « Vous savez, elle ne serait pas la première enfant à avoir deux familles. Il y a des enfants adoptés qui, un jour, rencontrent leurs parents biologiques. Ça s'est déjà vu. »

Le regard d'Allison alla de la fillette à Harley. « Sincèrement, si vous étiez son père adoptif, vous me laisseriez approcher d'elle ?

— Pourquoi vous l'interdirais-je ?

— Parce que c'est déjà assez difficile comme ça, quand on n'a qu'un seul père et qu'une seule mère. Que je gagne ou que je perde l'élection, demain, je ne pourrai jamais offrir à quelqu'un une existence normale. Je n'en tire aucune vanité, mais mes ambitions m'ont conduite à mener une existence qui n'est pas celle du commun des mortels. Je n'apporterai jamais que le trouble dans cette famille si j'entre en contact avec elle.

— Je ne connais pas de famille qui ne présente un dysfonctionnement quelconque, dit Harley. Pardon, ajouta-t-il, il y en a une. La Famille Addams. C'est la seule qui jouisse d'une harmonie parfaite.

— La Famille Addams ?

— Oui, vous savez... Gomez, Morticia, oncle Fester. C'est la seule famille, dans l'histoire de l'humanité, où l'on s'accepte les uns les autres tels qu'on est.

— Je n'ai jamais considéré la Famille Addams sous cet angle, avoua Allison en souriant.

— Vous devriez. Et tous ces spécialistes à Washington qui essaient de définir la cellule familiale parfaite devraient s'en inspirer.

— Pensez-vous que les parents d'Alice, je veux dire d'April, soient comme Morticia et Gomez ? »

Il posa la main sur son cœur. « Nous pouvons seulement l'espérer », dit-il avec une grimace comique.

Elle sourit et porta de nouveau son regard vers April. Les enfants entraient maintenant dans la classe.

Harley se tourna vers la voiture et offrit son bras à Allison. « Venez, Allison. Allons parler à M. et Mme Remmick. »

Elle le regarda et accepta son bras. Il y avait de l'allant dans son pas, alors qu'elle retraversait la chaussée.

« Allison ?

— Oui, Harley ?

— Vous me donnez le bras, mais c'est vous qui guidez. »
Elle continua d'avancer. « Harley ?
— Oui, Allison ? »
Elle lui donna un léger coup de coude dans les côtes. « Ne me cassez pas les pieds ! »

Achevé d'imprimer en octobre 1998
sur presse Cameron
par ***Bussière Camedan Imprimeries***
à Saint-Amand-Montrond (Cher)

N° d'édition : 3602. N° d'impression : 984968/1.
Dépôt légal : octobre 1998.
Imprimé en France